Kubik

Ryzykantka

Romans historyczny

w Wydawnictwie AMBER

Romans historyczny

AMANDA QUICK

Ryzykantka

Przekład
Małgorzata Żbikowska

AMBER

Tytuł oryginału
SURRENDER

Redaktor serii
MAŁGORZATA CEBO-FONIOK

Redakcja techniczna
ANDRZEJ WITKOWSKI

Korekta
MAGDALENA KWIATKOWSKA
MONIKA TUREK

Ilustracja na okładce
PHIL HEFFERNAN

Opracowanie graficzne okładki
STUDIO GRAFICZNE WYDAWNICTWA AMBER

Skład
WYDAWNICTWO AMBER

ISBN 83-241-2169-2

Prolog

Zegar w holu właśnie wybijał północ. Głuche uderzenia brzmiały jak zwiastun śmierci. Przepiękna, nieco staromodna, straszliwie ciężka suknia, która nie bardzo na nią pasowała, ponieważ była przeznaczona dla innej kobiety, krępowała jej ruchy. Gruby wełniany materiał owijał się wokół nóg, kiedy biegła korytarzem. Podciągnęła suknię wysoko, prawie do kolan, i z przestrachem obejrzała się za siebie.

Prześladowca był coraz bliżej, ścigał ją jak ogarnięty żądzą krwi pies myśliwski w pogoni za jeleniem. Na przystojnej niegdyś twarzy mężczyzny, który zwiódł niewinną, ufną kobietę i zmusił ją do małżeństwa, a potem przywiódł do zguby, malował się teraz strach i mordercza, niepohamowana wściekłość. Biegł za nią z dziko płonącymi oczyma, które niemal wychodziły z orbit i z włosem rozwianym jak u szaleńca. W ręku trzymał nóż, który za chwilę miał utkwić w jej szyi.

– Ty suko szatana! – Usłyszała jego wściekły głos w holu prowadzącym do schodów. Złowieszczo błysnęło ostrze noża. – Ty nie żyjesz. Dlaczego nie zostawisz mnie w spokoju? Przysięgam, że odeślę cię z powrotem do piekła. Ale tym razem na dobre. Słyszysz, ty przeklęty upiorze? Na dobre!

Chciała krzyknąć, lecz nie mogła wydobyć głosu. Biegła, ile sił w nogach.

– Będę patrzył, jak twoja krew spływa mi między palcami, aż zupełnie się wykrwawisz! – krzyknął, zmniejszając odległość między nimi. – Tym razem nie wstaniesz z grobu, ty szatańska suko! Dość już sprawiłaś mi kłopotów!

Zatrzymała się u szczytu schodów, gwałtownie chwytając powietrze. Serce waliło jej jak młotem. Unosząc suknię jeszcze wyżej, zaczęła zbiegać ze schodów, jedną ręką przytrzymując się poręczy, by nie upaść. Przecież nie mogła złamać sobie karku, skoro miała umrzeć od ciosu nożem.

Był tuż za nią. Wszystko wskazywało na to, że tym razem nie uda jej się wyjść z tego cało. Posunęła się za daleko. Wkrótce sama stanie się duchem, w którego się wcieliła. Nie zdąży nawet zbiec ze schodów.

A przecież wreszcie zdobyła dowód, którego tak poszukiwała. Ogarnięty wściekłością, wyjawił całą prawdę. Jeśli uda się jej przeżyć, to biedna matka zostanie pomszczona. Niestety, wszystko wskazywało na to, że przypłaci życiem śledztwo, którego się podjęła.

Za chwilę uchwycą ją jego ręce, podobnie jak zwykł to czynić ku jej przerażeniu przed laty, potem poczuje w ciele lodowate ostrze noża.

Nóż!

O Boże, nóż!

Była w połowie schodów, kiedy ciemności rozdarł przerażający krzyk jej prześladowcy.

Obejrzała się ze strachem i już wiedziała, że odtąd północ zawsze będzie dla niej koszmarem.

1

Victoria Claire Huntington potrafiła wyczuć, kiedy stawała się obiektem męskiego zainteresowania. W wieku dwudziestu czterech lat nauczyła się rozpoznawać doświadczonych łowców posagów. Bogate panny stanowiły przecież nie lada kąsek.

Fakt że będąc dziedziczką pokaźnej fortuny, jeszcze nie wyszła za mąż, dobitnie świadczył o talencie, z jakim potrafiła się wymykać przebiegłym oportunistom, których w towarzystwie nie brakowało. Dawno już przyrzekła sobie, że nie ulegnie ich pociągającemu lecz powierzchownemu urokowi.

Ale Lucas Mallory Colebrook, nowo upieczony hrabia Stonevale, zdecydowanie się wśród nich wyróżniał. Może i był oportunistą, lecz takie określenia, jak przebiegły czy powierzchowny, zupełnie do niego nie pasowały. Wśród jaskrawo upierzonych ptaszków z towarzystwa ten człowiek był prawdziwym jastrzębiem.

Victoria zdawała sobie sprawę, że właśnie te cechy charakteru, ukryta siła i nieugięta wola, które w nim rozpoznała i które powinny być dla niej ostrzeżeniem, przyciągnęły ją ku niemu. Stonevale zafascynował ją w chwili, kiedy został jej przedstawiony. Owo dziwne przyciąganie, jakie odczuwała, było wysoce kłopotliwe i wręcz niebezpieczne.

– Zdaje mi się, że znowu wygrałam, milordzie.

Victoria rozłożyła karty na pokrytym zielonym suknem stole i obdarzyła swego przeciwnika olśniewającym uśmiechem.

– Proszę przyjąć moje gratulacje, panno Huntington. Los jest dziś dla pani wyjątkowo łaskawy.

Stonevale, którego szare oczy przywodziły Victorii na myśl upiory krążące w ciemną noc, nie wyglądał bynajmniej na zmartwionego poniesioną stratą. Przeciwnie, wydawał się nawet usatysfakcjonowany takim obrotem sprawy, jakby wszystko sobie dokładnie zaplanował.

– W rzeczy samej, los jest dziś dla mnie zdumiewająco łaskawy – mruknęła Victoria. – Można by pomyśleć, że ktoś mu dopomógł.

– Nawet nie dopuszczam takiej myśli. Nie mogę pozwolić, byś obrażała swój honor, pani.

– To niezwykle uprzejme z pańskiej strony, lecz tu nie o mój honor chodzi. Zapewniam pana, że ja nie oszukiwałam.

Wstrzymała oddech, bo zdała sobie sprawę, że zbyt daleko się posunęła. Właściwie oskarżyła hrabiego o oszustwo.

Stonevale spojrzał na nią. Jego twarz nie wyrażała żadnych uczuć. Jest przerażająco spokojny, pomyślała Victoria z lekkim drżeniem. W tych zimnych, szarych oczach powinien pojawić się jakiś błysk emocji. Lecz z wyjątkiem pewnej czujności niczego nie mogła z nich wyczytać.

– Czy zechciałaby pani to wyjaśnić?

Postanowiła się wycofać na pewniejszy grunt.

– Proszę nie zwracać uwagi na moje słowa, milordzie. Jestem po prostu zaskoczona, że to nie tobie dopisało dziś szczęście. W najlepszym razie uważam się za miernego gracza. Ty zaś, panie, masz opinię wytrawnego karciarza. W każdym razie tak słyszałam.

– Pochlebia mi pani.

– Nie sądzę – odparła Victoria. – Słyszałam opowieści o zręczności, jaką się wykazujesz u White'a i Brooksa, a także w innych klubach o, powiedzmy, nieco gorszej reputacji.

– Wysoce przesadzone to opowieści. Ale zaciekawiła mnie pani. Jako że dopiero zostaliśmy sobie przedstawieni, chciałbym zapytać, skąd o tym wiesz?

Nie mogła mu wyjawić, że wypytywała o niego swą przyjaciółkę, Annabellę Lyndwood.

– Jestem pewna, że pan wie, jak rodzą się takie plotki.

– W rzeczy samej. Ale kobiecie z twoją inteligencją nie przystoi słuchać plotek. – Płynnym ruchem zebrał karty w schludny stosik. Dłonią o pięknych długich palcach nakrył talię kart i uśmiechnął się chłodno do Victorii. – A teraz czy zechce pani odebrać swoją wygraną?

Victoria popatrzyła na niego niepewnie, nie mogąc stłumić wzbierającego w niej podniecenia. Rozum podpowiadał jej, że powinna skończyć tę znajomość, tu i teraz. Lecz tego wieczoru zawiodła ją chłodna logika, którą posługiwała się w takich okolicznościach. Nigdy dotąd nie spotkała takiego człowieka jak Stonevale.

Śmiech i rozmowy w pokoju gier nagle ucichły, a muzyka dochodząca z sali balowej wydała się odległa i cicha. Ogromny londyński dom Athertonów był pełen szykownych dam i dżentelmenów z towarzystwa, wśród których uwijali się lokaje, ale Victoria miała wrażenie, że są z hrabią zupełnie sami.

– Moją wygraną? – powtórzyła wolno, starając się zebrać myśli. – Istotnie, powinnam coś z nią zrobić.

– O ile pamiętam, założyliśmy się o przysługę, prawda? Jako zwyciężczyni ma pani prawo zażądać jej ode mnie. Jestem na pani usługi.

– Tak się składa, milordzie, że nie potrzebuję od ciebie żadnej przysługi.

– Jest pani tego pewna?

Zaskoczył ją wyraz jego oczu. Ten człowiek wiedział więcej, niż powinien.

– Najzupełniej.

– Obawiam się, że muszę temu zaprzeczyć, panno Huntington. Myślę, że będzie ci potrzebna moja pomoc. Dano mi do zrozumienia, że będziesz potrzebować eskorty na dzisiejszy wieczór, Ty i panna Lyndwood wybieracie się bowiem na jarmark. – Victoria zesztywniała.

– Skąd o tym wiesz, milordzie?

Stonevale zręcznie przerzucał karty jednym palcem.

– Lyndwood i ja przyjaźnimy się ze sobą. Należymy do tych samych klubów i od czasu do czasu grywamy razem w karty.

– Lord Lyndwood? Brat Annabelli? Rozmawiałeś z nim, panie?

– Tak.

Victoria poczuła wzbierający gniew.

– Obiecał towarzyszyć nam dziś wieczór i dał słowo, że zachowa całą sprawę w sekrecie. Jak on śmiał rozmawiać o tym z kimkolwiek? Tego już za wiele! I mężczyźni mają czelność oskarżać kobiety o plotkarstwo. Cóż za zniewaga!

– Twój sąd na temat mężczyzn jest zbyt surowy, pani.

– A cóż uczynił Lyndwood? Rozgłosił w klubie, że zabiera swoją siostrę i jej przyjaciółkę na jarmark

– Mogę cię zapewnić, pani, że wcale nie rozgłosił. Był niezwykle dyskretny. W końcu chodzi o jego siostrę, czyż nie? Jeśli musisz już znać całą prawdę, to Lyndwood zwierzył mi się z sekretu, ponieważ był nim wielce zaniepokojony.

– Nie pojmuję dlaczego? Nie widzę w tym nic niepokojącego. Ma jedynie towarzyszyć Annabelli i mnie do parku, gdzie odbywa się jarmark.

– Jeśli dobrze zrozumiałem, to ty, pani, i jego siostra wywarłyście na nim presję, aby przystał na wasz plan. Chłopak jest zbyt niedoświadczony i dał się w to wciągnąć. Na szczęście okazał się na tyle mądry, by żałować chwilowej słabości, i dość sprytny, by szukać pomocy.

– Rzeczywiście, biedny chłopak! Cóż za nonsens! Przedstawiłeś to, panie, tak, jakbyśmy z Annabellą zmusiły Bertiego do uczestnictwa w tej wyprawie.

– A nie było tak? – zapytał.

– Oczywiście, że nie. Powiedziałyśmy mu jedynie, że mamy zamiar wybrać się dziś wieczór na jarmark, a on się uparł, by nam towarzyszyć. To niezwykle wspaniałomyślne z jego strony. Tak przynajmniej sądziłyśmy.

– Nie zostawiłyście mu wielkiego wyboru. Przecież nie mógł się zgodzić, byście poszły tam same. Doskonale o tym wiedziałyście. To był szantaż. Co więcej, podejrzewam, że to był pani pomysł, panno Huntington.

– Szantaż?! – wykrzyknęła Victoria. – Pan mnie obraża, milordzie.

– Dlaczego? Przecież to prawda. Czy sądzisz, pani, że Lyndwood z ochotą przystałby na uczestniczenie w tak nieprzystojnej eskapadzie, gdybyście nie zagroziły, że pójdziecie same? Mama panny Lyndwood dostałaby waporów, gdyby się o wszystkim dowiedziała i przypuszczam, że twoja ciotka również.

– Zapewniam cię, panie, że ciocia Cleo nie należy do osób, które dostają waporów – oświadczyła stanowczo Victoria. Musiała jednak przyznać mu w duchu rację, że nie mylił się co do matki Annabelli. Lady Lyndwood rzeczywiście wpadłaby w histerię, gdyby odkryła plany swej córki. Dobrze wychowane panny nie chodzą nocami na jarmarki.

– Być może twoja ciotka, pani, ma silny charakter. Wierzę na słowo, nie miałem jeszcze bowiem honoru być przedstawionym lady Nettleship. Lecz bardzo wątpię, żeby zaaprobowała twoje plany na dzisiejszy wieczór – powiedział Stonevale.

– Uduszę lorda Lyndwooda, kiedy go zobaczę. Nie postąpił jak dżentelmen, zdradzając czyjś sekret.

– Nie można go obarczać winą za to, że mi się zwierzył. Jako były oficer potrafię rozpoznać, kiedy młodego człowieka coś gnębi. Z łatwością namówiłem go do zwierzeń.

Oczy Victorii zwęziły się.

– Właściwie w jakim celu?

– Powiedzmy, że bardzo mnie ta sprawa zaciekawiła. Kiedy powiedziałem Lyndwoodowi, że może na mnie liczyć, wszystko wyznał i błagał, żebym mu pomógł.

– Nie odpowiedziałeś na moje pytanie, panie. Dlaczego ta sprawa tak cię zaciekawiła?

– To w tej chwili nie jest ważne – odpowiedział Stonevale, bawiąc się talią kart. – Wydaje mi się, że mamy do omówienia znacznie ważniejsze sprawy.

– Nie widzę żadnych ważnych spraw. – Z wyjątkiem tej, by się od ciebie uwolnić, dodała w duchu. Instynkt jej nie zawiódł. Powinna odejść, kiedy jeszcze miała szansę. Niestety, wyglądało na to, że od początku stała na straconej pozycji. Wszystko się toczyło jakby według jakiegoś niezwykle sprytnego planu, na który ona nie miała żadnego wpływu.

– Czy nie sądzisz, pani, że powinniśmy omówić szczegóły dzisiejszej eskapady?

– Dziękuję panu, ale wszystko zostało już omówione.

Nie podobało jej się, że próbuje przejąć inicjatywę.

– Wybacz, pani. Być może odezwał się we mnie ekszołnierz, a może to tylko czysta ciekawość, ale lubię wiedzieć zawczasu, w co się angażuję. Czy zechciałabyś nieco dokładniej przedstawić mi plan dzisiejszej wyprawy? – zapytał z niewinną miną.

– Nie widzę powodu, dla którego miałabym to robić. Nie zapraszałam pana.

– Chciałem jedynie być pomocny. Nie tylko Lyndwood, ale i ty, pani, będziecie mi wdzięczni za dodatkową eskortę. Gawiedź bywa wieczorem niezwykle hałaśliwa i gwałtowna.

– Nie przeszkadza mi hałaśliwa gawiedź. To tylko czyni całą wyprawę bardziej ekscytującą.

– Zatem spodziewam się, że potrafisz docenić moją gotowość do zachowania milczenia o całej sprawie, jeśli zdarzy się okazja, iż zostanę przedstawiony twej ciotce.

Victoria mierzyła go wzrokiem przez krótką, pełną napięcia chwilę.

– Wygląda na to, że nie tylko lordowi Lyndwoodowi grożono szantażem. Ja również padłam jego ofiarą.

– Ranisz mnie, pani.

– Niestety, nie śmiertelnie. W przeciwnym razie pozbyłabym się kłopotu.

– Usilnie proszę, abyś widziała we mnie, pani, rękę opatrzności, a nie kłopot. – Stonevale uśmiechnął się lekko. Jednak w jego oczach nadal czaiły się upiory. – Proszę tylko, abym mógł ci służyć jako eskorta dziś wieczorem, kiedy znajdziesz się w niebezpiecznej okolicy. Bardzo bym chciał wywiązać się z mego karcianego długu.

– A jeśli się nie zgodzę, byś mi dziś wieczór towarzyszył, opowiesz o wszystkim mojej ciotce, tak?

Stonevale westchnął.

– Byłoby to bardzo nieprzyjemne dla wszystkich zainteresowanych, gdyby mama panny Lyndwood albo twoja ciotka dowiedziały się o waszych planach, lecz któż może wiedzieć, jak potoczy się rozmowa, nieprawdaż?

– Wiedziałam. To szantaż. – Victoria uderzyła wachlarzem o blat stołu. – Wstrętne słowo, ale tak, poniekąd to jest szantaż.

Łowca posagów. To jedyne wytłumaczenie, jakie przychodziło jej na myśl. Nigdy jeszcze nie spotkała kogoś tak zuchwałego i upartego. Wszyscy jej dotychczasowi konkurenci mieli nienaganne maniery i zachowywali się niezwykle szarmancko, przynajmniej na początku. Victoria ufała jednak swoim instynktom. Spojrzała w szare oczy hrabiego i zafascynował ją wyraz oczekiwania, jaki w nich dostrzegła. Wstała od stołu. Stonevale natychmiast znalazł się u jej boku.

– Będę niecierpliwie oczekiwał spotkania z panią dziś wieczorem – szepnął jej do ucha.

– Jeśli liczy pan na mój posag – wycedziła – to zechciej pan swoje zaloty skierować w inną stronę. Przy mnie tracisz czas. Przyznaję, że twoja metoda jest oryginalna, lecz nie znajduję w niej nic atrakcyjnego. Mogę cię zapewnić, że potrafiłam się oprzeć daleko bardziej nęcącym przynętom.

– Tak mi właśnie mówiono.

Szedł obok niej w stronę rozjarzonej światłami sali balowej. Dostrzegła coś dziwnego w pozornie równym kroku hrabiego. Elegancki, czarny, wieczorowy strój, nienagannie zawiązany halsztuk, obcisłe spodnie i błyszczące buty nie były w stanie skryć faktu, że Stonevale utykał na lewą nogę.

– A co dokładnie ci mówiono, milordzie? – zapytała.

Wzruszył ramionami.

– Że małżeństwo nie bardzo cię interesuje.

– Twoi informatorzy są w błędzie. – Uśmiechnęła się lekko. – Mnie w ogóle nie interesuje małżeństwo.

Stonevale obrzucił ją uważnym spojrzeniem.

– Jaka szkoda. Może gdybyś miała męża i rodzinę, którą musiałabyś się zajmować wieczorami, nie zabawiałabyś się wymyślaniem tak ryzykownych przedsięwzięć, jak to dzisiejsze.

Uśmiechnęła się promiennie.

– Jestem pewna, że dzisiejsza przygoda będzie daleko bardziej zajmująca od wieczornych obowiązków żony.

– Skąd ta pewność?

– Rodzinne doświadczenie. Z moją matką ożeniono się dla pieniędzy i to przywiodło ją do zguby. Moją ciotkę również poślubiono z powodu jej majątku. Na szczęście mój wuj był na tyle uprzejmy, że wkrótce zginął w wypadku na polowaniu. Ja zaś, skoro nie mogę liczyć na równie szczęśliwy traf, postanowiłam w ogóle nie wychodzić za mąż.

– Czy nie obawiasz się, pani, że może cię ominąć niezwykle ważna sfera kobiecego życia?

– Bynajmniej. Nie widzę w stanie małżeńskim nic godnego uwagi.

Otworzyła pozłacany wachlarz, by skryć zdenerwowanie. Ciągle stały jej przed oczami wspomnienia drobnych okrucieństw i aktów pijackiej brutalności, jakich dopuszczał się jej ojczym wobec matki. Nawet jasne światła sali balowej nie potrafiły ich zaćmić. Wstrząsnęła wachlarzem raz i drugi, mając nadzieję, że Stonevale domyśli się, że nie ma ochoty dłużej rozmawiać na ten temat.

– Proszę wybaczyć, milordzie, ale dostrzegłam właśnie przyjaciółkę, z którą muszę pomówić.

Podążył za jej wzrokiem.

– Ach tak, nieustraszona Annabella Lyndwood. Zapewne pragnie omówić wieczorne plany. Wygląda na to, że skoro nie chcesz, pani, ze mną współpracować, sam będę musiał się wszystkiego dowiedzieć. Lecz nie obawiaj się, jestem mistrzem strategii. – Skłonił głowę przed Victorią. – Do zobaczenia, panno Huntington.

– Będę się modlić, byś znalazł, panie, coś bardziej zajmującego na dzisiejszy wieczór.

– To mało prawdopodobne.

Błysnął szelmowskim uśmiechem, odsłaniając białe zęby.

Odwróciła się od niego bez słowa, szeleszcząc złocistożółtymi jedwabnymi spódnicami. Ten człowiek był nie tylko niebezpieczny, był wprost nieznośny. Stłumiła jęk rozpaczy i wtopiła się w tłum gości. Nie powinna była dać się zwabić hrabiemu do pokoju gier. Nie należało do dobrego tonu, aby dama na balu grała w karty. Ale Victoria nigdy nie potrafiła się oprzeć przygodzie i ten przeklęty człowiek natychmiast to wyczuł. Wyczuł i wykorzystał jej słabość.

Właściwie została zaskoczona. Stonevale'a przedstawiła jej Jessica Atherton, a lady Atherton nie można niczego zarzucić, to po prostu wzór doskonałości. Smukła, ciemnowłosa i niebieskooka była nie tylko młodą, delikatną i uroczą kobietą, ale także skromną, niezwykle uprzejmą, godną najwyższego szacunku damą, która zawsze wiedziała, jak należy się zachować. Innymi słowy, nigdy by nie przedstawiła hulaki czy łowcy posagów któremuś ze swoich gości.

– Wszędzie cię szukam, Vicky. – Annabella Lyndwood spiesznie podeszła do przyjaciółki. Rozsunęła wachlarz, by przysłonić usta i szepnęła: – Grałaś w karty ze Stonevale'em? Cóż za nieprzyzwoitość. Kto wygrał?

– Niestety, ja. – Victoria westchnęła.

– Czy powiedział ci, że Bertie prosił go o towarzyszenie nam dziś wieczorem? Byłam wściekła, kiedy się o tym dowiedziałam, ale Bertie twierdzi, że powinnyśmy mieć jeszcze jednego mężczyznę do ochrony.

– Dano mi to do zrozumienia.

– Ojej, pewnie się na mnie gniewasz. Strasznie mi przykro, Vicky, naprawdę, lecz nic na to nie mogłam poradzić. Bertie obiecał dochować sekretu, a Stonevale najwidoczniej go podszedł.

– Tak, mogę sobie wyobrazić, jak to się stało. Prawdopodobnie tak spoił Bertiego, że ten wyznał mu wszystko. Wielka szkoda, że twój brat nie potrafił trzymać języka za zębami, ale nie przejmuj się, Bella. I tak postanowiłam dobrze się bawić.

W błękitnych oczach Annabelli błysnęła ulga. Jej jasne loki zadrżały zalotnie, kiedy z uśmiechem kiwnęła głową. Annabella Lyndwood uważana była przez niektórych za nieco zbyt pulchną jak na wymogi panującej mody. Ale skłonność do pełnej figury nie odstraszała licznych konkurentów. Właśnie wkroczyła w dwudziestą pierwszą wiosnę życia i, jak zwierzyła się Victorii, będzie zmuszona do przyjęcia jednej z kilkunastu ofert złożonych jej w tym sezonie. Annabella późno weszła w świat ze względu na śmierć ojca. Kiedy jednak pojawiła się w Londynie, natychmiast zyskała wielkie powodzenie.

– Co o nim wiesz, Bella? – zapytała cicho Victoria.

– O kim? O Stonevale'u? Prawdę powiedziawszy niewiele. Bertie mówi, że jest przyjmowany we wszystkich klubach. O ile wiem, to niedawno otrzymał tytuł. Poprzedni hrabia był jego dalekim krewnym. Wujem, czy kimś takim. Bertie mówił coś o posiadłościach w Yorkshire.

– Co jeszcze mówił Bertie?

– Poczekaj, niech pomyślę. Zdaje się, że nikt już z tej rodziny nie pozostał przy życiu. Mało brakowało, a ród wymarłby bezpotomnie, kiedy Lucas Colebrook rok temu został ciężko ranny na Półwyspie.

Victoria poczuła dziwny skurcz w żołądku.

– W nogę?

– Tak. Prawdopodobnie z tego powodu musiał wystąpić z wojska. Zresztą i tak by to zrobił ze względu na tytuł. Teraz powinien zająć się majątkiem.

– Oczywiście. – Victoria nie mogła się powstrzymać, by nie zapytać: – Jak do tego doszło?

– Że został ranny w nogę? Nie znam szczegółów. Bertie twierdzi, że Stonevale nie chce o tym mówić. Ale sam Wellington wymieniał go w swoich raportach. Podobno w czasie bitwy, w której został ranny, najpierw zdobył wyznaczony cel i dopiero wówczas spadł z konia. Pozostawiono go nieprzytomnego na polu bitwy.

Pozostawiony na polu bitwy! Victoria poczuła, że robi jej się słabo. Natychmiast jednak powiedziała sobie, że Lucas Colebrook nie należy do mężczyzn, nad którymi trzeba się litować. Co więcej, nie przyjąłby nawet wyrazów współczucia. Chyba że miałby w tym jakiś cel.

A może Stonevale zaproponował jej grę w karty po to, by nie musieć tańczyć? Chora noga zapewne trzymała go z dala od parkietów.

– Co o nim sądzisz, Vicky? Zauważyłam, że ten wzór doskonałości, panna Pilkington, przez cały wieczór wodzi za nim oczami. Inne panny również, nie wyłączając ich mam. Nic tak nie zaostrza apetytu jak świeża krew w towarzystwie, nieprawdaż? – Annabella pozwoliła sobie na lekką złośliwość.

– To straszne. – Victoria wybuchnęła gromkim śmiechem. – Ciekawa jestem, czy Stonevale wie, że ogląda się go tu jak kosztownego ogiera.

– Nie mam pojęcia, ale jak dotąd jesteś jedyną, za którą on się ogląda. Wszyscy zauważyli, że to ciebie zaprosił do pokoju gier.

– Podejrzewam, że on poluje na posag – stwierdziła Victoria.

– Daj spokój, Vicky. Według ciebie mężczyźni widzą jedynie twój posag. To już się staje chorobliwe. Nie sądzisz, że niektórzy z twoich konkurentów mogą być zainteresowani tobą, a nie twoim majątkiem?

– Mam prawie dwadzieścia pięć lat, Bello. Obie dobrze wiemy, że panowie z towarzystwa nie oświadczają się kobietom w moim wieku, chyba że znęcą ich praktyczne powody. Mój majątek jest właśnie jednym z takich powodów.

– Mówisz, jakby cię już odłożono na półkę, a to nieprawda.

– Oczywiście, że to prawda i jeśli mam być uczciwa, bardzo mi to odpowiada – oświadczyła Victoria ze spokojem.

– Ale dlaczego? – zapytała Annabella ze zdziwieniem.

– To wszystko upraszcza – odparła wymijająco, lustrując wzrokiem tłum gości w poszukiwaniu Stonevale'a. Dostrzegła go po chwili pogrążonego w rozmowie z panią domu, tuż przy drzwiach wychodzących na rozległy ogród. Z jakąż serdecznością odnosił się do anielskiej lady Atherton, która wyglądała jak różowe zjawisko.

– Jeśli to cię pocieszy, to Bertie nie powiedział absolutnie nic, co mogłoby wskazywać na to, że Stonevale jest łowcą posagów – powiedziała Annabella. – Przeciwnie. Wieść niesie, że stary hrabia był ekscentrykiem i ukrywał swe bogactwa aż do dnia śmierci. Teraz wszystko to odziedziczył nasz nowy hrabia. Znasz Bertiego, nie zaprosiłby do towarzystwa kogoś, kogo by nie aprobował.

Victoria, chcąc nie chcąc, musiała się z tym zgodzić. Lord Lyndwood, zaledwie dwa lata starszy od siostry, traktował niedawno otrzymany tytuł niezwykle poważnie. Opiekował się troskliwie swą rozflirtowaną, bogatą siostrą i z sympatią odnosił się do Victorii. Nigdy by nie naraził kobiety na kontakt z mężczyzną, którego pochodzenie czy reputacja były wątpliwe. Może Annabella ma rację, pomyślała Victoria. Może jestem zbyt przewrażliwiona na punkcie przebiegłych łowców posagów.

Nagle przypomniała sobie wyraz oczu Stonevale'a. Nawet jeśli nie był łowcą posagów, był bardziej niebezpieczny od wszystkich dotychczasowych konkurentów, może z wyjątkiem jej ojczyma.

Poczuła ucisk w żołądku i gwałtownie odepchnęła od siebie to wspomnienie. Nie, pomyślała z nagłą determinacją, bez względu na to, jak niebezpieczny mógł być Stonevale, nie należało go porównywać z brutalem, który ożenił się z matką. Coś jej mówiło, że ci dwaj mężczyźni zdecydowanie się od siebie różnią.

– Gratuluję, moja droga. Widzę, że przyciągnęłaś uwagę naszego nowego hrabiego. Stonevale to interesujący okaz, nieprawdaż?

Wyrwana z zamyślenia obejrzała się przez ramię i napotkała wzrok Isabel Rycott. Zmusiła się do uprzejmego uśmiechu. Niezbyt lubiła tę kobietę, ale w skrytości ducha zazdrościła jej.

Isabel Rycott przypominała egzotyczny klejnot. Przekroczyła już trzydziestkę i roztaczała wokół siebie atmosferę tajemniczej zmysłowości, która przyciągała mężczyzn tak jak miód wabi pszczoły. Wrażenie egzotyczności sprawiały kocie ruchy, lśniące czarne włosy i lekko skośne oczy. Obok Victorii była jedną z nielicznych kobiet, które nie zważając na obowiązujący styl, tego wieczoru były ubrane w suknie o ostrych barwach zamiast białych czy pastelowych. Jej przykuwająca oczy szmaragdowozielona kreacja połyskiwała zmysłowo w rozświetlonej sali balowej.

Lecz nie urody zazdrościła jej Victoria, tylko wolności, jaką cieszyła się ta kobieta z racji wieku i statusu wdowy. Kobieta z pozycją lady Rycott o wiele rzadziej stawała się obiektem wnikliwej obserwacji towarzystwa. Lady Rycott mogła sobie pozwolić nawet na dyskretne romanse.

Victoria nigdy nie spotkała mężczyzny, z którym chciałaby nawiązać romans, ale gorąco pragnęła niezależności, dającej możliwość przeżycia miłosnej przygody.

– Dobry wieczór, lady Rycott. – Victoria uśmiechnęła się do stojącej obok kobiety. – Czy poznała już pani hrabiego?

Isabel pokręciła misternie ufryzowaną główką.

– Niestety, nie zostaliśmy sobie przedstawieni. Dopiero niedawno zaczął bywać w towarzystwie, choć słyszałam, że dał się już poznać jako gracz w klubach.

– Ja również o tym słyszałam – odezwała się Annabella. – Bertie twierdzi, że hrabia jest wybornym graczem. Niezwykle opanowanym.

– Doprawdy? – Isabel spojrzała w stronę, gdzie stał Stonevale, nadal pogrążony w rozmowie z lady Atherton. – Nie można go nazwać przystojnym, choć jest w nim coś intrygującego, nieprawdaż?

Przystojny? Victoria omal nie roześmiała się w głos, słysząc tak nieodpowiednie słowo. Nie, Stonevale nie był przystojny. Rysy twarzy miał ostre, nawet surowe, orli nos, wydatną szczękę i bezlitosną przenikliwość w szarych oczach. Włosy miały barwę czarnej bezksiężycowej nocy, przyprószone srebrem na skroniach, jednak żadna z tych cech nie przybliżała go do określenia „przystojny". Patrząc na niego, widziało się spokojną i kontrolowaną męską siłę, a nie gładkiego dandysa.

– Przyzna pani – powiedziała Annabella – że ubrania dobrze na nim leżą.

– Tak – przytaknęła lady Rycott. – Leżą na nim nadzwyczaj dobrze.

Victorii nie podobało się taksujące spojrzenie, jakim Isabel obrzuciła hrabiego, lecz musiała przyznać, że Stonevale należał do tych nielicznych mężczyzn, którzy nie hołdowali modzie. Szerokie ramiona, szczupła talia i silnie umięśnione uda nie potrzebowały żadnych poduszek czy innego kamuflażu.

– Może okazać się zabawny – stwierdziła Isabel.

– Tak, zapewne – zgodziła się ochoczo Annabella.

Victoria spojrzała ponownie na wysoką postać stojącą obok lady Atherton.

– „Zabawny" nie jest chyba najwłaściwszym określeniem.

„Niebezpieczny" byłoby zdecydowanie lepszym.

Nagle zapragnęła zmierzyć się z tym nowym dla niej wyzwaniem. Życie towarzyskie, któremu ostatnio oddawała się z coraz większym zapałem, wypełniając w ten sposób długie nocne godziny, przestało jej już wystarczać. Potrzebowała czegoś więcej, by przepędzić dręczące ją koszmary. Hrabia Stonevale mógł być właśnie lekarstwem, jakiego potrzebowała.

– I co o niej myślisz, drogi Lucasie? Czy będzie ci odpowiadać? – Lady Atherton popatrzyła na Stonevale'a z niepokojem w pięknych łagodnych oczach.

– Sądzę, że najzupełniej, Jessico. – Lucas sączył szampana, lustrując wzrokiem tłum gości.

– Jest może trochę za stara.

– Ja też jestem trochę za stary – zauważył oschle.

– Nonsens. Trzydzieści cztery lata to doskonały wiek dla mężczyzny pragnącego założyć rodzinę. Edward miał trzydzieści trzy, kiedy go poślubiłam.

– Doprawdy?

Oczy Jessiki wyrażały szczerą skruchę.

– Och, wybacz, Lucasie. Popełniłam straszny nietakt. Ale doprawdy, nie chciałam cię urazić.

– Nic się nie stało.

Lucas dostrzegł wreszcie Victorię w tłumie. Obserwował, jak zmierza na parkiet w towarzystwie zażywnego starszawego barona. Victoria lubiła tańczyć, chociaż wybierała sobie partnerów albo bardzo młodych i niezbyt atrakcyjnych towarzysko, albo znacznie od siebie starszych. Uważała ich prawdopodobnie za nieszkodliwych.

Żałował, że nie może zaryzykować i zaprosić jej do tańca. Ciekawe, czy równie chętnie poszłaby za nim na parkiet, jak do pokoju gier. Nie był jednak pewien, jak przyjmie jego kalectwo, toteż wolał nie ryzykować.

Nie wyczuł w niej skłonności do okrucieństwa. Miała temperament, owszem, lecz nie zniżyłaby się do kąśliwych docinków na temat jego nogi. Niemniej, sprowokowana, mogła boleśnie nastąpić mu na palce, jak to zdarzyło się w pokoju gier. Uśmiechnął się na wspomnienie ich rozmowy.

– To wprost nieprzyzwoite, że zgodziła się pójść z tobą do pokoju gier – stwierdziła lady Atherton. – Obawiam się, że to cała panna Huntington. Ma dziwną skłonność do niewłaściwych zachowań. Jestem jednak przekonana, że odpowiedni mąż poradzi sobie z tą godną pożałowania cechą charakteru.

– Z pewnością.

– I ma wyraźną predylekcję do raczej jaskrawego odcienia żółtego – dodała lady Atherton.

– Wynika z tego, że panna Huntington ma własny rozum i wolę. Muszę jednak przyznać, że do twarzy jej w żółtym. O niewielu kobietach można to powiedzieć.

Śledził wzrokiem smukłą postać Victorii w sukni z podwyższoną talią. Żółty jedwab błyszczał na niej jak miodopłynny promień słonecznego światła. Był ciepłym akcentem wśród klasycznej bieli i pastelowych odcieni.

Jedynym mankamentem tej sukni był zbyt głęboki dekolt. Zbyt mocno odsłaniał miękkie, pełne wzgórki piersi. Lucas poczuł nagle przemożną chęć pożyczenia od którejś z matron szala i okrycia nim Victorii.

– Niestety, zyskała sobie miano nieco oryginalnej. To zapewne wpływ jej ciotki. Cleo Nettleship jest najbardziej niezwykłą znaną mi osobą – powiedziała lady Atherton.

– Stanowczo wolę kobietę wykraczającą ponad przeciętność. Dzięki niej będę miał okazję do interesujących konwersacji. A nie wątpię, że takich okazji będzie wiele.

Jessica westchnęła lekko.

– Niestety, w tym sezonie nie ma dużego wyboru bogatych panien. Zresztą i tak byłby niewielki. Zawsze jednak pozostaje panna Pilkington. Powinieneś ją poznać, Lucasie, zanim podejmiesz ostateczną decyzję. Zapewniam cię, że to urocza osoba o nienagannych manierach, podczas gdy panna Huntington ma tendencję do okazywania uporu.

– Mniejsza o pannę Pilkington, panna Huntington w zupełności mnie zadowala.

– Gdyby tylko nie miała prawie dwudziestu pięciu lat! Panna Pilkington ma zaledwie dziewiętnaście. Młode kobiety są bardziej posłuszne mężowi, Lucasie.

– Wierz mi, Jessico, że wiek panny Huntington nie jest tu żadnym problemem.

– Jesteś tego zupełnie pewny? – Lady Atherton popatrzyła na niego z niepokojem.

– Wolę mieć do czynienia z kobietą, która wie, czego chce, niż z niedoświadczoną gąską prosto z pensji. A wygląda na to, że panna Huntington wie, czego chce.

– Wnioskujesz z tego, że tak długo pozostaje sama? Zapewne masz rację. Zupełnie wyraźnie dała do zrozumienia, że nie interesuje ją dzielenie z mężem majątku. Zniechęciła do siebie najbardziej zaciekłych łowców posagów.

Stonevale uśmiechnął się chytrze.

– To ułatwia mi zadanie.

– Nie zrozum mnie źle. Ona jest uroczą osóbką, nawet wyjątkową pod pewnymi względami, podobnie jak jej ciotka. Ma grono konkurentów, lecz wszystkich traktuje z dystansem.

– Innymi słowy, wyznaczyła im miejsce, z którym musieli się pogodzić.

– Gdyby spróbowali je zmienić, natychmiast zostaliby odrzuceni. Panna Huntington znana jest ze swojej uprzejmości, wielu obdarza uśmiechem i miłym słowem. Najchętniej tańczy z mniej atrakcyjnymi mężczyznami. Ale wszystkich galantów, którzy się wokół niej kręcą, traktuje z góry – dodała Jessica.

Wcale go to nie zdziwiło. Panna Huntington nie byłaby panią swego losu, gdyby nie poznała sztuki manipulowania mężczyznami. Jeśli zamierza ją zdobyć, musi postępować niezwykle ostrożnie.

– Domyślam się, że otrzymała dobre wykształcenie? – zapytał.

– Niektórzy powiedzieliby, że aż za dobre. Podobno lady Nettleship wzięła na siebie ciężar jej edukacji i rezultaty są widoczne. Panna Huntington już dawno popadłaby w tarapaty, gdyby nie bezsporna pozycja jej ciotki.

– Co się stało z rodzicami panny Huntington?

Lady Atherton wahała się przez moment, po czym spokojnie wyjaśniła:

– Oboje nie żyją. To doprawdy smutne. Cóż, Bóg dał, Bóg wziął.

– Z pewnością.

Lady Atherton rzuciła mu niepewne spojrzenie, po czym odchrząknęła.

– No cóż, jej ojciec zmarł, kiedy panna Huntington była jeszcze dzieckiem, a matka wkrótce wyszła ponownie za mąż. Niestety, przed niespełna osiemnastoma miesiącami Karolina Huntington zginęła tragicznie w czasie konnej przejażdżki, a niecałe dwa miesiące po niej zmarł ojczym panny Huntington, Samuel Whitlock. To był straszny wypadek. Spadł ze schodów, łamiąc sobie kark.

– Zadziwiający zbieg nieszczęśliwych wypadków. Lecz dzięki temu żadne z rodziców nie będzie się czuło zobowiązane do zasięgania informacji o stanie moich finansów. Użyteczna pogłoska o zgromadzonym przez mego wuja majątku natychmiast by się rozwiała.

Jessica skrzywiła się z dezaprobatą.

– Wszystkim wiadomo, że panna Huntington nie opłakiwała długo śmierci ojczyma. Dała wyraźnie do zrozumienia, że żałobę nosi jedynie po matce, lecz i ta nie trwała zbyt długo.

– Rozpraszasz moje wątpliwości, Jessico. Ostatnią rzeczą, jakiej bym pragnął, to mieć kobietę, która znajduje przyjemność w niekończącej się żałobie. Życie trwa zbyt krótko, aby trwonić je na niepotrzebne smutki z powodu czegoś, co już nie powróci, nie sądzisz?

– Trzeba uczyć się znosić tragedie, jakie nas spotykają. To kształtuje charakter. I trzeba być świadomym zasad dobrego wychowania – powiedziała Jessica z lekką urazą w głosie. – W każdym razie lady Nettleship to dama ze świetnymi koneksjami, choć nieco dziwaczna. Obawiam się, że pozwala swej siostrzenicy na zbyt wiele. Sądzisz, że będziesz w stanie znieść dość niezwykłe maniery panny Huntington?

– Myślę, że świetnie sobie poradzę z panną Huntington.

Pociągnął łyk szampana, nie spuszczając oczu z Victorii, która nadal tańczyła z podstarzałym baronem.

Była zupełnie inna niż jego oczekiwania. Zdążył się już pogodzić z faktem, że czekają go nowe obowiązki związane z tytułem i majątkiem, lecz nie spodziewał się, że znajdzie w tym przyjemność.

Zupełnie się tego nie spodziewał.

Po pierwsze, nawet nie przypuszczał, że spotka tak pełną powabów kobietę. Jessica powiedziała mu jedynie, że Victoria Huntington ma dobrą prezencję. Była wyższa od większości kobiet. Ale Lucas również nie należał do niskich i pragnął znaleźć kobietę, której głowa mogła spokojnie oprzeć się o jego ramię, a nie o środek piersi.

Zupełnie się tego nie spodziewał.

Poruszała się płynnie i z gracją, która nie miała w sobie nic z wystudiowanej afektacji, tak charakterystycznej dla kobiet z wyższych sfer. Świetnie też tańczy, pomyślał z lekkim zniecierpliwieniem. Wiedział, że on sam nie może się nawet równać z tym podstarzałym baronem u jej boku.

Partner Victorii poprowadził ją właśnie w stronę rozświetlonego żyrandola. Złociste kaskady światła zalały jej gęste kasztanowe loki. Suknia, jak na jego gust zbyt mocno wycięta, podkreślała smukłą linię szyi i harmonizowała z pięknymi oczami o bursztynowym odcieniu. Victoria umiała się ubrać.

Zupełnie się tego nie spodziewał.

Jessica powiedziała mu, że choć w wyglądzie panny Huntington nie ma nic odpychającego, to nie należy ona do wybitnych piękności. Przyglądając się pełnej życia twarzy Victorii, Lucas przyznał jej rację. Lecz te ciepłe złociste oczy o wyzywającym spojrzeniu, sterczący dumnie zgrabny nosek i promienny uśmiech świetnie ze sobą współgrały. W Victorii było coś fascynująco żywotnego, co przyciągało wzrok, coś co znamionowało ukrytą namiętność, która tylko czekała, by wyzwolił ją odpowiedni mężczyzna.

Lucas spojrzał jeszcze raz na Victorię uśmiechającą się do swego partnera i pomyślał, że bardzo chciałby zakosztować smaku jej ust. I to wkrótce.

– Lucasie?

Niechętnie oderwał wzrok od swojej dziedziczki. Swojej dziedziczki, pomyślał rozbawiony, kiedy dotarł do niego sens tych słów.

– Tak, Jessico?

Spojrzał pytająco na kobietę, którą niegdyś kochał i utracił z powodu braku majątku i tytułu.

– Czy ona naprawdę ci odpowiada? Możesz jeszcze poznać pannę Pilkington.

Przypomniał sobie, jak Jessica, posłuszna nakazom rodziny, poślubiła innego, zapewniając sobie w ten sposób tytuł i majątek. Nie potrafił jej wówczas zrozumieć ani wybaczyć. Teraz, gdy sam odziedziczył tytuł, ale nie miał majątku, którego rozpaczliwie potrzebował, pojął, w jakiej sytuacji była Jessica przed czterema laty.

Teraz już wiedział, że małżeństwo nie jest sprawą uczuć. To obowiązek, a czym jest obowiązek, pojmował doskonale.

– No więc, Lucasie? – powtórzyła pytanie Jessica, spoglądając na niego swymi pięknymi, przepełnionymi troską oczyma. – Czy jesteś skłonny ją poślubić, by ocalić Stonevale?

– Tak – odpowiedział. – Panna Huntington to doskonała partia.

2

Czy moja ciotka jest w domu, Rathbone? – zapytała Victoria, spiesząc przez hol ich londyńskiego domu. Na ulicy zaturkotały koła powozu odwożącego Annabellę i jej podstarzałą ciotkę, która towarzyszyła dziewczętom na balu.

Odetchnęła z ulgą, kiedy wysiadła z powozu. Ciotka Annabelli, pełniąca rolę przyzwoitki, poczuła się w obowiązku wygłosić swoim podopiecznym długie kazanie na temat niestosowności grania w karty z mężczyznami na przyjęciach. Victoria nienawidziła takich kazań.

Rathbone, masywny, dystyngowany mężczyzna o posiwiałych włosach i nosie, którego nie powstydziłby się książę, dostojnym gestem wskazał zamknięte drzwi biblioteki.

– Lady Nettleship robi doświadczenia przyrodnicze z kilkoma osobami z kółka naukowego.

– Doskonale. Proszę, nie róbcie takiej ponurej miny, Rathbone. Jeszcze nie wszystko stracone. Najwyraźniej jeszcze nie podpalili biblioteki.

– To tylko kwestia czasu – mruknął Rathbone.

Victoria uśmiechnęła się i ruszyła w stronę biblioteki, zdejmując po drodze rękawiczki.

– Dajcie spokój, Rathbone. Służycie u mojej ciotki od tak dawna i nie zdarzyło się jeszcze, żeby spaliła dom.

– Proszę o wybaczenie, panno Huntington, ale miało to miejsce, kiedy panienka i jaśnie pani przeprowadzały doświadczenia z prochem – poczuł się w obowiązku zauważyć Rathbone.

– Co takiego? Chcecie powiedzieć, że ciągle pamiętacie naszą żałosną próbę wyprodukowania ogni sztucznych? Jakże długą macie pamięć, Rathbone.

– Pewne momenty z naszego życia pozostawiają niezatarty ślad w pamięci. Nigdy nie zapomnę wyrazu twarzy pierwszego lokaja, kiedy nastąpił wybuch. Przez jedną przerażającą chwilę sądziliśmy, że panienka nie żyje.

– Ale okazało się, że jestem tylko lekko ogłuszona. To popiół, którym byłam zasypana wprowadził was w błąd – zauważyła Victoria.

– Wyglądała panienka, że ośmielę się tak wyrazić, jak nieżywa.

– Rzeczywiście, był to dość widowiskowy eksperyment. No cóż, nie ma sensu rozpamiętywać minionej chwały. Jest tyle nowych, intrygujących zjawisk w przyrodzie, które czekają na wyjaśnienie. Zobaczmy, czym też dzisiaj zajmuje się moja ciocia.

Rathbone czekał, aż lokaj otworzy drzwi do biblioteki z wyrazem twarzy wskazującym na to, że jest przygotowany na wszystko.

Okazało się jednak, że bibliotekę spowijają kompletne ciemności. Nawet ogień na kominku został wygaszony. Victoria weszła ostrożnie do środka, na próżno usiłując dostrzec coś w głębokim mroku. Gdzieś z głębi pokoju doszedł ją odgłos pokręcanej korbki.

– Ciociu Cleo?

Odpowiedzią był błysk oślepiająco białego światła. Na moment wyłoniła się z ciemności grupka osób zastygła w bezruchu, po czym rozległo się pełne zdumienia „Ach!" Po chwili jednak wszystko zgasło i dały się słyszeć pełne zachwytu westchnienia.

Victoria uśmiechnęła się w stronę otwartych drzwi biblioteki, w których stali Rathbone i lokaj.

– Wszystko w porządku – zapewniła ich. – Członkowie kółka naukowego bawią się jedynie nową elektryczną maszyną lorda Potbury'ego.

– To wielce uspokajające, panienko – stwierdził sucho Rathbone.

– Vicky, kochanie, a więc wróciłaś – zabrzmiał w ciemnościach kobiecy głos. – Dobrze się bawiłaś na raucie u Athertonów? Podejdź bliżej, proszę. Właśnie jesteśmy w trakcie fascynujących eksperymentów.

– Widzę. Żałuję, że kilka z nich opuściłam. Wiesz, jak lubię doświadczenia z elektrycznością.

– Tak, wiem, kochanie.

Snop światła padający z holu oświetlił sylwetkę ciotki Victorii, Cleo, która podeszła przywitać swoją pupilkę. Lady Nettleship była równie wysoka jak Victoria. Miała nieco ponad pięćdziesiąt lat, kasztanowe włosy przyprószone siwizną, bystro patrzące oczy i żywość ruchów cechującą wszystkie kobiety w tej rodzinie. Mimo swego wieku nadal mogła uchodzić za piękność. Ubrana była jak zwykle według ostatniej mody. Suknia w kolorze dojrzałej brzoskwini podkreślała jej ciągle szczupłą sylwetkę.

– Rathbone, proszę zamknąć drzwi – poleciła służącemu. – W ciemności efekt jest bardziej interesujący.

– Z przyjemnością, jaśnie pani.

Rathbone skinął na lokaja, który z wyraźną ulgą zamknął drzwi i bibliotekę ponownie spowiły ciemności.

– Podejdź bliżej – powiedziała Cleo, biorąc Victorię za rękę i prowadząc w stronę małej grupki skupionej wokół maszyny elektrycznej. – Chyba znasz tu wszystkich, prawda?

– Sądzę, że tak – powiedziała Victoria, usiłując przypomnieć sobie twarze, które ujrzała w krótkim błysku światła. Rozległy się słowa powitań. Goście lady Nettleship byli przyzwyczajeni do takich niedogodności jak dokonywanie prezentacji w egipskich ciemnościach.

– Dobry wieczór, panno Huntington.

– Proszę przyjąć wyrazy szacunku, panno Huntington. Wygląda pani dziś uroczo. Niezwykle uroczo.

– Bardzo mi miło, panno Huntington. Przyszła pani akurat na kolejny eksperyment.

Victoria natychmiast rozpoznała te trzy męskie głosy. Lordowie Potbury, Grimshaw i Tottingham należeli do wiernych wielbicieli jej ciotki. Lord Potbury miał pięćdziesiąt lat, Tottingham prawie siedemdziesiąt, a Grimshaw nieco ponad sześćdziesiąt.

Odkąd Victoria sięgała pamięcią, ta trójka stale towarzyszyła ciotce. Czy rzeczywiście interesowały ich badania naukowe tak jak damę ich serc, tego nie potrafiła powiedzieć, jednak zapewne w ciągu wielu lat ulegli jej pasji do eksperymentów.

– Kontynuujcie, proszę, wasze doświadczenie – powiedziała Victoria. – Mogę uczestniczyć w jednym lub dwóch, ale potem muszę się położyć. Raut u lady Atherton był doprawdy wyczerpujący.

– Oczywiście, oczywiście – zgodziła się z nią Cleo. – Potbury, niech tym razem Grimshaw zakręci korbką.

– Proszę bardzo – powiedział Potbury. – Muszę przyznać, że to dość męczące. Chodź, Grimshaw. Puść to w ruch.

Grimshaw mruknął twierdząco i po chwili rozległo się terkotanie korbki. Sukno zaczęło trzeć o długi szklany cylinder, tworząc w ten sposób odpowiednią porcję ładunków. Wszyscy zamarli w oczekiwaniu. Po chwili ciemności rozproszył kolejny trzask i błysk. Pokój wypełniły okrzyki zdumienia i zachwytu.

– Słyszałem, że próbowano ożywiać ciała zmarłych za pomocą elektryczności – odezwał się Potbury.

– Fascynujące – powiedziała Cleo z zaciekawieniem. – I z jakim rezultatem?

– Uzyskano jedynie drgania rąk i nóg, nic poza tym. Spróbowałem tego doświadczenia na żabie. Zaobserwowałem kilka drgań kończyn, lecz nie ożywiło to zwierzęcia. Nie sądzę, by można było uzyskać tą drogą coś więcej.

– A skąd brano ciała do tych doświadczeń? – zapytała Victoria, nie mogąc powstrzymać niezdrowej ciekawości.

– Ze stryczka, oczywiście – wyjaśnił Grimshaw. – Szanujący się badacz nie może przecież rozkopywać grobów.

– Jeśli były to ciała łotrów, to niech sobie pozostaną martwe – oświadczyła lady Nettleship. – Nie ma sensu najpierw wieszać bandytów, a po dwóch dniach ich ożywiać tylko dlatego, że ktoś ma ochotę eksperymentować z elektrycznością.

– Święta prawda. – Na samą myśl o tym Victoria poczuła lekkie mdłości. Przypomniały jej się sny, które ją ostatnio dręczyły. – Zupełnie się z tobą zgadzam, ciociu. Jaki sens pozbywać się przestępców, skoro nie ma pewności, że pozostaną martwi?

– Jeśli mówimy o kłopotach ze zdobywaniem ciał do doświadczeń, to są ludzie, którzy żyją z okradania grobów – powiedziała z drżeniem w głosie lady Finch. – Słyszałam, że takie hieny cmentarne pojawiły się ubiegłej nocy na małym cmentarzu na peryferiach Londynu i zabrały dwa ciała pochowane tego ranka.

– Nie ma się czemu dziwić – oświadczył ze spokojem lord Potbury. – Doktorzy ze szkół chirurgicznych Edynburga i Glasgow muszą mieć co kroić. Nie sposób wykształcić dobrego chirurga bez uprzedniej praktyki. Ludzie, którzy wykopują ciała z grobów, może i działają wbrew prawu, ale wiedzą, że są potrzebni.

– Przepraszam, ciociu – szepnęła Victoria niezdolna dłużej znieść rozmowy na temat handlu ciałami zmarłych – ale pójdę się już położyć.

– Dobrej nocy, moja droga. – Cleo poklepała ją przyjaźnie po ręku. – Przypomnij mi rano, abym pokazała ci kolekcję chrząszczy, którą przyniosła mi lady Woodbury. To efekt podróży do Sussex. Była tak uprzejma i zgodziła się zostawić je nam na kilka dni.

– Z przyjemnością je obejrzę. – W głosie Victorii zabrzmiał autentyczny entuzjazm. Kolekcja owadów była czymś równie intrygującym jak nowa egzotyczna roślina z Chin czy Ameryki. – Ale teraz już muszę iść.

– Śpij dobrze, kochanie. Nie powinnaś się tak przemęczać. Ostatnio chyba nieco przesadziłaś. Przynajmniej dzisiaj wróciłaś przed świtem.

– Tak, chyba masz rację.

Victoria wyszła z ciemnej biblioteki, mrużąc oczy w jasno oświetlonym holu, i podążyła na górę schodami wyłożonymi czerwonym dywanem. Poczuła, że ogarnia ją wielkie podniecenie.

– Możesz odejść, Nan – powiedziała do młodej pokojówki, wchodząc do jasnej sypialni, utrzymanej w tonacjach żółci, złota i bieli.

– Ale co ze śliczną suknią panienki? Będzie panienka potrzebować pomocy, żeby ją zdjąć.

Victoria westchnęła z rezygnacją, wiedząc, że odmową wywoła jedynie niepotrzebną lawinę pytań. Kiedy wreszcie uwolniła się od pokojówki, niecierpliwie otworzyła szafę.

Spod stosu szali wyciągnęła parę męskich bryczesów, a spod sterty koców wysokie buty. Następnie, z głębi jednej z szuflad wielkiej komody, żakiet.

Po chwili stała przed lustrem toaletki i przyglądała się sobie krytycznym wzrokiem. Od tygodni gromadziła w tajemnicy przed domownikami męską garderobę i dziś po raz pierwszy miała okazję ją włożyć.

Bryczesy były trochę zbyt obcisłe, podkreślały krągłość bioder i kobiecy kształt łydek. Przy odrobinie szczęścia poły granatowego płaszcza i mrok skryją oznaki kobiecości. Za to niezbyt duże piersi doskonale przykryła luźna koszula i żółta kamizelka. Całości stroju dopełniał bobrowy kapelusz. Z zadowoleniem spojrzała na swe odbicie w lustrze. Przynajmniej w nocy będzie mogła bez kłopotu uchodzić za młodego dandysa. W końcu ludzie widzą tylko to, co spodziewają się zobaczyć.

Ogarnęła ją fala podniecenia. Jednak myśl o ponownym spotkaniu ze Stonevale'em przyćmiewała nieco radość z czekającej ją przygody.

Annabella miała rację. Stonevale musiał być dżentelmenem, skoro lady Atherton i Bertie Lyndwood przyjmowali go jak dobrego znajomego. Lecz kobieta, a zwłaszcza panna z posagiem, nie może polegać na męskim honorze. Nauczyła się tego od swego ojczyma. Wiedziała jednak, że dopóki będzie panować nad sytuacją, nic jej nie grozi.

Odetchnęła swobodniej i uśmiechnęła się lekko. Zawsze potrafiła radzić sobie z mężczyznami.

Przeszła przez ciemnoniebieski dywan i usiadła w wykładanym żółtym aksamitem fotelu przy oknie. Za chwilę trzeba wyjść z domu.

Dziś w nocy nie będzie musiała walczyć z bezsennością i długimi, wlokącymi się w nieskończoność godzinami, dziwnym uczuciem zagrożenia i strasznymi myślami, takimi jak przywracanie zmarłego do życia za pomocą elektryczności.

Dochodziła północ, więc przy odrobinie szczęścia spędzi na nogach większą część nocy i nie będą jej nękać koszmarne sny, które nawiedzały ją coraz częściej. Zaczynała się ich obawiać. Zadrżała, usiłując wyrzucić z myśli wspomnienie ostatniego koszmaru. Wciąż jeszcze miała przed oczami ten nóż w jego dłoni.

Nie, tej nocy nie musi się niczego obawiać. Przy odrobinie szczęścia nie wróci do domu przed świtem. A za dnia wszystko wyglądało inaczej. To ciemność niosła ze sobą strach.

Popatrzyła na mroczny ogród zastanawiając się, co też pomyśli Stonevale, kiedy ujrzy ją w męskim przebraniu.

Sama myśl o zaskoczonym wyrazie jego twarzy wystarczyła, by przegnać resztki strachu.

Lucas spojrzał przez okno powozu na ciemną ulicę.

– Nie podoba mi się to wszystko. Dlaczego nie zaczekamy na pannę Huntington przed frontowymi drzwiami?

– Tłumaczyłam już panu – powiedziała Annabella. – Jej ciotka jest niezwykle wyrozumiałą osobą, ale Victoria obawia się, że nawet ona miałaby pewne wątpliwości, gdyby dowiedziała się o naszych planach.

– Cieszę się, że ktoś oprócz mnie ma wątpliwości – mruknął Lucas. Odwrócił się w stronę mężczyzny siedzącego w powozie. – Sądzę, Lyndwood, że powinniśmy ustalić jakiś plan na wypadek, gdyby nas rozdzielono w tłumie.

– Doskonała myśl – zgodził się skwapliwie Lyndwood. Był szczerze zadowolony, że Lucas towarzyszy mu tego wieczoru. – Może powinniśmy zarządzić, aby powóz czekał na nas w ustalonym miejscu, gdzieś z dala od tłumu?

Lucas kiwnął głową, myśląc intensywnie.

– Trudno będzie manewrować powozem blisko parku. O tej porze tłum może być bardzo niebezpieczny. Powiedz stangretowi, że jeśli nie zjawimy się w miejscu, w którym wysiądziemy, niech jedzie dwie ulice dalej i zaczeka na nas przy małej gospodzie Pod Psim Zębem.

Lyndwood kiwnął głową.

– Znam to miejsce i sądzę, że mój stangret również. Chyba nie będzie pan miał mi tego za złe, Stonevale, jeśli powtórzę jeszcze raz, jak bardzo jestem ci wdzięczny za pomoc. Kiedy damy pragną przeżyć przygodę, nikt nie jest w stanie ich powstrzymać.

– To się jeszcze okaże – mruknął Stonevale.

Słysząc to Annabella, ubrana w elegancką suknię spacerową w błękitnym kolorze i takiegoż koloru pelerynę, zachichotała.

– Jeśli sądzisz, panie, że potrafisz powstrzymać przed czymś Victorię, to się mylisz.

– Panna Huntington często miewa takie pomysły?

Annabella ponownie zachichotała.

– Zapewniam cię, milordzie, że z Victorią nie można się nudzić, ale dzisiejsza wyprawa to coś zupełnie nowego. Mówiła mi, że myślała o niej od dawna.

– Panna Huntington zbyt długo pozostaje bez opieki męża – zauważył Lucas i spojrzał pytająco na Annabellę, która wybuchnęła gromkim śmiechem. – Czyżbym powiedział coś zabawnego?

– Panna Huntington zamierza przeżyć swe życie bez takiej opieki – wyjaśniła Annabella.

– Pewnie obawia się, że ktoś poślubi ją dla majątku – napomknął ostrożnie Lucas. Pragnął dowiedzieć się czegoś więcej, ale nie chciał wywołać pytań o powód swego zainteresowania.

– Ona w ogóle obawia się małżeństwa – oświadczyła Annabella z powagą. – Zbyt wiele smutnych przykładów widziała w rodzinie. Zniechęciła ją również nieustanna pogoń mężczyzn za jej majątkiem. Muszę wyznać, że czasami zastanawiam się, czy nie ma racji. Cóż dobrego dla kobiety jest w małżeństwie?

– Cóż ty za brednie opowiadasz, Bello? – przerwał jej ostro brat. – Niech ci nie przyjdzie do głowy iść w ślady panny Huntington. Mama dostałaby histerii. Jeśli mam być szczery, to gdyby jej ciotka nie była przyjaciółką mamy, dobrze bym się zastanowił, zanim pozwoliłbym ci się z nią przyjaźnić. Spójrz, w jakiej znalazłem się dziś sytuacji z powodu jej kaprysu. Im szybciej wyjdziesz za mąż, tym lepiej. Dzięki Bogu, Barton prawie się oświadczył.

Annabella uśmiechnęła się niepewnie.

– Wiem, że nie możesz się doczekać, by zrzucić z siebie ciężar odpowiedzialności za mnie, lecz, niestety, będziesz musiał pohamować niecierpliwość, Bertie. Po dłuższym zastanowieniu postanowiłam odmówić lordowi Bartonowi, jeśli zdecyduje się oświadczyć o moją rękę.

– Po dłuższym zastanowieniu, oznacza zapewne, że omawiałaś tę sprawę z panną Huntington? – zapytał ponuro Lyndwood.

– Tak, rozmawiałyśmy na ten temat – powiedziała Annabella. – To niezwykle uprzejme z jej strony, że zechciała wyrazić swą opinię na temat lorda Bartona.

Lucasa zaciekawiła ostatnia uwaga Annabelli.

– Jak panna Huntington może wyrażać swoją opinię na temat Bartona?

– W zeszłym roku starał się o jej rękę. Wówczas wiele się o nim dowiedziała.

– Doprawdy? – Zdawał sobie sprawę z ironii dźwięczącej w jego głosie. – I czegóż się o nim dowiedziała?

– Paru drobnych szczegółów, takich jak ten, że ma dzieci ze swoją kochanką, że upija się do nieprzytomności, i że ma wielki pociąg do hazardu – odparowała Annabella.

– Wolnego – mruknął Lucas. – Nie można przekreślać człowieka z powodu paru nieistotnych grzeszków.

– Doprawdy? – rozległ się znajomy dźwięczny głos. – A czy wicehrabia Barton byłby skłonny zaaprobować podobną listę nieistotnych grzeszków jego przyszłej żony?

Lucas spojrzał w stronę otwartego okna powozu i zdał sobie sprawę, że sam dźwięk głosu Victorii wystarczy, by wzniecić w nim pożądanie, którego po raz pierwszy doświadczył na balu u Jessiki Atherton. Zapanował jednak nad sobą, gotów powitać swoją dziedziczkę z należytą rewerencją, jednak zamiast pięknej kobiety w eleganckiej sukni i kapeluszu zobaczył postać ubraną od stóp do głów w męski strój. Spojrzały na niego roześmiane i jednocześnie prowokujące oczy.

– Na Boga! To czyste szaleństwo! – syknął przez zaciśnięte zęby.

– Nie, milordzie, to świetna zabawa.

Kiedy usłyszał, że stangret schodzi z kozła, oprzytomniał w jednej chwili. Z rozmachem otworzył drzwi i chwycił Victorię za rękę. Owszem, spodziewał się damy z zamiłowaniem do lekkich przygód, lecz nie tak skandalicznego stworzenia.

– Natychmiast wsiadaj, ty mały łobuziaku, zanim ktoś cię rozpozna.

Ten pośpiech sprawił, że Victoria znalazła się w środku o wiele szybciej, niż zamierzała. Straciła oddech, lądując z impetem na siedzeniu obok Lucasa, przytrzymując jednocześnie kapelusz, by nie spadł jej z głowy. Stonevale zauważył, że Victoria trzyma w ręku kosztowną, inkrustowaną laskę.

– Dziękuję, milordzie – powiedziała z ironią w głosie.

Zignorował jej uwagę i zwrócił się do Lyndwooda.

– Ruszajmy.

Lyndwood stuknął laską w sufit powozu i zawołał:

– Do parku, jeśli łaska!

Kiedy powóz ruszył, Annabella spojrzała z uśmiechem na Victorię.

– Świetnie wyglądasz w tym przebraniu, Vicky. Czyżbym dostrzegła wpływy Brummella w wyborze niebieskiego koloru? Podobno niezwykle upodobał sobie ten odcień, ale ty przecież zawsze wolałaś żółty.

– Doszłam do wniosku, że płaszcz w kolorze żółtym może za bardzo rzucać się w oczy – wyjaśniła Victoria.

– Dlatego ograniczyłaś się do żółtej kamizelki. Gratuluję umiaru. Ale powiedz, proszę, kto ci wiązał halsztuk? Nie widziałam jeszcze tak wymyślnego węzła.

– Podoba ci się? – Victoria dotknęła efektownie zawiązanej chusty. – Sama go wymyśliłam. Możesz go nazwać „Victoire".

Annabella wybuchnęła gromkim śmiechem.

– Mówisz teraz jak prawdziwy dandys z Bond Street. Doskonale utrafiłaś intonację i to afektowane znudzenie. Z powodzeniem mogłabyś występować jako aktorka na scenie.

– Dziękuję ci, Bello. Bardzo mi to pochlebia.

Lucas rozsiadł się wygodnie i zlustrował krytycznym spojrzeniem dziwną postać siedzącą obok niego. Początkowy szok ustąpił miejsca irytacji i zaniepokojeniu, które było dla niego czymś nowym. Z tego, co zobaczył, jasno wynikało, że Victoria Huntington uwielbia figle, które mogą na nią ściągnąć poważne kłopoty.

– Czy często się pani tak afiszuje, panno Huntington?

Lucas zdał sobie sprawę, że bezwiednie użył tonu, jakim się zwracał do młodych oficerów, którzy wpadli w kłopoty. Nie potrafił nad tym zapanować. Zbyt był zirytowany.

– To moje pierwsze doświadczenie z męskim przebraniem, milordzie. Lecz jeśli mam być szczera, to najpewniej wypróbuję je jeszcze w przyszłości. Zdaje mi się, że ten męski ubiór zapewni mi większą swobodę niż damskie szatki – zauważyła Victoria.

– Jednego jestem pewien, że ściągnie na twą śliczną główkę mnóstwo przykrości i klęskę towarzyską, panno Huntington. Jeśli rozniesie się po Londynie, że spacerujesz po nocy w męskim ubraniu, w przeciągu dwudziestu czterech godzin stracisz reputację.

Victoria mocniej zacisnęła palce na lasce.

– To do ciebie niepodobne, panie. Doprawdy, dziwi mnie twoja postawa. Nie sądziłam, że jesteś takim nudziarzem. Zapewne zmyliła mnie ta gra w karty. Czy nie pociąga cię, ryzyko? Nie, chyba nie. W końcu jesteś przecież dobrym znajomym lady Atherton, nieprawdaż?

Najwyraźniej go prowokowała. Nagle zapragnął znaleźć się z nią sam na sam w powozie.

– Nie pojmuję, pani, co mi imputujesz, lecz zapewniam cię, że lady Atherton nie można nic zarzucić.

– W tym właśnie sęk. Wiadomo powszechnie, że Jessica Atherton nigdy nie pozwoliłaby sobie na taką eskapadę – stwierdziła Victoria.

– To absolutna prawda. – Annabella zachichotała.

– Czyżbyś, pani, sugerowała, że lady Atherton jest nudziarą? – zapytał Lucas.

Victoria wzruszyła ramionami, nie zdając sobie sprawy ze zmysłowości tego ruchu z powodu ściśle opinającego ją żakietu.

– Nie chciałam nikogo urazić, milordzie. Uważam jedynie, że nie należy ona do kobiet, które lubią przygody. Ale chyba nie zaprzeczysz, że jej przyjaciele to ludzie o raczej wąskim kręgu zainteresowań, z dezaprobatą spoglądający na tych, co mają szersze horyzonty.

– A ty, pani, jesteś kobietą, która lubi przygody? – Stonevale wyraźnie ją prowokował.

– O tak, milordzie, uwielbiam.

– Nawet takie, które niosą ze sobą ryzyko zniszczenia własnej reputacji?

– Bez ryzyka nie byłoby prawdziwej przygody, nieprawdaż, milordzie? Sądziłam, że tak wytrawny gracz jak ty, panie, doskonale o tym wie.

Jej słowa wprawiły go w zakłopotanie.

– Być może ma pani rację. Lecz ja zawsze wolałem ryzyko, w którym istniały szansę powodzenia.

– Jakże nudne musi być zatem twoje życie.

Chciał ostro zripostować, jednak w ostatniej chwili się powstrzymał. Górę wzięło opanowanie i zdrowy rozsądek. W żadnym wypadku nie chciałby uchodzić za ograniczonego nudziarza. Instynkt podpowiadał mu, że Victoria podejmie każde wyzwanie, lecz zignoruje go całkowicie, jeśli zacznie ją nudzić.

Ograniczony nudziarz. Dobry Boże! Sama myśl, że można go tak nazwać, budziła w nim rozbawienie. Z całą pewnością to określenie nie pasowało do jego charakteru. Lecz, niestety, panna Huntington miała własne zdanie na ten temat. Nadal nie mógł się otrząsnąć z szoku wywołanego jej przebraniem.

Victoria tymczasem uśmiechnęła się do Annabelli i zapytała:

– A więc postanowiłaś nie przyjmować oświadczyn Bartona? Bardzo mnie to cieszy. Ten człowiek nie nadaje się na twego męża.

– W zupełności się z tobą zgadzam. – Annabella zadrżała lekko. – Mogłabym przymknąć oczy na jego pociąg do hazardu, ale jak można poślubić kogoś, kto jest ojcem dwojga nieślubnych dzieci?

– To rzuca cień na jego honor – powiedziała Victoria z oburzeniem.

Lucas popatrzył na jej profil, ledwie widoczny w ciemnym powozie.

– Jak dowiedziałaś się, pani, o nieślubnym potomstwie Bartona? Nie uwierzę, że usłyszałaś o tym na balu u lady Atherton.

– Masz rację, milordzie. Wynajęłam detektywa, który odkrył, że Barton ma dwoje dzieci z kochanką.

Lucas poczuł w żołądku lodowate zimno.

– Wynajęłaś detektywa?!

– Uznałam to za najrozsądniejsze wyjście.

– I bardzo słusznie – dodała Annabella.

– Dobry Boże! – jęknął Lyndwood. – Gdyby mama o tym wiedziała. Biedny Barton. Wiesz, że jemu chyba na tobie zależało, Bello.

– Mocno w to wątpię – stwierdziła Victoria. – Jego rodzina chce, żeby się ożenił, toteż szuka kandydatki, którą zaakceptowałby jego ojciec. W zeszłym roku próbował starać się o moją rękę, dopóki nie dałam mu do zrozumienia, że nic z tego nie będzie. Wówczas spróbował szczęścia z tym wzorem doskonałości, panną Pilkington. Najwidoczniej i ona przekonała się, jaki z niego łowca posagów. Teraz przyszła kolej na Bellę. To wszystko.

Lucas przeniósł wzrok z jednej panny na drugą.

– Dlaczego nazywacie pannę Pilkington wzorem doskonałości?

– Bo nim jest – odpowiedziała Annabella. – Nigdy nie zrobi fałszywego kroku. To prawdziwy wzór kobiecej doskonałości.

– Zrozumiesz to, milordzie, jeśli ci powiemy, że jest protegowaną lady Atherton – dodała Victoria.

– Ach tak. – Nic dziwnego, że Jessica chciała przedstawić go tej drugiej pannie. Jedno nie ulegało wątpliwości: gdyby zdecydował się na pannę Pilkington, nie siedziałby teraz w powozie z damą przebraną w męskie szaty. Przez chwilę się zastanawiał, czy nie popełnił poważnego błędu. W końcu doszedł jednak do wniosku, że bez względu na ryzyko ta noc zapowiada się interesująco.

– Właśnie tak – powiedziała Victoria.

– No cóż, jedna rzecz jest pewna – zauważył oschle Lucas. – Twoja, pani, ingerencja sprawiła, że panna Lyndwood nigdy się nie dowie, co właściwie czuje do niej Barton. A Barton nigdy się nie dowie, że pokrzyżował mu szyki płatny detektyw i niejaka panna Huntington. Nie będzie mógł się nawet bronić.

– A czyż on w ogóle może się bronić? – odparowała ostro Victoria. Tym razem w jej zdecydowanym spojrzeniu nie było cienia wesołości. – Chcesz, panie, powiedzieć, że to nieprawda, co odkrył detektyw?

– Chcę powiedzieć, że nie powinnaś się wtrącać do tej sprawy. – Lucas twardo obstawał przy swoim. – Przecież mogą zaistnieć okoliczności łagodzące.

– Ha! Bardzo w to wątpię – odparła Victoria.

– Ja również – wtrąciła się do rozmowy Annabella. – A ta biedna kobieta, którą trzyma w ukryciu, matka jego dzieci?

Lyndwood poruszył się niespokojnie.

– Żadna z was nie powinna się interesować tak nieprzyzwoitymi sprawami jak nieślubne dzieci Bartona. Nie powinnyście nawet o tym rozmawiać. Mam rację, Stonevale?

– Rozmowa na ten temat nie przystoi dobrze wychowanym pannom z towarzystwa – mruknął Lucas, zdając sobie sprawę, że mówi jak stary nudziarz.

Victoria uśmiechnęła się z triumfem.

– Lordzie Stonevale, jeśli uważa pan, że moją konwersacją obrażam twoje delikatne uczucia, to jest na to prosty sposób. Wystarczy otworzyć drzwi powozu i wysiąść.

Lucas w tym momencie uświadomił sobie, że Victoria Huntington potrafi wyprowadzić go z równowagi, co nikomu dotąd się nie udało. W dodatku zrobiła to bez większego wysiłku. Ta kobieta jest niebezpieczna. Będzie musiał uważać, by nie dać się zbić z tropu. Odchrząknął.

– Moje delikatne uczucia jakoś przetrzymają twoje niedelikatne maniery, panno Huntington. Poza tym, nie mogę teraz wysiąść. Mój honor wymaga, abym płacił swoje karciane długi.

– Ha! To nie jest żaden honorowy dług. To jest szantaż, czysty i prosty.

– Zapewniam cię, pani, że szantaż nie jest ani czysty, ani prosty, nawet z tobą w roli ofiary – odparował Stonevale.

Jej oczy błysnęły szelmowsko i Lucas poczuł rosnące pożądanie. Założył ręce na piersi i oparł się o poduszki powozu, nie spuszczając wzroku z Victorii. W tej chwili niczego bardziej nie pragnął, niż znaleźć się sam na sam z tą czarującą istotą, rzucić ją na poduszki powozu i pokazać, na jak wielkie ryzyko się naraża, tak otwarcie go prowokując.

Przez krótką chwilę patrzyli na siebie w milczeniu. Kiedy wreszcie Victoria spuściła oczy, wiedział, że odczytała jego myśli.

Niestety, niedługo się cieszył zwycięstwem. Nagle zdał sobie sprawę, że gra, którą właśnie rozpoczął, zapowiada się na bardziej niebezpieczną, niż początkowo uważał. Przy pomocy Jessiki Atherton, a także dzięki własnej inteligencji oraz kartom miał nadzieję ukryć przed towarzystwem prawdziwy stan swoich finansów, przynajmniej dopóki nie zdobyłby odpowiedniej kandydatki na żonę. Gdyby jednak ta upragniona kandydatka wpadła na pomysł wynajęcia detektywa, wówczas cały plan spaliłby na panewce. Plotka o hipotetycznym majątku pękłaby jak bańka mydlana. Wyglądało na to, że zdobycie tej panny będzie najtrudniejszym zadaniem, jakiego kiedykolwiek się podjął. Jeden fałszywy ruch, jeden taktyczny błąd i wypadnie z gry.

– Ile czasu przeznaczasz, pani, na dzisiejszą przygodę? – zapytał, siląc się na obojętny ton.

– Czy czas jest dla pana problemem? Czyżbyś miał w planie jakieś umówione spotkanie? – zapytała z przesadną słodyczą w głosie.

Zorientował się, że Victoria próbuje się w ten sposób dowiedzieć, czy ma kochankę.

– Nie, nie mam. Lyndwood i ja musimy umówić się ze stangretem co do miejsca, skąd ma nas zabrać. Do tego potrzebna jest pora naszego powrotu.

– Ach, tak, rozumiem. Myślę, że dwie godziny w zupełności wystarczą.

– Obawiam się, że nie mogę być tak długo poza domem, Vicky. – Annabella westchnęła. – Za dwie godziny wróci mama z przyjęcia u Milricków i muszę być wtedy na miejscu.

Lucas odetchnął z ulgą.

– Wobec tego godzina?

– Według mnie godzina to aż nadto – powiedział szybko Bertie Lyndwood.

– Obawiam się, że tylko tyle będę mogła zostać, Vicky – stwierdziła z żalem Annabella.

– No więc dobrze – zgodziła się niechętnie Victoria. – Godzina. Będziemy musieli się pospieszyć, jeśli chcemy wszystko zobaczyć.

Lucas nie odezwał się słowem, ale pomyślał, że ta godzina będzie zapewne najdłuższą w jego życiu.

Pół godziny później utwierdził się w tym przekonaniu. Ogromny park tonął w blasku latarni, które oświetlały niezliczone szeregi straganów z mięsnymi pasztecikami i piwem, budy akrobatów, tancerki na linach, namioty z kukiełkami i rozmaitymi atrakcjami.

Tłum składał się z mieszaniny ludzi różnego autoramentu: służących, którzy wymknęli się z domu swych państwa, sklepikarzy z żonami, terminatorów, ekspedientek, dandysów szukających mocnych wrażeń, kilku odważnych przedstawicieli arystokracji, prostytutek, stręczycieli, złodziei kieszonkowych, wyrostków z przestępczych szajek, żołnierzy i robotników portowych.

– Milordzie – mruknęła Victoria, kiedy zatrzymali się, by kupić ciastko z kremem – widzę, że nie możesz oczu oderwać od mojego ubioru.

– To zrozumiałe. Te przeklęte bryczesy pasują na panią jak ulał – mruknął Lucas, omiatając wzrokiem kształtną linię jej bioder.

– Z przyjemnością dam ci, panie, adres mojego krawca. Tymczasem, może byłoby lepiej, gdybyś uwolnił moje ramię. Jakiś człowiek bardzo nam się przygląda.

– Niech to diabli! – Lucas natychmiast puścił jej ramię. Poczuł, że się czerwieni. Mógł sobie wyobrazić, co pomyślał ów nieznajomy, widząc go trzymającego mężczyznę pod rękę. – To głupie przebranie ściągnie na nas kłopoty.

– Nikt nie zwróci na nie uwagi, jeśli nie będziesz mnie, panie, traktować jak kobiety. – Victoria z ochotą zatopiła zęby w ciastku.

– Nie chodzi tu o sposób, w jaki cię traktuję, pani, chodzi o to, jak wyglądasz w tych bryczesach.

Victoria dotknęła kołnierza.

– Sądziłam, że płaszcz dobrze skrywa moją figurę.

– Mam dla ciebie nowinę: nie skrywa.

– Widzę, milordzie, że postanowiłeś być dzisiaj nieznośny. Przypominam ci uprzejmie, że to ty nalegałeś, aby nam towarzyszyć. Jestem jedynie niewinną ofiarą twojej intrygi.

Lucas uśmiechnął się ponuro.

– Niewinną ofiarą? Mam dziwne wrażenie, pani, że to określenie zupełnie do ciebie nie pasuje. Nigdy nie będziesz niczyją niewinną ofiarą.

Victoria spojrzała na niego uważnie.

– Powinnam poczuć się dotknięta, lecz zbyt dobrze się bawię. Och, niech pan spojrzy, akrobaci zaczynają przedstawienie. Chodźmy na nich popatrzeć.

Lucas rozejrzał się wokół.

– Nie widzę Lyndwooda i jego siostry.

– Bertie chciał się napić piwa. Za chwilę wrócą. Nie ma powodu do niepokoju.

– Nie jestem zaniepokojony, panno Huntington. Próbuję jedynie być ostrożny. Jak widać, nikt poza mną nie ma na to ochoty.

– To dlatego, że nie ma w tym nic interesującego. Chodźmy, jeśli się nie pospieszymy, nie zobaczymy akrobatów.

Chwilę później Lucas zaczął się nawet uspokajać i przekonywać siebie, że jego obawy są zupełnie nieuzasadnione. Toteż zamieszanie, które nagle wybuchło, całkowicie go zaskoczyło.

Mógł je wywołać jakiś wyjątkowo efektowny pokaz ogni sztucznych lub też sprzeczka dwóch prostytutek, domagających się od żołnierza zapłaty za swoje usługi. Mogła się również uaktywnić skłonność londyńskiego tłumu, by pod byle pretekstem przeistoczyć się w dziką hałastrę.

Cokolwiek było przyczyną, to przemiana wesołej jarmarcznej gawiedzi w dziką, oszalałą tłuszczę nastąpiła w jednej sekundzie. Sztuczne ognie strzelały nad głowami, ludzie krzyczeli i obrzucali się przekleństwami.

Konie szarpały łbami i cofały się w popłochu. Grupa wyrostków skorzystała z zamieszania i porwała tacę z ciastkami. Właściciel rzucił się za nimi w pogoń, wykrzykując przekleństwa pod ich adresem. Podniosła się wrzawa, a w niebo wystrzeliła kolejna porcja sztucznych ogni. Zajął się od nich pobliski stragan i nastąpił ogólny chaos, niebezpieczny i przerażający chaos, w którym ludzie byli narażeni na dotkliwe poturbowanie i rabunek, a nawet na śmierć.

Gdy tylko zaczął się zmieniać nastrój tłumu, Lucas zareagował natychmiast. Po raz drugi tej nocy zacisnął palce wokół delikatnego nadgarstka Victorii.

– Tedy! – zawołał, starając się przekrzyczeć ogólną wrzawę.

– A co z Annabellą i Bertiem?! – odkrzyknęła Victoria.

– Muszą poradzić sobie sami!

Victoria nie zaprotestowała, za co Lucas był jej niewymownie wdzięczny. Najwyraźniej ta dama miała sporą dozę zdrowego rozsądku. Trzymając jej rękę w żelaznym uścisku, pociągnął dziewczynę w kierunku wąskich uliczek i pobliskich zaułków.

Tak więc jego przeczucia się sprawdziły. Z tą panną będzie miał wyłącznie kłopoty.

3

Zamieszanie, które tak nagle wybuchło, zaskoczyło Victorię. Z ulgą przyjęła pomocną dłoń Lucasa. Podążyła za nim bez słowa protestu, zawierzając instynktownie jego sile i energii, z jaką torował sobie drogę przez tłum.

W pewnym momencie poczuła, że ktoś łapie ją za płaszcz i próbuje wsunąć rękę do kieszeni, ktoś inny zaś stara się wyrwać inkrustowaną laskę. Bez chwili namysłu uderzyła nią napastnika. Rozległ się krzyk i Lucas natychmiast obrócił głowę w tym kierunku. Zobaczył, że niedoszli złodzieje zdążyli już puścić swoją ofiarę.

– Brawo! – rzucił krótko i ponownie skupił uwagę na torowaniu sobie drogi przez tłum.

Nie próbował cofać się przed napierającą na nich ludzką ciżbą, lecz usiłował płynąć wraz z nią, jakby kierował łodzią unoszoną przez silny prąd. Nie zmieniając kursu, pewnie i zdecydowanie, pomimo chorej nogi, posuwał się ku brzegowi tej dzikiej, rwącej rzeki. Nie próbował przedzierać się na siłę, bo wówczas naraziłby siebie i Victorię na utratę równowagi. Nie ulegało wątpliwości, że doskonale nauczył się radzić sobie ze swoim kalectwem. Jego opanowanie pomimo otaczającego ich chaosu uświadomiło Victorii, że Lucas należy do tych nielicznych mężczyzn, którzy nigdy nie tracą zimnej krwi. Czuła się przy nim bezpiecznie, choć zewsząd otaczał ją wzburzony tłum.

Kiedy znaleźli się na skraju tej rozwrzeszczanej, chwiejącej się i napierającej masy ludzkiej, Lucas zaczął szukać możliwości wydostania się z niej. W pewnym momencie pociągnął Victorię w ciemny zaułek.

Potykając się, wpadła za nim w na pozór bezpieczną, mroczną uliczkę. Poślizgnęła się na szlamie i wstrzymała oddech z powodu fetoru, jaki buchał z rynsztoka. Była pewna, że najgorsze mają już za sobą, kiedy u wylotu zaułka rozległy się ochrypłe pijackie głosy.

– Tutaj, brachu, dawaj to światło. Mówię ci, widziałem, jak tu wchodzili. Dwóch bogatych gości.

– Niech to licho! – zaklął cicho Lucas. – Stań za mną i nie ruszaj się!

Nie czekając na zgodę Victorii, pchnął ją za siebie z taką siłą, że uderzyła ramieniem o ścianę kamienicy. Z trudem utrzymała równowagę i spojrzała z niepokojem w stronę wylotu zaułka, w którym właśnie zajaśniała latarnia. W jej nikłym świetle dostrzegła twarze dwóch zbirów uzbrojonych w noże. Zauważyli swoje ofiary i powoli zaczęli się ku nim zbliżać.

– Na co czekasz, Długi Tomie? – zapytał niecierpliwie jeden z nich swego towarzysza. – Nuże, wypatrosz tych dwóch elegancików. Czeka nas jeszcze huk roboty.

Stonevale nawet nie drgnął, osłaniając sobą Victorię. Zauważyła, że z kieszeni płaszcza wyjmuje mały, błyszczący przedmiot.

– A niech to diabli! On ma spluwę! – zaklął jeden z napastników, kiedy światło latarni padło na pistolet Lucasa.

– W rzeczy samej, panowie. – W głosie Lucasa brzmiało lekkie znudzenie. – Który z was chciałby się przekonać o celności mojej ręki?

Pierwszy ze zbirów zatrzymał się tak gwałtownie, że jego kompan wpadł na niego, wskutek czego obaj stracili równowagę i wpadli w błoto. Latarnia uderzyła o bruk, a szkło rozprysło się na tysiąc migoczących kawałków. Słaby płomyk oświetlał jeszcze przez chwilę dziwną mieszaninę cieni.

– A niech to wszyscy diabli! – warknął ze złością jeden z napastników. – Próbujesz zarobić na życie i patrz, co z tego wychodzi. – Poderwał się na nogi i rzucił się do ucieczki.

Drugi natychmiast poszedł w jego ślady. Usłyszeli jeszcze stukot obcasów na bruku, stłumione przekleństwa i po chwili zapanowała cisza.

Lucas chwycił Victorię za rękę i pociągnął ją w kierunku drugiego zaułka. Tłum nie dotarł jeszcze do tego miejsca i powitała ich błogosławiona cisza. Victoria próbowała zwolnić, by odzyskać oddech, lecz Stonevale jej na to nie pozwolił. Chcąc nie chcąc, biegła dalej ciężko dysząc.

– Lucas, muszę ci powiedzieć, że świetnie się spisałeś tam, w zaułku.

Zacisnął mocniej rękę na jej nadgarstku.

– Nie byłoby to konieczne, gdybyś nie nabiła sobie głowy tym jarmarkiem.

– Doprawdy, Lucasie, dlaczego...

– Jedyna nadzieja, że stangret Lyndwooda wypełnił nasze polecenie – przerwał jej bezceremonialnie.

– Niepokoję się o Annabellę i Bertiego – powiedziała, z trudem łapiąc oddech.

– I słusznie.

Skrzywiła się w odpowiedzi. Lucas bez skrupułów przypomniał jej, kto za to wszystko ponosi winę. Najgorsze, że miał rację. Ta eskapada była jej pomysłem.

Litościwie nie powiedział nic więcej i pociągnął ją w ulicę, gdzie zgodnie z umową miał na nich czekać powóz. Victoria dostrzegła stojący przed gospodą znajomy pojazd i odetchnęła z ulgą, kiedy zauważyła siedzących w nim dwoje ludzi.

– Są, Lucasie, na szczęście są oboje. – Oblała się szkarłatem, kiedy spostrzegła, że bezwiednie zwróciła się do niego po imieniu.

– Tak. Wygląda na to, że mimo wszystko mamy dziś trochę szczęścia.

W milczeniu podeszli do powozu.

– Dobry Boże, niepokoiliśmy się o was! – zawołał Lyndwood, otwierając drzwi. – Byliśmy pewni, że porwał was tłum. Prędzej! Nie mam ochoty tkwić tu w nieskończoność. Tłum może się tu zjawić lada chwila.

– Zapewniam cię, Lyndwood, że ja również nie mam zamiaru mitrężyć czasu. – Lucas pchnął Victorię do wnętrza powozu, po czym wsiadł za nią i zatrzasnął drzwi.

Powóz ruszył natychmiast. Był najwyższy czas, w oddali bowiem usłyszeli krzyki zbliżającego się tłumu. Victoria spojrzała z niepokojem na Annabellę.

– Nic ci się nie stało, Bello?

Annabella uścisnęła rękę przyjaciółki.

– Jestem cała i zdrowa. Kiedy wybuchło to zamieszanie, Bertie i ja znajdowaliśmy się na obrzeżach tłumu. Prawie natychmiast udało nam się stamtąd wydostać. Za to bardzo niepokoiłam się o was. Byliście przecież w samym środku tego zamieszania.

– To prawda – przytaknęła Victoria. Poczuła, że po niedawnym napięciu ogarnia ją euforia. – Napadło nas dwóch zbirów w zaułku. Ale Stonevale wyciągnął pistolet i w jednej chwili ich powstrzymał. Był wspaniały.

– Wielkie nieba! – wyszeptała Annabella przerażona.

– Niech to licho, Stonevale. – Lyndwood z troską zmarszczył czoło. – Rzeczywiście niewiele brakowało. Mam nadzieję, że żadnemu z was nic się nie stało?

– Jak widać, jesteśmy cali i zdrowi – odpowiedział Lucas pozornie spokojnym tonem. – Chociaż strój panny Huntington nieco na tym ucierpiał.

Victoria dotknęła włosów i teraz dopiero zauważyła brak kapelusza.

– Ojej, zgubiłam kapelusz.

– Mogłaś, pani, stracić coś więcej niż kapelusz. – Głos Stonevale'a nadal brzmiał spokojnie.

Spojrzała spod oka na jego ostry profil i zdała sobie sprawę, że Lucas kipi tłumionym gniewem. Po raz pierwszy od chwili, kiedy rozpętała się wokół niej burza, poczuła, że ogarnia ją autentyczny strach.

Kiedy powóz stanął, Lucas wyjrzał przez okno na pustą ulicę.

– Zamierza pani tutaj wysiąść? Przecież jesteśmy daleko od frontowego wejścia.

– Tak – odparła spokojnie, biorąc do ręki elegancką laskę.

– A jak zamierza pani wejść do domu? – zapytał z irytacją w głosie.

– Przejdę przez mur ogrodowy, a potem bocznymi drzwiami przez oranżerię. Proszę się nie obawiać, milordzie, znam drogę.

Wysiadła z powozu, mając nadzieję, że on nie zechce jej odprowadzić.

– Dobrej nocy, Vicky – powiedziała cicho Annabella. – To była wspaniała eskapada, prawda?

– Nadzwyczaj – przyznała Victoria. Lucas wysiadł za Victorią.

– Poczekaj tutaj, Lyndwood – rzucił przez ramię. – Pomogę tylko naszemu lekkomyślnemu dandysowi przejść przez mur.

Victoria spojrzała na niego z przerażeniem.

– Nie musi mnie pan odprowadzać. Doskonale poradzę sobie sama.

– Nie mam zamiaru tego słuchać, panno Huntington. – Musiał zauważyć jej niepokój, bo uśmiechnął się lekko, po czym chwycił ją za ramię i poprowadził w stronę muru. – Dostrzegłaś zapewne, pani, że nie jestem w nastroju do żartów. Najlepiej więc zrobisz, nie sprzeczając się ze mną.

– Milordzie – powiedziała unosząc dumnie brodę – jeśli uważasz, że jestem odpowiedzialna za to, co się dziś zdarzyło, powinieneś to jeszcze raz przemyśleć.

– Właśnie tak uważam, panno Huntington. – Spojrzał w górę na wysoki kamienny mur opleciony bluszczem. – W jaki sposób dostaniemy się do ogrodu?

Spróbowała uwolnić ramię, lecz na próżno. Zrezygnowana kiwnęła głową w stronę muru.

– Tam jest przejście.

Pociągnął ją do miejsca, gdzie grube pnącza winorośli skrywały pęknięcia w murze. Victoria wsunęła but w szczelinę i chwyciła się winorośli.

Lucas z dezaprobatą pokręcił głową patrząc, jak jego wybranka wspina się po murze. Poczuła się dziwnie skrępowana i niezgrabna pod jego badawczym spojrzeniem. Nie miała zbyt wielkiej praktyki we wspinaniu się po ogrodowych murach. Liczyła na to, że kapryśne światło księżyca skryje jej opięte bryczesy.

Lucas również pochwycił grube pnącze, znalazł występ w murze i podążył za nią. Tymczasem Victoria zeskoczyła już na drugą stronę i ledwie zdążyła się cofnąć, tak szybko Lucas wylądował obok niej. Zauważyła, że przeniósł ciężar ciała na silniejszą prawą nogę, lecz nawet kiedy dotknął stopami ziemi, nie stracił równowagi.

– Milordzie – rzuciła szeptem – powinieneś już wracać do powozu. Lyndwoodowie czekają.

– Przedtem mam jeszcze z tobą do pomówienia, pani.

Stał pośród pachnącego, skrytego w mroku ogrodu – wysoki, szczupły i groźny, równie ciemny i niebezpieczny jak noc.

Victoria zebrała całą odwagę.

– Nie zniosę, milordzie, żadnego kazania na temat tego, co dziś zaszło. Doskonale wiem, że gdyby nie mój upór, nie znaleźlibyśmy się w niebezpieczeństwie.

– Ma pani absolutną słuszność.

Zupełny brak emocji w jego głosie był bardziej denerwujący niż wybuch gniewu. Nagle przypomniała sobie, jak dzielnie bronił jej przez zbirami. Pod wpływem impulsu dotknęła jego ramienia.

– Wiem, że mam wobec ciebie wielki dług wdzięczności, panie, lecz muszę też wyznać, że świetnie się bawiłam, dopóki nie wybuchło to zamieszanie. Nie pamiętam, kiedy ostatnio tak miło spędziłam czas. – Kiedy nadal milczał, odetchnęła głęboko i ciągnęła dalej: – Chciałabym, abyś wiedział, panie, że zachowałeś się jak bohater. Ani na chwilę nie straciłeś zimnej krwi. Wyciągnąłeś nas z tłumu i nigdy nie zapomnę, jak rozprawiłeś się z tymi dwoma zbirami w zaułku. Za to składam ci stokrotne dzięki.

– Stokrotne dzięki – powtórzył wolno. – Nie jestem pewien, czy to mi wystarczy.

Spojrzała na niego zaskoczona i nagle ogród ciotki Cleo wydał jej się bardzo ciemnym i odludnym miejscem. Przez jedną krótką chwilę pomyślała, co zrobi, kiedy Stonevale straci panowanie nad sobą. Bezwiednie zrobiła krok w tył.

– Milordzie.

– Nie – powiedział, jakby podjął nagłą decyzję. – Twoje liche podziękowania nie zrekompensują tego, przez co przeszedłem, i co czeka mnie jeszcze w przyszłości.

Po czym chwycił ją za ramiona i przycisnął do muru. Zanim zdążyła zareagować, przysunął się do niej tak blisko, że poczuła jego muskularny tors tuż przy swoim. Jednocześnie wsunął jej nogę między uda. Victoria zesztywniała z przerażenia, czując napierające na nią umięśnione udo. Spojrzała szeroko otwartymi oczyma na napięte rysy jego twarzy widocznej w świetle księżyca.

– Jesteś porywczą, lekkomyślną, rozpuszczoną dziewczyną, małą złośnicą, którą najwyższy czas utemperować, zanim wpadnie w kłopoty. Gdybym miał choć trochę rozumu w głowie, skończyłbym z tym tu i teraz – powiedział chrapliwie.

Victoria zwilżyła wyschnięte wargi.

– Z czym, milordzie?

– Z tym. – Jego usta przywarły do jej warg z siłą i gwałtownością, objawiającą płomień szalejący w jego wnętrzu.

Zupełnie się tego nie spodziewała. Była przygotowana raczej na wybuch gniewu.

Stonevale jej pragnął.

Victorię zaskoczył ten gorący wybuch namiętności. Całowali ją już co odważniejsi i bardziej zdesperowani konkurenci, i raz czy dwa pozwoliła się pocałować przez czystą ciekawość. Lecz nigdy nie doświadczyła tak brutalnego, głębokiego i namiętnego pocałunku.

Zadrżała i otoczyła go ramionami. Jęknął ochryple i przycisnął ją mocniej do ściany bluszczu, rozsuwając udem jej nogi. Na plecach poczuła lekkie ukłucia pnączy. Owionął ją zapach winorośli i piżmowa woń męskiego ciała.

Zakręciło jej się w głowie, jakby wirowała w tańcu na parkiecie. Kiedy język Lucasa dotknął jej dolnej wargi, instynktownie rozchyliła usta, poddając mu się z równą ufnością, z jaką poszła za nim w chwili niebezpieczeństwa.

Cofnęła się, kiedy poczuła jego ręce na swojej talii, lecz nie opierała się zbytnio, kiedy jego kciuki przesunęły się w stronę piersi.

– Milordzie – jęknęła, gdy uwolnił jej usta, by pochwycić zębami płatek ucha. – Milordzie, nie wiem… to jest, nie powinieneś tego robić.

– Pragnę, abyś mnie dobrze zapamiętała, Victorio – wyszeptał w odpowiedzi.

Z trudem przełknęła ślinę, próbując odzyskać utraconą równowagę.

– Na pewno cię nie zapomnę.

– To wybornie.

Delikatnie ugryzł ją w ucho, wywołując przy tym niepokojące uczucie słabości. Ta dziwna pieszczota sprawiła, że Victoria zadrżała od stóp do głów. Czuła, że robi jej się gorąco i serce zaczyna mocniej bić.

Zanim zdążyła się zastanowić, co robi, otoczyła ramionami jego szyję. Z przyjemnością wciągnęła w nozdrza zapach męskiego ciała. Przyjemnie było też czuć pod dłońmi jego silne ramiona. Wyraźnie wyczuwała wybrzuszenie w jego obcisłych bryczesach.

– Myślę, że jest to początek niezwykle interesującego związku – szepnął Lucas. Gniew najwidoczniej gdzieś się ulotnił i pozostało jedynie pożądanie. Oczy płonęły mu namiętnością.

– Tak sądzisz?

Poczuła nagły przypływ odwagi. Euforyczna ulga, jaka na nią spłynęła, kiedy minęło niebezpieczeństwo, wzbogaciła się o kolejne doznanie: dreszcz zmysłowej namiętności. Ogarnęła ją dziwna słabość i zdała sobie sprawę, że przywiera całym ciałem do Lucasa.

– Jeszcze o tym nie wiesz, lecz dałaś mi klucze do swej fortecy. Poznałem twoją tajemnicę i ostrzegam uczciwie, że wykorzystam ją, by cię zdobyć.

– Zdobyć mnie? – Victoria otrząsnęła się ze zmysłowego oszołomienia.

– Zdobyć cię, pozyskać twoje względy, uwieść. Będziesz moja, Victorio. Jedynie najdzielniejszy, najbardziej wytrwały z konkurentów zniósłby to, co ja będę zmuszony znieść, by cię zdobyć, ale w końcu będziesz moja. – Jego uśmiech był zmysłowo niebezpieczny i nieskończenie pociągający.

– Skąd pewność, że ulegnę, milordzie?

– Ulegniesz, bo nie będziesz mogła się oprzeć. Żaden inny mężczyzna nie da ci tego, czego pragniesz – powiedział. – Kiedy już to otrzymasz, nie będziesz w stanie mi odmówić. Pamiętaj, że znam twoje pragnienia.

– A czegóż ja takiego pragnę, milordzie?

– Przygód. – Pocałował ją w czubek nosa. – Silnych wrażeń. – Ucałował jej powieki. – I towarzysza, z którym będziesz mogła je dzielić. Dzisiejszy jarmark to drobnostka w porównaniu z tym, co ja ci pokażę. Zabiorę cię w miejsca, w których żadna dama nie ośmieliłaby się pojawić. Pokażę ci te strony życia, o których żadna szanująca się kobieta nie ma nawet pojęcia.

– Ryzyko – posłyszała swój własny szept. Odkrywał jej najskrytsze myśli.

– Możesz poznać ten inny świat wspólnie ze mną i nikt się o tym nie dowie. W ten sposób nie narazisz na szwank pozycji twojej ciotki i sama unikniesz tego niebezpieczeństwa.

Powoli zaczynało do niej docierać, co Lucas jej proponuje. Pokusa była nie do odparcia i on dobrze o tym wiedział.

– Ale Lucasie, jeśli ktoś się dowie, to będzie katastrofa.

– O naszych nocnych poczynaniach będziemy wiedzieć tylko ty i ja. Proponuję ci umowę, Victorio, i to taką, której nie możesz odrzucić. Chcę zaspokoić twoją chęć poznania ciemnej strony życia.

– Powinieneś jaśniej sprecyzować tę umowę, milordzie. Czego żądasz w zamian?

Lucas wzruszył ramionami.

– Niewiele. Byś grała przy mnie rolę damy za dnia i towarzyszki przygód w nocy.

– Nie jestem aż tak naiwna, by w to uwierzyć. Powiedziałeś, że chcesz mnie zdobyć, lecz powtarzam jeszcze raz: nie mam zamiaru wychodzić za mąż.

– Doskonale, wobec tego nie będziemy rozmawiać o małżeństwie – powiedział spokojnie. – Mnie również potrzebne jest towarzystwo. Będziemy spędzać noce zgodnie z twoim życzeniem. Proszę cię jedynie o to, byś dzieliła swoje przygody ze mną.

– Jesteś zupełnie pewny, że tylko tego pragniesz ode mnie w zamian?

– To wszystko, czego żądam w tej chwili, reszta jest w rękach losu. Będziemy się wspólnie bawić, Victorio, niebezpiecznie się bawić. Tak, jak nigdy dotąd się nie bawiłaś.

Popatrzyła na niego, zafascynowana tym zawoalowanym zapewnieniem, zahipnotyzowana tajemniczą obietnicą, jaką niosły jego słowa. Wiedziała, że powinna uciec od tej pokusy, ale równie dobrze mogła zabronić księżycowi świecić.

Nadal czuła jego ręce pod piersiami i nagle zapragnęła, aby jego długie palce przesunęły się w górę i dotknęły sutek. Zadrżała. Lucas jakby odczytał jej myśli, bo nagle położył na jej piersiach dłonie. Były tak gorące, że poczuła ich ciepło poprzez kamizelkę i koszulę. Zagryzła wargi, by nie krzyknąć i mocniej przywarła do niego. Zanim zdążyła zaprotestować, znów objął ją w talii. Nie była w stanie oddychać, ogarnięta pragnieniem ponownego doświadczenia zakazanej pieszczoty.

– No więc jak, Victorio, zgoda? Będziesz grała damę w dzień, a w nocy towarzyszkę nocnych przygód? Czy powtórzą się noce takie jak dzisiejsza?

– Sądziłam, że nie pochwalasz moich pomysłów.

– Przyznaję, że zaskoczyło mnie twoje zuchwalstwo i śmiałość, ale już doszedłem do siebie i przyszło mi na myśl, że noce spędzone z tobą będą o wiele zabawniejsze od tych, które mógłbym spędzić w klubach lub w towarzystwie nudnych panien – zapewnił ją pospiesznie.

Zawahała się, ale już czuła, że spada w przepaść.

– To musi być nasz wspólny sekret – ostrzegła. – Nikt nie może się o nim dowiedzieć. Gdyby do mojej ciotki dotarła wieść o tym, co robię, oszalałaby z niepokoju. Nie mogę też pozwolić, aby cierpiała za moje czyny. Była dla mnie niezwykle dobra i zbyt wiele jej zawdzięczam.

– Twój sekret będzie u mnie bezpieczny. Masz na to moje słowo – przyrzekł Lucas.

Wiedziała, że może mu wierzyć. Słowo tego człowieka było rękojmią. Z tych ust nie wyjdzie żadna plotka. Na oficjalnych spotkaniach towarzyskich, rautach i wieczorkach będzie traktował ją z należytą kurtuazją.

– Och, Lucasie, to byłoby cudowne, móc przeżywać z tobą przygody.

Dotknął wargami jej ust.

– Powiedz tak, Victorio. Powiedz, że przyjmujesz moją propozycję.

– Muszę to przemyśleć. To niezwykle ważna decyzja. Muszę mieć czas, by się nad nią zastanowić.

– Czy wobec tego mogę złożyć tobie i twojej ciotce jutro wizytę? Mogłabyś wówczas przekazać mi swoją decyzję.

Wciągnęła głęboko powietrze, zdając sobie sprawę, że będzie to oznaczać początek wszystkiego.

– Nie tracisz czasu, milordzie.

– Nie należę do tych, którzy go tracą.

– A więc dobrze. Możesz nas odwiedzić. – Zacisnęła na chwilę ręce na jego karku, już teraz wiedząc, jaką da mu odpowiedź, po czym puściła go, czując nagłe zdenerwowanie i lekkie zażenowanie. Popatrzyła na ciemne okna domu. – Muszę już iść. A na ciebie czekają Lyndwoodowie. Będą zachodzić w głowę, co też się mogło stać.

– Powiem po prostu, że były kłopoty z przechodzeniem przez mur – powiedział niedbale.

Skłonił się z galanterią nad jej dłonią. Kiedy uniósł głowę, na jego ustach błąkał się lekki uśmiech. Odwrócił się, podszedł do muru, bezbłędnie odnalazł przejście i po chwili zniknął w ciemności. Victoria patrzyła chwilę w ślad za nim, łajając siebie w duchu, po czym weszła do pogrążonej w ciemnościach oranżerii.

Jakiś czas później, leżąc już w łóżku, doszła do wniosku, że w pożegnalnym uśmiechu Stonevale'a było stanowczo za dużo satysfakcji i triumfu.

„Pragnę cię zdobyć, pozyskać twoje względy, uwieść".

Jeśli będę postępować rozważnie, pomyślała, to dam sobie radę z tym nocnym lordem. Muszę dać radę, bo nie mam wyboru. Nie będę w stanie oprzeć się jego propozycji, bo pragnę tego, co mi oferuje.

Tej nocy po raz pierwszy od wielu miesięcy Victoria spała spokojnie, bez dręczących ją koszmarnych snów.

Dziesięć minut po opuszczeniu ogrodu Lucas wysiadł z powozu Lyndwoodów, życzył im dobrej nocy i wszedł po schodach na ganek domu, który niedawno odziedziczył. Drzwi otworzył mu majordomus, zaangażowany wraz z kilkoma innymi osobami służby przez Jessicę Atherton.

– Odeślij wszystkich do łóżek, Griggs. Muszę jeszcze popracować w bibliotece – polecił Lucas.

– Tak jest, milordzie.

Lucas wszedł do biblioteki, w której stało kilka wyjątkowo ładnych mebli, i nalał sobie pokaźną dawkę porto. Ta przeklęta noga znów się odzywała. Wszystko przez tę wyprawę na jarmark i wspinaczkę po ogrodowym murze. Zaklął cicho i pociągnął spory łyk wina, wiedząc z doświadczenia, że uśmierzy on ból w udzie.

Ale nie tylko noga mu dokuczała. Czuł pulsowanie w jeszcze innej części ciała. Pozostał mu w pamięci obraz jej miękkiego ciała tuż przy swoim, a w nozdrzach jej słodki zapach, zmieszany teraz z aromatem dobrego gatunku porto.

Jego wzrok zatrzymał się na portrecie wiszącym nad kominkiem. Wolno przeszedł po wyblakłym dywanie i zatrzymał się przed ponurym wizerunkiem swego wuja.

Maitland Colebrook, poprzedni hrabia Stonevale, niewiele miał w ostatnich latach swego życia okazji do śmiechu. Nękany chorobami i złym samopoczuciem żywił ciągłą urazę do wszystkich i wszystkiego. Trudne do przewidzenia zmiany nastroju często przeradzały się w napady gniewu, który wyładowywał na każdym, kto mu się akurat nawinął, toteż stale brakowało mu służby.

W młodości Maitland Colebrook wiódł hulaszcze życie, pił i grał ponad miarę. Zniknął z salonów po przepuszczeniu znacznej części majątku, już wcześniej uszczuplonego przez ojca. Stał się ekscentrycznym odludkiem, zrywając nie tylko wszystkie londyńskie znajomości, lecz również kontakt z krewnymi. Wycofał się na wieś, by przepuścić resztki, jakie mu pozostały z majątku. Nigdy się nie ożenił, kiedy więc przed kilkoma miesiącami poczuł zbliżający się koniec, chcąc nie chcąc, wezwał do siebie swego następcę, którego prawie nie znał.

Lucas dobrze pamiętał to spotkanie. Ponura sypialnia ze zniszczonymi draperiami i odrapanymi meblami dziwnie pasowała do jej właściciela, który z pomarszczoną, ziemistą twarzą spoczywał na staroświeckim dębowym łożu, a obok, na nocnej szafce, stała butelka porto i laudanum.

– To wszystko wkrótce będzie twoje, siostrzeńcze, każdy przeklęty skrawek Stonevale. Jeśli będziesz miał rozum, zostawisz to wszystko. Nigdy nic dobrego nie wychodziło z tej ziemi – wycharczał, skrywając kościste palce pod wypłowiałym kocem i spoglądając zimno na Lucasa.

– Zapewne dlatego, że nikt nie zatroszczył się, by poświęcić jej trochę czasu i pieniędzy – zauważył Lucas z goryczą. Każdy głupiec mógł zauważyć, że Stonevale miało swoją wartość. Ziemia była tu żyzna, trzeba było jedynie obudzić ją do życia.

Uzdrowić Stonevale mogły jedynie pieniądze i właściciel dbający o ludzi i ziemię.

– Nie ma sensu topić w Stonevale pieniędzy. To miejsce jest przeklęte. Zapytaj kogokolwiek. Tak było od pokoleń. Zła gleba, leniwi dzierżawcy, brak wody. Nie ma tu nic, co warto by ratować. Dawno powinienem wszystko sprzedać. Nie wiem, dlaczego tego nie zrobiłem – stwierdził stary Colebrook zgrzytliwym głosem, po czym pochylił się i otworzył szufladę w nocnej szafce. Jego drżące palce błądziły chwilę w jej wnętrzu, aż wreszcie wyjęły jakiś przedmiot, który hrabia rzucił swemu następcy.

Kiedy Lucas otworzył dłoń, ujrzał owalny wisior z bursztynu zawieszony na cienkim łańcuszku. Wyrzeźbiono na nim dwie postaci z takim kunsztem, że wyglądały jak ludzkie figurki zastygłe w półprzeźroczystym żółtozłotym kamieniu. Przedstawiały rycerza i jego damę.

– Co to jest, wuju? – zapytał Lucas, zaciskając palce na wisiorku.

– Nie mam zielonego pojęcia. Dał mi go przed śmiercią mój ojciec. Powiedział, że znalazł ten wisior w ogrodzie. Podobno związana jest z nim stara legenda.

Lucas popatrzył na wisior.

– Jaka legenda?

Maitland nagle wpadł we wściekłość.

– Legenda, która czyni tę przeklętą ziemię bezużyteczną, która jest odpowiedzialna za zrujnowanie mojego życia i za to, że nie dochowałem się własnego syna! Legenda o bursztynowym rycerzu i jego damie!

– O czym ona mówi?

– Niech ci ją opowie któraś z tych starych miejscowych wiedźm. Mam ważniejsze sprawy na głowie niż opowiadanie ci bajek.

W tym momencie starca chwycił atak kaszlu. Lucas szybko nalał kieliszek porto i przysunął go do bladych wąskich warg. Wuj pociągnął spory łyk i powoli się uspokoił.

– To niedobre miejsce – rzekł po chwili. – Zawsze takie było i takie pozostanie. Zły los ciąży nad tą przeklętą ziemią. Posłuchaj mej rady i zostaw ją, chłopcze. Nie próbuj jej ratować.

Lucas spojrzał na bursztynowy wisior, w jego wzroku błysnęła determinacja.

– Wiesz, wuju, chyba nie pójdę za twoją radą. Mam zamiar uratować Stonevale.

Maitland popatrzył na niego nabiegłymi krwią, znużonymi oczyma.

– A skąd zdobędziesz na to pieniądze? Słyszałem, że dobrze sobie radzisz przy karcianym stole, jednak nie wygrasz tyle, by zapewnić sobie stały dochód potrzebny do ocalenia majątku. Wiem, bo próbowałem tego w młodości.

– Wobec tego znajdę inny sposób.

– Jedynym sposobem jest małżeństwo z posażną panną, ale łatwiej powiedzieć niż zrobić. Panna z posagiem nawet nie spojrzy na hrabiego bez grosza przy duszy. Już jej rodzina się o to postara.

Lucas popatrzył na wuja.

– Może powinienem poszukać kogoś niższego stanu?

– Stracisz tylko czas. Do licha, wiem coś na ten temat. Zawsze jest mnóstwo gadania o tym, że ktoś ofiarował tytuł w zamian za majątek. Lecz, niestety, rzadko to się zdarza. Pieniądze poślubiają pieniądze, bez względu na to, czy jest to stan mieszczański, czy wyższe sfery.

Słowa wuja ponownie zabrzmiały w uszach Lucasa, kiedy spoglądał na surowy portret swego poprzednika, wiszący nad kominkiem. Uśmiechnął się i wzniósł kieliszek w toaście.

– Myliłeś się, wuju. Znalazłem moją dziedziczkę i tej nocy zastawiłem sidła. I choć wciągnie mnie najpierw w szaleńczy taniec, jednak na koniec będzie moja.

Nagle zdał sobie sprawę, że takie zakończenie nie w pełni go zadowala. Pragnął zdobyć majątek Victorii, to prawda, ale dziś w nocy przekonał się, że pragnie również jej samej.

Odstawił kieliszek i przypomniał sobie o bursztynowym wisiorze, który miał na szyi. Od chwili kiedy stał się jego właścicielem, nosił go stale pod koszulą. Teraz przyszło mu do głowy, że głęboki, brązowy odcień bursztynu świetnie harmonizuje z kolorem oczu Victorii.

4

Lucas wstępował po schodach prowadzących do domu lady Nettleship z uczuciem głębokiego zadowolenia i zimnej determinacji. Wszystkie siły skoncentrował teraz na wygraniu tej partii, a wiedział, że umie wygrywać.

Już dawno się przekonał, że dla kogoś, kto musi sam sobie radzić w życiu, najważniejszy był dokładnie opracowany plan i strategia. Wiedział, jakie znaczenie ma w czasie bitwy lub podczas gry w karty trzymanie emocji na wodzy. Kluczem do zwycięstwa była chłodna logika.

Doskonale wiedział, że tylko zimna krew pozwoli mu przetrwać, a nawet odnosić sukcesy w klubach i londyńskich jaskiniach hazardu. W przeciwieństwie do impulsywnych, młodych graczy, elokwentnych, pijanych lordów czy głupich dandysów, którzy uwielbiali przepuszczać pieniądze w melodramatycznym stylu, Lucas nigdy nie pozwolił sobie na wylewność, fałszywą dumę lub rozpacz. Kiedy szczęście nie sprzyja, trzeba po prostu wstać od stołu i poczekać na inny czas i miejsce. A on zawsze potrafił je znaleźć.

Wuj niestety miał rację. Choć szczęście mu sprzyjało, nie mógł jednak wygrać tyle pieniędzy, by uratować Stonevale. Musiałby na to poświęcić całe życie. Ziemia i mieszkańcy Stonevale nie mogli tak długo czekać.

Poza tym nie można było utrzymując się jedynie z gry, zachować pozorów bogactwa. Jeśli rozważnie się postępowało i umiejętnie dysponowało wydatkami, udawało się przeżyć od jednej nocy do drugiej. Towarzystwo by plotkowało, lecz nigdy otwarcie nie zapytano by go o sytuację finansową, dopóki utrzymywałby się na odpowiednim poziomie. Wiele również zawdzięczał tytułowi i koneksjom Jessiki Atherton.

Spojrzał przez ramię na elegancką czarną kariolkę i parę pięknie dobranych siwków, które go tu przywiozły. Jego stangret usiłował uspokoić ogniste rumaki i szykował się do przejażdżki podczas wizyty Lucasa.

Cały ten ekwipunek kosztował Stonevale'a więcej, niż chciał wydać, uznał jednak, acz niechętnie, jego konieczność, podobnie jak potrzebę sprawienia sobie odpowiedniego stroju. Kiedy mężczyzna pragnie zdobyć dziedziczkę, musi dobrze się kamuflować, zwłaszcza kiedy rzeczona dziedziczka wynajmuje detektywów z Bow Street.

Kiedy Lucas kolejny raz powtarzał w myślach starannie opracowany plan działania, frontowe drzwi się otworzyły. Wręczył majordomusowi swoją wizytówkę.

– Hrabia Stonevale pragnie się widzieć z lady Nettleship i jej siostrzenicą.

Majordomus skłonił nisko długi nos.

– Sprawdzę, czy lady Nettleship przyjmuje dziś rano.

Przez jedną straszną chwilę zastanawiał się, co zrobi, jeśli Victoria zmieniła zdanie i nie zechce się z nim widzieć. Mogła przecież zacząć coś podejrzewać.

Nie powinien był jej całować. Wszak nie leżało to w jego zamiarach, w każdym razie jeszcze nie teraz. Ale wówczas, w tym ciemnym ogrodzie, na jedną niebezpieczną chwilę złamał swą żelazną zasadę i dał się ponieść emocjom. Solennie sobie przyrzekł zachować na przyszłość większą ostrożność.

Wrócił majordomus i Lucas odetchnął z ulgą i radością, kiedy został wprowadzony do okazałego salonu. Dzięki żelaznemu opanowaniu nie okazał żadnych emocji, jedynie pozwolił sobie na myśl, że pierwsza przeszkoda została pokonana. Przyjęto go w domu dziedziczki.

Wkrótce jednak radość ustąpiła irytacji, kiedy nie dostrzegł Victorii w rozświetlonym słońcem pokoju. Nie spodziewał się, że dziewczyna do tego stopnia straci głowę. Najwidoczniej dama, która minionej nocy tak odważnie stawiała czoło niebezpieczeństwu, miała obiekcje przed spotkaniem się z nim w świetle dnia. Zmusił się, by skupić całą uwagę na imponującej damie w średnim wieku, siedzącej na eleganckiej sofie.

– Pani uniżony sługa, lady Nettleship – mruknął, pochylając się nad upierścienioną dłonią. – Widzę teraz, że piękne oczy Victorii to cecha rodzinna.

– Jest pan niezwykle łaskaw, milordzie. Zechciej proszę spocząć. Czekałyśmy na ciebie. Victorio, odłóż te chrząszcze, moja droga, i chodź przywitać się z naszym gościem.

Odwróciła się z uśmiechem w stronę siostrzenicy.

Poczuł nagłą radość. A więc nie zmieniła zdania. Rozciągnął usta w uśmiechu i odwrócił się w stronę Victorii, która stała przy oknie w drugim końcu pokoju. Nic dziwnego, że jej nie zauważył. Ubrana była w żółtobiałą suknię, która zlewała się ze złotą draperią przy oknie.

Domyślił się, że specjalnie wybrała to miejsce, by mieć możność przyjrzenia mu się niepostrzeżenie, kiedy będzie wchodził do salonu. Z rozbawieniem uniósł lekko brwi na znak uznania dla jej taktyki. Nie ma nic lepszego od możliwości przyjrzenia się przeciwnikowi przed stanięciem z nim twarzą w twarz. Najwidoczniej nie tylko on jeden wiedział coś na temat strategii.

– Dzień dobry, panno Huntington. Przez chwilę się obawiałem, że nagle przypomnisz sobie o jakimś innym towarzyskim zobowiązaniu.

Ruszyła z gracją w jego stronę. W rękach trzymała płaskie pudełko, a w oczach jej zagościł figlarny błysk.

– Jak mogłeś sądzić, milordzie, że zapomnę o twojej porannej wizycie?

– Nigdy nie można polegać na kobiecej pamięci. – Lucas pochylił głowę ku ręce, którą z wdziękiem mu podała. Poczuł chłód jej palców i domyślił się, że nie jest tak opanowana, jak stara się wyglądać. To go ucieszyło.

– Zapewniam cię, panie, że mam doskonałą pamięć.

– Niestety nie tylko pamięć zawodzi damy. Czasami potrafią po prostu zmienić zdanie – odpowiedział Lucas.

Victoria spojrzała na niego uważnie.

– Jedynie wtedy, gdy jest to konieczne. Zechciej usiąść, milordzie. Interesujesz się może chrząszczami?

– Chrząszczami? – Lucas dopiero teraz spojrzał na pudełko w jej rękach i zobaczył rzędy martwych owadów przyszpilonych do dna. Ułożono je skrupulatnie według wielkości, na końcu zaś tkwił prawdziwy olbrzym. – Jeśli mam być szczery, panno Huntington, to nigdy nie zwracałem na nie większej uwagi.

– Och, ale te są wprost nadzwyczajne, prawda, ciociu Cleo?

– To piękna kolekcja – zgodziła się z entuzjazmem lady Nettleship. – Zebrała je lady Woodbury, członkini naszego małego kółka naukowego.

– Fascynujące – powiedział Lucas, powoli siadając i nie spuszczając wzroku z Victorii, która zajęła miejsce na sofie obok swej ciotki. – Ciekawe, jak lady Woodbury udało się zabić tyle owadów?

– Przypuszczam, że najzupełniej zwyczajnie – odparła Cleo. – Chwyta się je pod skrzydełkami i używa kamfory lub drucika.

– Czy kolekcjonuje pani owady, panno Huntington? – zapytał Lucas.

– Nie. Jakoś nie mam do tego serca. – Spojrzała na pudełko. – Wie pan, te biedne stworzonka nie zawsze szybko zdychają.

Popatrzył na jej profil.

– Wola przeżycia bywa zdumiewająco silna.

– Tak. – Zamknęła wieko.

– Obawiam się, że moja siostrzenica ma zbyt miękkie serce do przeprowadzania niektórych doświadczeń – zauważyła Cleo z uśmiechem.

– Przyznam się, że wolę botanikę i ogrodnictwo od doświadczeń z owadami.

– Widzę, że twoje zainteresowania, pani, są bardzo urozmaicone – zauważył Lucas.

– Czy uważasz je za ograniczone? – Spojrzała na niego spod rzęs z pozorną obojętnością.

Wyczuł zastawioną pułapkę.

– W żadnym razie. W trakcie naszej krótkiej znajomości miałem okazję się przekonać, że jesteś, pani, kobietą o niezwykłym umyśle.

Cleo popatrzyła na niego z zainteresowaniem.

– Czyżbyś studiował, milordzie, ogrodnictwo i botanikę?

– Jak zapewne słyszałaś, pani, tytuł i majątek odziedziczyłem niedawno. Choć znacznie rozszerzył się mój krąg zainteresowań, to muszę się jeszcze wiele nauczyć o ogrodnictwie i tym podobnych sprawach, jeśli mam wprowadzić ulepszenia w moim majątku – powiedział Lucas.

Cleo wyraźnie się ucieszyła.

– Doskonale. Wobec tego zainteresują cię zapewne akwarele i roślinne szkice Victorii.

Ku zdumieniu Lucasa Victoria lekko się zaczerwieniła.

– Jestem pewna, ciociu, że jego lordowską mość wcale nie interesują moje rysunki.

– Zapewniam cię, pani, że bardzo mnie interesują – szybko powiedział Lucas. Wszystko, co wywoływało rumieniec na twarzy Victorii, było dla niego fascynujące.

– Victoria ma wyjątkowy talent. – Lady Nettleship wstała z sofy, podeszła do stolika i wzięła do ręki leżący tam szkicownik. – Proszę na to spojrzeć.

– Ciociu Cleo, doprawdy…

– Porzuć tę fałszywą skromność, Vicky. Twoje rysunki są urocze i tak wiernie oddają rzeczywistość. Od lat ci powtarzam, że powinnaś część z nich opublikować. Proszę spojrzeć, milordzie. Co pan o tym sądzi? – Cleo z dumą podała Lucasowi szkicownik.

Widząc, że Victoria patrzy na niego z wyrazem rezygnacji na twarzy, Lucas prędko otworzył album, spodziewając się znaleźć zbiór nieciekawych, amatorskich prac. Należało do dobrego tonu, by młoda panna uczyła się rysować i malować kwiaty.

Tymczasem zaskoczyła go niezwykła czystość linii i żywość prac Victorii. Jej kwiaty rozkwitały na kartach albumu, emanując niespotykaną energią. Były nie tylko artystycznie piękne, lecz w każdym calu dokładne. Lucas patrzył zafascynowany, jak kartka za kartką ożywały przed nim róże, irysy, maki i lilie. Każdy kwiat opatrzony był łacińską nazwą: *Rosa provincialis*, *Passiflora alata*, *Cyclamen linearifolium*.

Podniósł wzrok i zobaczył, że Victoria patrzy na niego z niepokojem w oczach. Najwidoczniej był to dla niej drażliwy temat. Zamknął album.

– Te rysunki są wspaniałe, panno Huntington. Przypuszczam, że już ci to mówiono. Nawet moje niewprawne oko potrafi je docenić.

– Dziękuję. – Uśmiechnęła się promiennie, jak gdyby właśnie powiedział jej, że ona, a nie jej rysunki są piękne. Bursztynowe oczy stały się niemal złociste. – Jest pan dla mnie niezwykle uprzejmy.

– Rzadko jestem uprzejmy, panno Huntington – odpowiedział cicho. – Powiedziałem jedynie prawdę. Muszę jednak przyznać, że nie znam wielu z tych kwiatów. Skąd czerpiesz pomysły, pani?

– Z oranżerii – wyjaśniła Cleo. – Wspólnie z Victorią założyłyśmy coś, co, śmiem wierzyć, jest wspaniałym ogrodem botanicznym. Nie jest to Kew Garden, ale jesteśmy z niego dumne. Czy chciałby pan obejrzeć oranżerię? Victoria będzie szczęśliwa, mogąc cię po niej oprowadzić.

Lucas skinął głową.

– Będę zaszczycony.

Victoria podniosła się z wdziękiem.

– Proszę tędy, milordzie.

– Idźcie, dzieci – powiedziała Cleo. – Może wypije pan z nami herbatę, kiedy skończycie oglądać ogród?

– Dziękuję, z przyjemnością.

Lucas uśmiechnął się do siebie, idąc za Victorią do holu, a potem wąskim przejściem prowadzącym na tyły domu. Wszystko świetnie się układa, pomyślał, kiedy dziewczyna wprowadziła go do ogromnej, oszklonej i ostro pachnącej wilgotną glebą oranżerii. Nareszcie znalazł się sam na sam ze swoją dziedziczką. Rozejrzał się wokół i przyszło mu na myśl, że dziś będzie polował w prawdziwej dżungli. Z okien oranżerii rozciągał się widok na piękny ogród z dobrze znanym ceglanym murem oplecionym bluszczem.

– Ciekaw byłem, jak też ogród wygląda za dnia – powiedział.

Victoria zmarszczyła brwi.

– Ciszej, milordzie. Ktoś mógłby cię usłyszeć.

– Nie sądzę. Wygląda na to, że jesteśmy tu sami. – Popatrzył na otaczającą go zewsząd bujną zieleń i rzędy egzotycznych roślin. – Twoja ciotka i ty, pani, musicie się lubować w kwiatach. Cóż za niezwykły widok.

– Ciotka wybudowała tę oranżerię przed kilkoma laty – powiedziała Victoria, idąc zielonym tunelem. – Ma wielu przyjaciół, którzy podróżują po całym świecie i przysyłają jej sadzonki i małe roślinki. Ostatnio sir Percy Hickinbottom, jeden z jej licznych wielbicieli, przysłał nową odmianę róży, którą odkrył w czasie wyprawy do Chin. Nazwał ją na jej cześć Chińskim Rumieńcem Cleo. Czyż to nie urocze? A w zeszłym miesiącu dostałyśmy wyjątkowej urody chryzantemę. Mamy nadzieję, że się przyjmie. Czy zna się pan na chryzantemach, milordzie?

– Nie, za to wiem, co to znaczy, gdy ktoś staje się nagle nadmiernie gadatliwy. Uspokój się, Victorio. Nie ma żadnego powodu do niepokoju.

– Wcale się nie niepokoję. – Uniosła dumnie podbródek i zatrzymała się przed ogromną rośliną pokrytą kolcami. – Czy lubisz, panie, kaktusy?

Przyjrzał się z ciekawością różnorakim kolczastym roślinom, których nigdy przedtem nie widział. Spróbował dotknąć jednego z kolców i stwierdził, że jest ostry jak igła. Uniósł wzrok i popatrzył Victorii w oczy.

– Zawsze interesowały mnie systemy obronne przeciwnika – powiedział.

– Czy po to, aby znaleźć sposób na ich pokonanie?

– Jedynie pod warunkiem, że gra jest warta świeczki.

Zaczynam lubić te słowne szermierki, pomyślał. Ona dzielnie sobie poczyna.

– W jaki sposób potrafisz ocenić wartość zwycięstwa jeszcze przed bitwą?

Nie popełnił pomyłki, całując ją wczoraj w nocy. Ze sposobu, w jaki na niego patrzyła, domyślił się, że wiele myślała o ich intymnym kontakcie.

– Czasami zachodzi możliwość wypróbowania przyszłej zdobyczy. Ta, którą wolno mi było posmakować wczoraj w nocy, wydała mi się niezwykle kusząca.

– Rozumiem. I zapewne miałeś, panie, okazję do posmakowania wielu potencjalnych zdobyczy, zanim zdecydowałeś się, którą wybrać? – Spojrzała na niego znacząco.

Skrzywił się, zauważywszy wyniosły chłód w jej oczach.

– Trzeba mieć możność wyboru.

Chłód niemal niedostrzegalnie zmienił się w odrazę. Odwróciła się i ruszyła zieloną ścieżką.

– Tak przypuszczałam.

Lucas poczuł wzbierający gniew. To ona rozpoczęła tę rozmowę. Gwałtownie chwycił ją za rękę. Odwróciła się i spojrzała na niego wyzywająco.

– Cóż to, Victorio? Czyżby nie podobało ci się, że były w moim życiu inne zdobycze? Nie miały one większego znaczenia.

– Nie podoba mi się to, że mogłeś być bardzo niewybredny w wyborze i zdobywaniu swych ofiar, jak również to, że tak lekko do tego podchodziłeś.

– Zapewniam cię, że nigdy nie byłem ani niewybredny, ani nie podchodziłem do tych spraw z lekceważeniem. Prawdę powiedziawszy, nie było w moim życiu wielu zdobyczy. Trudno utrzymać kosztowne kochanki z oficerskiej pensji. – Z rozmysłem wzmocnił uścisk, by przyciągnąć ją bliżej. – A co z tobą? Bronisz się niezwykle umiejętnie. Czy dlatego, że masz w tej grze spore doświadczenie?

– Mam wielkie doświadczenie w odgrywaniu roli kaktusa, milordzie.

– Czy komuś udało się pokonać twoje kolce? – zapytał z uśmiechem.

– To nie pańska sprawa.

Dostrzegł rumieniec wykwitający na jej policzkach, jednak wzrok pozostał twardy.

– Wybacz mi, proszę, ale nie mogłem się oprzeć ciekawości. W końcu sam mam zamiar pokonać te kolce i zagarnąć cały skarb dla siebie.

– Nie grzeszy pan subtelnością, Stonevale.

– Kiedy zachodzi potrzeba, potrafię być subtelny. Sądzę jednak, że mogę być zupełnie szczery co do moich intencji. Nie jesteś wszak niedoświadczoną gąską. Nie należysz też do kobiet, których przerażają uczciwe, męskie zamiary.

Victoria spojrzała na niego z uwagą.

– Skoro mówimy o uczciwości, jakie właściwie są twoje zamiary, milordzie? Niezbyt jasno się na ten temat wyraziłeś.

– Sądziłem, że wyraziłem się aż nazbyt jasno. Domyślasz się chyba, że cię pragnę i zrobię wszystko, by cię zdobyć.

– Tej nocy... – zaczęła i urwała, szukając właściwych słów. – Tej nocy ostrzegałam cię, że nie może być mowy o małżeństwie.

– Nie zapomniałem o twoim ostrzeżeniu. O ile mnie pamięć nie myli, powtarzałaś je kilka razy na różne sposoby.

– Pojmujesz zatem, że nie interesuje mnie gra, której wynikiem będzie małżeństwo.

– Pojmuję. – Lucas uśmiechnął się lekko na widok determinacji w jej oczach. Może sobie myśleć, że nie gra w tę grę, lecz wcale jej to nie uchroni od porażki. – Za to interesują cię inne gry, prawda, Victorio? Nocne gry.

Nic na to nie odpowiedziała, zauważył jednak, że zadrżały jej palce, kiedy bezwiednie dotknęła szerokiego liścia, zwieszającego się nad jej ramieniem.

– Miałeś rację, milordzie. Bardzo pragnęłabym mieć towarzysza, z którym mogłabym przeżywać nocne przygody. Kogoś, komu mogłabym zaufać, że dochowa tajemnicy, kto zabrałby mnie do takich miejsc, gdzie nie mogłabym pójść sama lub z przyjaciółmi pokroju Annabelli Lyndwood i jej brata. Przyznaję, że twoja propozycja jest niezwykle kusząca. Jednak bardziej niepokoi mnie fakt, że doskonale zdajesz sobie sprawę z tego, jak bardzo mnie ona nęci.

– Wahasz się, bo nie jesteś pewna, czy możesz ją przyjąć, a potem odejść, nie dając nic w zamian, tak?

Skinęła głową z leciutkim uśmieszkiem.

– W rzeczy samej, milordzie. Trafiłeś w sedno sprawy. Nie mam wcale pewności, że będziesz usatysfakcjonowany zapłatą, którą sama wybiorę.

Lucas głęboko westchnął i założył ręce na piersi.

– Zdaje się, że to już mój problem. Skoro taki układ mnie zadowala, nie musisz się niczego obawiać.

– Szczerze mówiąc, milordzie, nie sądzę, byś zadowolił się paroma ukradkowymi pocałunkami w ogrodzie, a przyrzekam ci, że tylko tyle otrzymasz w zamian. Czy wyrażam się jasno?

– Dostatecznie jasno.

Czekała, że zacznie się z nią targować, ale gdy tego nie uczynił, a tylko spokojnie przyglądał się niezwykłemu okazowi kaktusa, zgodnie z przewidywaniami Lucasa straciła pewność siebie. Nie zdając sobie z tego sprawy, wpłynęła na zbyt niebezpieczne wody.

– Nie będzie rozmów o małżeństwie? – zapytała.

– Nie będzie. – Dotknął kolca innego równie ciekawie wyglądającego kaktusa i stwierdził, że jest tak samo ostry jak poprzedni. – Jednakże czuję się w obowiązku ostrzec cię, że choć przyrzekłem nie wspominać o małżeństwie, to wcale nie oznacza, że nie zrobię wszystkiego, by cię zdobyć. Masz rację, Victorio. Pragnę czegoś więcej niż paru ukradkowych pocałunków.

– Jesteś stanowczo zbyt śmiały, milordzie.

– Nie widzę powodu, by się bawić w delikatności. Wiesz, czego pragnę w zamian za moje uczestnictwo w nocnych eskapadach.

– Wobec tego cena jest zbyt wysoka. Nigdy jej nie zapłacę – odparła.

– Powiedziałem, że wiesz, jakiej bym pragnął nagrody, ale nie powiedziałem, że będę cię zmuszał do zapłaty. – Popatrzył na nią zadowolony z wrażenia, jakie wywołały jego słowa. – Nie musisz się mnie obawiać, Victorio. Daję ci słowo honoru, że nie będę cię zmuszać do uległości.

– Proszę, nie używaj więcej tego słowa – powiedziała Victoria przez zęby.
Wzruszył ramionami.
– Możesz to nazywać jak chcesz, ale nie oszukuj się co do natury moich zamiarów.
Zacisnęła usta z wyrazem głębokiej dezaprobaty.
– Twoje zamiary, milordzie, są haniebne.
– Nie pozostawiłaś mi wyboru. Zabroniłaś mi mówić o tych bardziej honorowych.
– Wydaje mi się, że dość szybko na to przystałeś – zauważyła cierpko. Bawiła się przez chwilę liściem. – Można by pomyśleć, że wcale nie interesuje cię małżeństwo.
– Nie wszystkich mężczyzn interesuje małżeństwo, Victorio. Dlaczego rozsądnie myślący mężczyzna miałby poświęcać swoją wolność, kiedy może zdobyć kobietę bez ofiarowywania jej swego nazwiska?
– Przypuśćmy, że zdobędzie kobietę bez tego.
Uśmiechnął się.
– To się często zdarza. Zbyt długo obracasz się w towarzystwie, by o tym nie wiedzieć, Victorio.
– Ależ wiem o tym – sapnęła z irytacją. – Doskonale wiem, że większość mężczyzn żeni się bez miłości. Przeważnie robią to z konieczności, by zapewnić sobie dziedzica lub by zdobyć majątek, albo też z obu tych powodów.
– Zawsze uważałem, że miłość jest zbyt mglistym i absolutnie niewystarczającym powodem do robienia czegokolwiek.
Popatrzyła na niego spod zmrużonych powiek.
– Jesteś cyniczny, milordzie, ale czegóż się można spodziewać po mężczyźnie, któremu zależy jedynie na czymś, co można nazwać nędznym, skandalicznym romansem.
Lucas ze smutkiem pokręcił głową.
– Obawiam się, że jesteś niekonsekwentna, Victorio. Zabroniłaś mi mówić o małżeństwie, a kiedy powiedziałem, że chcę mieć z tobą romans, oskarżyłaś mnie o cynizm.
Zmełła w ustach zupełnie niepasujące do damy przekleństwo.
– Masz rację – przyznała. – To wszystko przez ten mój majątek. Annabella twierdzi, że jestem na tym punkcie przewrażliwiona.
Lucas uśmiechnął się współczująco.
– Za każdym rogiem widzisz niebezpieczeństwo?
– Na to wygląda – odparła Victoria.
– Zważywszy wszystko, nie jest to wcale taka zła taktyka.

– Dla mnie to niezwykle praktyczna taktyka – stwierdziła.

– Dlatego że prowadzi cię bezpiecznie do staropanieństwa?

– Drań. – Lecz jej usta rozciągnęły się w uśmiechu. – Masz rację. Jestem starą panną i bardzo się z tego cieszę. Co więcej, mam zamiar nią pozostać.

Lucas przeniósł wzrok z kaktusa na efektowny złocistożółty kwiat z rzuconymi tu i tam purpurowymi plamami, który tkwił jak korona na zielonej łodydze. Podszedł bliżej, zafascynowany złocistym odcieniem, który przypominał mu oczy Victorii.

– Po tym, co zaszło między nami w ogrodzie, nigdy mnie nie przekonasz, że nie chcesz poznać własnych ukrytych namiętności, Victorio. Jesteś jak ten kwiat, bujna i słodka, kryjąca w sobie pełną żaru obietnicę.

Uśmiechnęła się w odpowiedzi.

– Doprawdy, milordzie. Nie musisz wysilać się na tak kwieciste porównanie. Rozumiem, że twoim światem jest wojsko, nie literatura.

– Czasami człowiek może dowiedzieć się więcej o życiu na polu bitwy, gdy zewsząd czyha na niego śmierć, niż ze wszystkich książek świata. Nawet jeśli uda ci się zapanować nad własną namiętnością, wątpię, abyś była w stanie oprzeć się własnej ciekawości.

– Ciekawości? Sądzisz, że możesz mnie namówić na romans, odwołując się do mojej ciekawości? Cóż za oryginalny pomysł.

– Jest to jak najbardziej uzasadnione. Kobietę, która potrafi zachwycać się chrząszczami i kaktusami, muszą z pewnością interesować problemy natury fizycznej. – Pochylił głowę w eleganckim ukłonie. – Panno Huntington, oddaję samego siebie do dyspozycji twoich intelektualnych eksperymentów. Żywię nadzieję, że nie będziesz w stanie mi odmówić.

Przez kilka pełnych napięcia sekund mierzyła go wzrokiem, w którym zaskoczenie mieszało się z oburzeniem, jednak po chwili w jej oczach błysnęła wesołość i Victoria wybuchnęła tak niepohamowanym śmiechem, że aż się musiała przytrzymać słupka.

Lucas patrzył na nią, trzymając w palcach złocistożółty kwiat. Zafascynowała go jej nieskrępowana wesołość. Nie chichotała irytująco, jak to czyniły młode kobiety, usiłując naśladować dźwięk dzwonków i szmer strumyka. Śmiech Victorii był pełen życia i ciepła. Sprawił, że zapragnął pochwycić ją w ramiona i całować tak długo, aż jej rozbawienie ustąpi miejsca pożądaniu, którego doświadczył minionej nocy.

Przecież mógłbym to zrobić, pomyślał. Tak cudownie reagowała na jego pieszczoty. Mógłby to przecież wykorzystać, nie mówiąc już o jej zamiłowaniu do przygód, i uwieść ją. Nie mogłaby się mu oprzeć. Jak powiedział w ogrodzie, Victoria nie znajdzie drugiego mężczyzny, którego propozycja byłaby równie nęcąca.

A kiedy leżałaby już bezpiecznie w jego ramionach, do małżeństwa pozostałby niewielki krok. Victoria mogła odważnie rozprawiać o nawiązaniu romansu, lecz wkrótce uznałaby taki związek za wysoce niewłaściwy, groziłoby to bowiem utratą reputacji, zarówno jej, jak i jej ciotki. Była przecież dobrze urodzoną młodą panną i znała zasady rządzące jej światem. Zgodnie z nimi młoda kobieta miewała romanse dopiero po ślubie i po urodzeniu syna. Dopiero wówczas wiele żon czuło się wolnymi i angażowało w romantyczne związki trwające tak długo, dopóki utrzymywane były w tajemnicy. Ich mężowie, którzy przeważnie miewali kochanki zarówno przed, jak i po ślubie, postępowali podobnie, choć nieco mniej dyskretnie.

Patrząc, jak śmiech Victorii powoli cichnie, nagle zdał sobie sprawę, że wcale nie chce, by jego przyszła żona podążyła tą utartą ścieżką od ołtarza przez małżeńskie łoże, po serię romansów. Nie należał do mężczyzn, którzy znosiliby spokojnie niewierność żony. Nie potrafiłby dzielić się z innymi kobietą, którą sobie wybrał, choć poczucie własności to zaledwie cząstka tego, co czułby do kobiety, która pewnego dnia przyjęłaby jego nazwisko.

Kiedy zdobędzie Victorię, nie odda jej nikomu. Towarzyskie konwenanse przestaną istnieć. Nie będzie dzielić się tym szalonym, nieobliczalnym stworzeniem z innym mężczyzną.

– Jest pan niemożliwy, milordzie. Absolutnie niemożliwy. – Victoria otarła łzy i pokręciła głową z uśmiechem. – Ofiarować siebie w celu intelektualnego eksperymentu. Cóż za altruizm. Jakaż szlachetność. Jesteś zbyt łaskawy.

– Zrobię wszystko, by cię zdobyć.

– A jakim to sposobem pragniesz mnie zdobyć?

– Ofiarowując ci możność przeżywania ekscytujących przygód i wrażeń.

Popatrzyła na niego z nagłą determinacją.

– Ale to ja będę je wybierać i płacić za nie również według swego uznania.

Skinął głową na znak zgody, zadowolony z odniesionego zwycięstwa.

– To twój przywilej.

Zawahała się, a potem wiedziona impulsem dotknęła jego rękawa.

– Lucasie, czy mówiąc, że mnie pragniesz, miałeś na myśli mnie, a nie moje pieniądze?

Uniósł rękę i przesunął palcem wzdłuż linii jej policzka.

– Miałem na myśli ciebie.

– Nie mogę ci niczego obiecać – przyznała uczciwie. – Podobały mi się twoje pocałunki, ale to wszystko, na co możemy sobie pozwolić.

Przykrył dłonią palce dotykające jego rękawa.

– Rozumiem. Nie zaprzątaj sobie teraz głowy obietnicami. Wspólnie przekonamy się, dokąd zaprowadzi nas ten związek.

Stała przez chwilę bez ruchu, patrząc na niego z ledwie skrywaną tęsknotą, aż zapragnął porwać ją w ramiona. W tych pięknych bursztynowych oczach zobaczył nie namiętność czy szalone pożądanie, lecz coś słodkiego, kruchego i ufnego, co chwytało za serce.

– Jeśli jesteś pewny, że tego właśnie pragniesz i uważasz, że to ci wystarczy, przyjmuję twoją propozycję – powiedziała na koniec.

Odetchnął z ulgą.

– Zatem umowa stoi.

Pochylił się i dotknął lekko ustami jej warg. Zadrżała pod wpływem tej pieszczoty, a Lucas zapragnął uspokoić ją, a jednocześnie pociągnąć na kamienną podłogę i tam namiętnie kochać. Zanim zdążył się uporać z tak sprzecznymi uczuciami, odsunęła się od niego i wcisnęła mu w rękę kartkę.

– Co to jest? – zapytał, spoglądając na eleganckie pismo. – Jaskinia hazardu? Dom rozpusty? Wyścigi konne? Męski klub?

– To są pierwsze pozycje z mojej listy – wyjaśniła.

– Jakiej listy? – Po chwili zrozumiał. Najwidoczniej nie docenił swego przeciwnika, co rzadko mu się zdarzało. – Niech to diabli! Oczekujesz ode mnie, bym cię zabrał do szulerni i lupanaru? Na Boga, Vicky, bądź rozsądna. Nocna wizyta na jarmarku lub spacery po ogrodach Vauxhall to jedna sprawa, wprowadzenie cię do domu rozpusty czy jaskini gry to zupełnie co innego. Nie mówisz chyba poważnie?

– Mylisz się. Jak najbardziej poważnie – powiedziała twardo Victoria.

Popatrzył na nią i zrozumiał, że tak jest w istocie.

– Do diabła, Vicky, nie o tym myślałem, proponując ci nocne przygody.

Nie zwróciła uwagi na jego protest.

– Czwartkowa noc będzie doskonałą porą na naszą następną przygodę. Spodziewam się, że wcześniej tego dnia spotkamy się na balu u Kinsleyów. Moglibyśmy wówczas umówić się dokładniej. Tymczasem...

Głos Cleo Nettleship przerwał instrukcje Victorii.

– Vicky, moja droga, czy nadal tam jesteś? Uważaj, bo zanudzisz lorda Stonevale'a. Nie każdy lubi ciągnące się w nieskończoność wycieczki po cieplarni.

Lucas obejrzał się i zobaczył lady Nettleship stojącą w drzwiach oranżerii.

– Zapewniam cię, pani, że ani przez chwilę się nie nudziłem.

– W towarzystwie Victorii nie można się nudzić.

Lucas spojrzał na uśmiechającą się z satysfakcją Victorię, a potem raz jeszcze na złocistożółty kwiat.

– Zanim wyjdziemy z oranżerii, panno Huntington, byłbym wdzięczny, gdybyś wyjawiła mi nazwę tego dziwnego kwiatu.

– *Strelitzia reginae*. Wszyscy byli poruszeni, kiedy po raz pierwszy zakwitł w Kew Garden. Ciocia Cleo i ja miałyśmy wiele szczęścia, mogąc go mieć u siebie. Wspaniały, nieprawdaż? – stwierdziła Victoria z entuzjazmem.

Lucas popatrzył na nią. Biła od niej radość życia. Złocistożółta suknia podkreślała bursztynowy blask jej oczu.

– Tak – przyznał. – Wspaniały.

5

Victoria przebrała się w brązowy, ozdobiony żółtymi wypustkami strój do konnej jazdy, ściągnęła zawadiacko na jedno oko fantazyjny kapelusz w wojskowym stylu z żółtym piórem i poleciła, by osiodłano jej ulubionego wierzchowca. Dochodziła piąta, a o tej porze wszyscy odbywali przejażdżki po parku.

„Wszyscy" oznaczało również hrabiego Stonevale'a. Minionego wieczoru, w czasie krótkiej z nim rozmowy na raucie u Bannerbrooków, dała mu bardzo wyraźne instrukcje, gdzie sobie życzy go spotkać. Musiała omówić z nim kilka spraw.

Największy problem tkwił w tym, że choć Lucas dokładnie wypełniał jej polecenia, miał obrzydliwy zwyczaj traktowania ich po swojemu. Najwyższy czas położyć temu kres.

Kiedy Victoria schodziła po schodach, w holu ukazała się Cleo zmierzająca do biblioteki. Spojrzała zaskoczona na siostrzenicę.

– Wybierasz się na przejażdżkę, moja droga?

– Tak. Odczuwam potrzebę ruchu. – Victoria ucałowała Cleo w policzek i pospieszyła ku drzwiom. – Nie obawiaj się. Wrócę dostatecznie wcześnie, by zdążyć się przebrać na odczyt Grimshawa o rolniczych innowacjach w Yorkshire.

– Doskonale. – Cleo uśmiechnęła się łagodnie. – Bardzo się cieszę na ten odczyt, zresztą Lucas także.

Victoria zatrzymała się gwałtownie i obróciła w jej stronę.

– Słucham?

– Powiedziałam, że bardzo się cieszę na odczyt Grimshawa.

– Powiedziałaś, że Lucas się cieszy.

– Bo tak jest w istocie. Sam mi to powiedział. To naturalne, że interesuje się rolnictwem, czyż nie? O ile się nie mylę, to jego majątek leży gdzieś w Yorkshire. Zaprosiłam go na ten odczyt w środę, kiedy pokazywałam mu moją nową dalię. Muszę przyznać, że hrabia wykazuje ogromne zainteresowanie ogrodnictwem – dodała Cleo.

Tak, hrabia rzeczywiście wykazuje ogromne zainteresowanie tym tematem, pomyślała Victoria, energicznie poprawiając kapelusz na głowie. Ostatnio stał się nawet miłośnikiem rolnictwa, nie mówiąc już o tak fascynujących tematach, jak metody nawożenia i płodozmian. To niezwykłe jak na kogoś, kto jeszcze przed tygodniem myślał jedynie o uwodzeniu. Nie wiedziała, czy ma się złościć, czy też cieszyć z tego powodu.

Kilka minut później wjeżdżała do parku żwawym kłusem. Na kucu, w dyskretnej odległości, towarzyszył jej stajenny. Alejki były pełne elegancko odzianych jeźdźców i amazonek, kariolek i małych otwartych powozów. O tej porze cały wielki świat ruszał do parku, by oglądać i być oglądanym. Na to, by zażywać ruchu i świeżego powietrza, był czas rano.

Victoria automatycznie odpowiadała na uśmiechy i pozdrowienia niezliczonych wielbicieli, pilnie rozglądając się za Lucasem. Zaczynała podejrzewać, że rozmyślnie unika spotkania z nią i już się zastanawiała, jakimż to wykrętem ją uraczy, gdy nagle pojawił się tuż obok na okazałym kasztanku. Natychmiast zapomniała o gniewie.

– Cóż za wspaniałe zwierzę, Lucasie. Jest naprawdę piękny.

Uśmiechnął się lekko.

– Dziękuję. Ja również lubię starego George'a. Wiele przeszliśmy razem, prawda, George?

– Czy nazwałeś go tak na cześć króla? – zapytała.

– Nie, nazwałem go tak, ponieważ łatwo to imię zapamiętać.

– Trudno byłoby zapomnieć takiego konia. Czy masz już po nim źrebaki? – zapytała Victoria.

– Jeszcze nie. Ale George ma wielkie plany.

Uśmiechnęła się.

– Rozumiem. Spodziewasz się, że da początek nowej dynastii?

– Dlaczego nie? Na ogierach tego gatunku spoczywają pewne obowiązki, zwłaszcza jeśli mają w sobie tak szlachetną krew jak George. My mężczyźni musimy robić, co do nas należy, prawda, staruszku?

Poklepał rumaka po szyi, na co zwierzę odpowiedziało parsknięciem.

Uśmiech Victorii zbladł. Żałowała, że poruszyła ten temat. Lucas mimowolnie uczynił niewyraźną aluzję do swoich obowiązków względem nazwiska i tytułu, a ona wolała unikać tego tematu. Myśl, że obecny tu hrabia Stonevale pewnego dnia ożeni się i spłodzi następcę, wydała jej się dziwnie niemiła.

– No tak, to piękne zwierzę, ale nie o tym chciałam z tobą pomówić – powiedziała szybko.

– Przykro mi to słyszeć. Lubię rozmawiać o koniach. – Lucas skinął uprzejmie głową parze w średnim wieku, jadącej eleganckim powozem. Odpowiedzieli uśmiechem i spojrzeli znacząco na Victorię.

Victoria obdarzyła królewskim uśmiechem lorda i lady Foxtonów i zmusiła konia do szybszego kłusa. Lucas i George natychmiast zostali w tyle. Obejrzała się za siebie i zmarszczyła brwi.

– Doprawdy, Lucasie, przestań się grzebać. Mówiłam już, że pragnę z tobą pomówić.

– Wobec tego nie ruszaj tak nagle bez ostrzeżenia.

– Chciałam uniknąć rozmowy z lady Foxton. Obdarzyła mnie niezwykle znaczącym spojrzeniem. Zresztą nie ona pierwsza. O tym również chcę z tobą porozmawiać. Ludzie już zauważyli nasz... hm, związek.

– A czego się spodziewałaś? Wiesz równie dobrze jak ja, że jeśli dwoje ludzi tańczy ze sobą na balu więcej niż dwa razy, to wszyscy zaczynają się zastanawiać, czy przypadkiem nie szykują się oświadczyny – stwierdził Lucas.

– Tylko że my razem nie tańczymy.

– To nieważne. Widziano nas razem na kilku rautach i to wystarczyło. – Skłonił się starszawej damie, która obdarzyła go szerokim uśmiechem.

– Dajmy temu pokój. Nic na to nie poradzimy. Chciałam się z tobą dziś zobaczyć, bo obawiałam się, że nie będę miała okazji rozmówić się wieczorem, a jest parę spraw do wyjaśnienia.

– Obawiałem się tego.

– Nie ma potrzeby przybierać pozy męczennika. Przecież zgodziłeś się na wspólne przygody. Co więcej, nalegałeś, by mi w nich towarzyszyć. To była twoja inicjatywa.

Lucas zmrużył oczy.

– Rozumiem przez to, że źle się wywiązałem z obietnicy. Jestem zdruzgotany. Czyż nie bawiłaś się dobrze podczas dwóch ostatnich spotkań, kiedy ryzykowałem życie i nogę, by wdrapać się na twój mur?

– Nie patrz tak na mnie. Wiesz doskonale, że jestem bardzo zadowolona z tych wypraw, jednak nie tego oczekiwałam, Lucasie.

– A cóż się spodziewałaś znaleźć, ruszając na przeszpiegi do świata mężczyzn?

Victoria w zamyśleniu zagryzła dolną wargę.

– Nie jestem pewna. Może więcej wrażeń?

– Czy nie dość ich było w środową noc?

– Kolacja w restauracji była zabawna, przyznaję, dopóki tych dwóch młodzieńców nie zwymiotowało na suknie towarzyszących im tancereczek.

Skrzywiła się na wspomnienie sceny, która całkowicie odebrała jej apetyt.

– Nie chciałbym cię rozczarować, Vicky, ale niestety, mężczyźni nie dokonują zbyt pouczających czynów, kiedy spotykają się późną nocą i zaczynają pić. A co z wyprawą do Vauxhall? Nie podobała ci się?

– Na litość boską, Lucasie, nie myślisz chyba że zadowolę się wycieczkami do Vauxhall? To zbyt banalne. Zbyt grzeczne. Mogłabym tam pójść z Anabellą lub którąś z moich przyjaciółek i nikt nie uznałby tego za niewłaściwe.

– Bądź uczciwa. W męskim przebraniu miałaś okazję zobaczyć to miejsce z innej strony.

– Doskonale wiesz, o co mi chodzi – powiedziała Victoria – i rozmyślnie unikasz rozmowy na ten temat.

– Na jaki temat?

– Do tej pory nie zabrałeś mnie w żadne miejsce z mojej listy.

– No tak, twoja sławna lista. Obawiałem się, że ta konferencja właśnie jej będzie dotyczyć.

– Obiecałeś, Lucasie. Przyrzekłeś, że zabierzesz mnie, dokądkolwiek zechcę. Ty zaś umyślnie zniechęcasz mnie do tego całego pomysłu z przygodami. Myślisz, że tego nie widzę? Miałeś nadzieję, że budzące niesmak wydarzenia, takie jak owa scena z pijanymi młodzieńcami i mecz bokserski w Vauxhall odwiodą mnie od mego planu – stwierdziła Victoria.

– Próbowałem jedynie pokazać ci, na co się możesz narazić. Przyznasz chyba, że nie byłaś zachwycona widokiem krwi na meczu bokserskim.

– Aha, wiedziałam. Starasz się oszukać mnie dziecinnymi przygodami, ale to ci się nie uda – oświadczyła Victoria. – Żądam, byś wypełnił swoją część umowy. Jutro w nocy idziemy do domu rozpusty lub do jaskini hazardu. – Na samą myśl zaświeciły jej się oczy. – Myślę, że wolałabym to ostatnie. Tak, chodźmy do prawdziwej jaskini hazardu.

– Nie spodoba ci się tam, Vicky.

– O tym już sama zadecyduję. A więc umowa stoi, czy też mam poszukać sobie do pomocy kogoś innego?

Lucas uśmiechnął się i skinął głową kolejnej damie w średnim wieku jadącej powozem. Na zewnątrz był okazem uprzejmego dżentelmena, lecz głos, odpowiadający na groźbę Victorii, stał się nagle lodowato zimny.

– Nie stosuj ultimatum, którego nie możesz spełnić, Vicky.

Victoria zdążyła się już przekonać, że kiedy używał tego szczególnego tonu, najlepiej było się wycofać i znaleźć inną drogę do celu. Denerwował ją upór tego człowieka, kiedy zbyt mocno naciskała, jednak w tym wypadku miał rację: nie znajdzie innego mężczyzny, który zechciałby jej pokazać nocne życie.

Poza tym była jeszcze jedna sprawa. Coraz większą przyjemność znajdowała w pożegnalnych pocałunkach Lucasa. Od owej nocy na jarmarku pocałował ją jeszcze dwa razy i Victoria już cieszyła się na następną okazję, kiedy znów będzie mógł ją wziąć w ramiona.

– Wydajesz się zapominać o fakcie, że to ja miałam decydować o wszystkim. A teraz, jeśli chodzi o nasze nowe przedsięwzięcie... o, do diabła.

Przerwała i uśmiechnęła się z przymusem, bo właśnie znajoma para w kariolce zrównała się z jej koniem. Spojrzała w rozbawione oczy Isabel Rycott.

Isabel błyszczała jak mały klejnot. Obok niej, trzymając w dłoniach lejce, siedział jej obecny towarzysz życia, Richard Edgeworth. Victoria poznała go wczorajszego wieczoru i nie była nim zachwycona. Zastanawiała się nawet, co tak atrakcyjna kobieta jak Isabel w nim widzi.

Na pierwszy rzut oka nic nie można mu było zarzucić. Był przystojnym blondynem po trzydziestce, ale Victoria miała poważne wątpliwości, czy jego uroda dotrwa do czterdziestki, w jego oczach dostrzegła bowiem nieprzyjemny wyraz ponurej goryczy, jak gdyby ten człowiek czuł się oszukany przez los. Również w jego ustach było coś dziwnie słabego i rozpustnego, znamionującego brak wewnętrznej siły.

Nagle przyszło jej na myśl, że może zbyt surowo go osądza. Od pewnego czasu zaczęła wszystkich mężczyzn porównywać z Lucasem.

– Dzień dobry, moja droga – odezwała się Isabel. – Jak to miło znów cię widzieć.

– Panno Huntington – mruknął Edgeworth. Jego wzrok spoczął na Lucasie i natychmiast uciekł w bok. – Lordzie Stonevale.

– Witam, Edgeworth.

Victoria wyczuła chłód między tymi dwoma mężczyznami i zaciekawiona spojrzała na Lucasa, jednak z jego twarzy nic nie można było wyczytać. Zwróciła się w stronę Isabel Rycott.

– Cóż za cudowny kapelusz, lady Rycott. Musisz mi pani dać nazwisko swojej modystki.

– Z wielką przyjemnością. Ma sklep na Oxford Street. Może będziemy miały okazję chwilę pogawędzić dziś wieczorem na przyjęciu u lady Atherton?

– Obawiam się, że nie – powiedziała Victoria, przypominając sobie, że odrzuciła już wcześniej to zaproszenie. Ciekawe, czy Lucas je przyjął. – Mam inne plany. Może innym razem.

– Zapewne. – Lady Rycott uśmiechnęła się tajemniczo do Lucasa i dała znak swemu towarzyszowi, żeby ruszał. Edgeworth strzelił lejcami. Jego szare rękawiczki z cienkiej skóry przydały temu gestowi elegancji.

– Nie przepadasz za lady Rycott, prawda? – zauważył Lucas, kiedy pojazd znalazł się w bezpiecznej odległości.

– A ja odniosłam wrażenie, że nie darzysz zbytnią sympatią Edgewortha – odparowała.

– To sprawa karcianego długu.

Spojrzała na niego z uwagą.

– Grałeś z nim w karty?

– Tylko raz. Ten człowiek oszukuje.

– Edgeworth jest oszustem? – zdziwiła się Victoria. – Coś podobnego! Dlaczego zatem pozwala mu się grać w klubach?

Lucas popatrzył na znikający za drzewami pojazd.

– Bo nigdy nie został przyłapany. Jest bardzo sprytny.

– A co się zdarzyło tego wieczoru, kiedy z nim grałeś? – zapytała z rosnącym zaciekawieniem.

Lucas uśmiechnął się lekko.

– Gdzieś w połowie gry, kiedy mocno przegrywałem, niechcący upuściłem całą talię na podłogę. Oczywiście natychmiast podano nową.

– Nieznaczoną. Sprytne zagranie – dodała z uznaniem. – I Edgeworth zaczął przegrywać?

– Tak, i to nieźle.

– Wybornie. Widzisz, Lucasie, właśnie tego rodzaju wrażeń chciałabym doświadczyć.

– Właściwie nic takiego nie zaszło. Kilka kart na podłodze. Kilka spojrzeń rzuconych przez Edgewortha. Ja w sytuacji krytycznej dziękujący siłom wyższym, że udało mi się w porę uniknąć niebezpieczeństwa.

– Znowu usiłujesz mnie zniechęcić do przygód. – Zmarszczyła brwi. – Czy oprócz tego jednego razu nie mieliście okazji się spotkać?

– Czemu tak sądzisz?

– Nie wiem. Było coś dziwnego w waszym zachowaniu. Miałam wrażenie, jakbyście się znali. Nieważne. Wracając do naszych spraw...

– Dlaczego nie lubisz lady Rycott?

Victoria zesztywniała.

– Czy to aż tak widoczne?

Lucas skłonił się w stronę kolejnego przejeżdżającego powozu.

– Tylko dla kogoś, kto dobrze cię zna. A ja zaczynam cię coraz lepiej poznawać, moja droga.

– Nie mam żadnego powodu, by jej nie lubić. Została mi przedstawiona przed paroma tygodniami i natychmiast pospieszyła poinformować mnie, że miała przyjemność znać moją matkę i ojczyma – wyjaśniła Victoria niechętnie.

– Twoim ojczymem był Samuel Whitlock?

– Tak.

– W przeciwieństwie do twojej ciotki rzadko mówisz o swojej rodzinie – zauważył Lucas.

– Nie lubię rozmawiać na ten temat. Skąd znasz nazwisko mojego ojczyma?

– Zdaje się, że wymieniła je Jessica Atherton.

– Ach tak. – Głos jej się załamał.

– Czy coś się stało?

– Nie, nic.

– Vicky, przecież jestem twoim przyjacielem. Wkrótce zostanę także twoim kochankiem. Możesz ze mną rozmawiać bez obaw.

Rozejrzała się wokół, czując na policzkach palący rumieniec.

– Doprawdy, Lucasie, jak możesz o tym mówić tak otwarcie? A poza tym, skąd ta pewność? Proszę cię, powstrzymaj się z wyciąganiem daleko idących wniosków.

– Nie podoba ci się, że rozmawiałem o tobie z lady Atherton, tak?

– Nie podoba.

– Niezbyt ją lubisz, prawda?

– Nie mogę powiedzieć, że jej nie lubię. Jak już wcześniej mówiłam, ona i ja po prostu do siebie nie pasujemy, to wszystko. Nic nie mam przeciw niej. Zresztą, jak można mieć coś przeciw wzorowi doskonałości? – Umilkła, a po chwili zapytała: – Jak długo ją znasz, Lucasie?

– Jessicę Atherton? Kilka lat. Znałem ją jeszcze, zanim wyszła za Athertona.

W tym musiało być coś więcej, pomyślała, wyczuwając jakąś ostrą nutę w jego głosie. Nie wiedziała, jak zapytać o dalsze szczegóły, zmieniła więc temat.

– Nie rozumiem, co lady Rycott widzi w tym Edgeworcie – stwierdziła. – Prawdopodobnie nic nie wie o jego karcianych zwyczajach.

– Prawdopodobnie.
– Pozycja wdowy daje kobiecie wiele korzyści, nieprawdaż? – rzekła w zamyśleniu.
– O czym ty, u diabła, mówisz? – zapytał zaskoczony.
– Nie sądzisz, że, jako wdowa sama zawiadująca własnymi finansami, lady Rycott ma znacznie więcej swobody przy wyborze partnerów niż ja?
– Nie zastanawiałem się nad tym – mruknął.
– A ja tak. Jako kobieta niezamężna muszę przestrzegać wielu zasad, których lady Rycott nie musi. Muszę ciągle uważać na to, co powiedzą ludzie. Muszę też dbać o moją reputację. A Isabel Rycott może jeździć otwartym powozem z Edgeworthem, tańczyć z nim przez cały wieczór i pozwalać, by odwoził ją po przyjęciu do domu, i nikt nie będzie patrzył na nią krzywym okiem. To niesprawiedliwe, Lucasie. Wysoce niesprawiedliwe.
– Niech ci tylko nie przyjdzie do głowy wyjść za mnie, a potem mnie zamordować, by móc cieszyć się wolnością bogatej wdowy.
Victoria roześmiała się cicho.
– Nie przyszłoby mi to do głowy. Nawet perspektywa zdobycia niezależności nie przekonałaby mnie do małżeństwa.
Lucas spojrzał na nią z uwagą.
– Jeśli nie masz już nic więcej do powiedzenia, to lepiej się rozstańmy. Już dość długo jeździmy razem, a chyba nie chcesz, by zaczęto plotkować na nasz temat.
– Tak, masz rację. – W tej chwili zapragnęła być na miejscu Isabel Rycott. Ona przynajmniej nie musiała się żegnać. – Jedną chwileczkę, Lucasie. Jeśli chodzi o naszą następną przygodę, to muszę nalegać na coś bardziej ekscytującego niż Vauxhall czy restauracja. Będę na ciebie czekać jutro wieczorem w ogrodzie, po przyjęciu u Chillingsworthów i spodziewam się, że zabierzesz mnie do jaskini hazardu.
Stonevale uniósł brwi, słysząc jej autorytatywny ton.
– Twoje życzenie jest rozkazem, Vicky. Jednak przedtem mam nadzieję zobaczyć cię na odczycie Grimshawa.
Victoria się uśmiechnęła.
– Czy naprawdę interesują cię rolnicze innowacje w Yorkshire?
– Czy to jest aż tak zabawne?
Wzruszyła ramionami.
– Nie, chyba nie.
Lucas dotknął z ukłonem kapelusza.
– Uważaj, Vicky. Jeszcze nie wszystko o mnie wiesz. Do zobaczenia.

Zanim zdążyła odpowiedzieć, zawrócił konia i pogalopował alejką. Spoglądając za nim przez chwilę usłyszała, że woła ją Annabella Lyndwood. Otrząsając się z dziwnego uczucia, którego nie umiała sprecyzować, podjechała, by przywitać się z przyjaciółką.

Następnego wieczoru po odczycie Grimshawa Victoria wymknęła się z domu do oranżerii. Blade światło księżyca przenikało do wnętrza, zmieniając ogród w dziwną i groźną dżunglę. Zdążyła się już przyzwyczaić do tej niesamowitej scenerii. Pobiegła jedną ze ścieżek i po chwili znalazła się na zewnątrz. Noc była chłodna, a trawa wilgotna. Rozejrzała się niepewnie, usiłując dostrzec Lucasa wśród cieni otaczających ogród.

Pojawił się jak zwykle nagle – ciemna, tajemnicza postać w czerni. Jego wysokie buty błysnęły lekko w świetle księżyca. Twarz pozostawała w cieniu. Victoria wstrzymała dech na jego widok i zadrżała z podniecenia na myśl o tym, co ją czeka.

Wyciągnął rękę. Uśmiechając się na powitanie, ufnie podała mu swoją. W tym momencie Lucas przyciągnął dziewczynę do siebie, wolną ręką złapał ją za podbródek i pocałował. Był to szybki, mocny, zaborczy pocałunek. Wiedziała, że powinna zaprotestować, jednak zawsze w takich razach ogarniała ją dziwna słabość. Te krótkie chwile gorącej namiętności wywoływały w niej dziwne uczucie niedosytu.

– Powóz, który na ten wieczór wynająłem, czeka za rogiem – powiedział Lucas, zeskakując lekko obok niej na ulicę. – Szybko! Nie chcę, by ktoś nas zobaczył w pobliżu ogrodu twojej ciotki.

– Niepotrzebnie się niepokoisz – stwierdziła, pomimo to ruszyła spiesznie w stronę ciemnego powozu i szybko wskoczyła do środka.

Lucas podążył za nią, jak zwykle przenosząc ciężar ciała na prawą nogę w momencie wsiadania do powozu. W bladym świetle księżyca dostrzegła grymas bólu na jego twarzy.

– Boli cię noga? – zapytała z troską.

– Można powiedzieć, że chwilami daje mi się we znaki.

– I to jest jedna z takich chwil?

– Tak. Ale nie zaprzątaj sobie tym głowy, Vicky.

Zagryzła wargę.

– Słyszałam, że zostałeś ranny w bitwie. Czy to prawda?

Popatrzył jej w oczy.
– Mam podobny stosunek do tej sprawy, jak ty do osoby swego ojczyma.
– To znaczy, że nie chcesz o tym mówić?
– Właśnie.
– Dobry Boże, Lucasie, to musiało być dla ciebie straszne.
– Powiedziałem, że nie chcę o tym mówić. – Przestał masować nogę. – A teraz wyrządź mi tę łaskę i posłuchaj. Dziś wieczorem spełni się twoje marzenie. Jedziemy w jedno miejsce, którego nie można nazwać inaczej jak tylko jaskinią hazardu. Nie ośmielę się wprowadzić cię do klubu. Istnieje zbyt wielkie niebezpieczeństwo, że możesz zostać rozpoznana nawet w przebraniu. Tak czy owak, byłbym zmuszony udzielić wyjaśnień.
Ekscytujący dreszcz przebiegł przez jej ciało.
– Jaskinia hazardu. Lucasie, to wspaniałe. Już się nie mogę doczekać.
– Chciałbym podzielać twój entuzjazm. – Westchnął. – Vicky, takie lokale otwiera się tylko w jednym celu: żeby wyciągnąć od klienta pieniądze. Jest tam również mnóstwo alkoholu oraz ulicznice.
– Czy to będzie niebezpieczne? – zapytała coraz bardziej podekscytowana.
Lucas spojrzał na nią z dezaprobatą.
– Nieczęsto zdarzają się tam awantury, głównie dlatego że szkodzą interesom, ale czasami można mieć pewne kłopoty przy wyjściu.
– Nie rozumiem.
– Czasami się zdarza, że ktoś, kto dużo przegrał, próbuje odzyskać straty za pomocą noża lub pistoletu. Wiadomo również, że właściciel szulerni zatrudnia ludzi do odbierania długów, którzy załatwiają te sprawy w ciemnym zaułku – wyjaśnił.
Oczy Victorii się rozszerzyły.
– Och!
– Dlatego powinniśmy zachować ostrożność. Musisz dać mi słowo, że będziesz robić dokładnie to, co ci powiem. Nie możemy ryzykować.
– Niepotrzebnie tak się przejmujesz. Spróbuj się odprężyć i uspokoić. Zapewniam cię, że będę się zachowywać rozsądnie. – Uśmiechnęła się promiennie.
Lucas patrzył przez chwilę na jej uśmiech, po czym ciężko westchnął.
– Coś mi mówi, że będę żałować tej nocy.
– Nonsens. To będzie fascynująca noc.
– Któregoś dnia, Vicky, musimy porozmawiać o twojej części umowy.
Natychmiast spoważniała.
– Powiedziałeś, że zadowolisz się każdą formą zapłaty, jaką wybiorę.

Teraz z kolei Lucas się uśmiechnął. Victoria zadrżała i odwróciła wzrok w stronę okna powozu. Ulice były ciemne, lecz z pewnością nie puste. Wypełniały je niezliczone pojazdy, wiozące przedstawicieli wielkiego świata na lub z niekończących się przyjęć i bali. Tak będzie aż do świtu, kiedy to eleganckie powozy ustąpią miejsca chłopskim furmankom i wózkom z bańkami na mleko.

Po kilkunastu minutach powóz się zatrzymał. Victoria wyjrzała z zaciekawieniem przez okno i zobaczyła obskurny, ponury dom ze złamanym szyldem nad frontowymi drzwiami. Odczytała wyblakłe litery na chwiejącej się tablicy.

– Pod Zielonym Wieprzem?

– Nazwa nie brzmi zachęcająco, prawda?

– Nie ciesz się na zapas. Nie mam zamiaru zmieniać zdania tylko z tego powodu.

– Nawet mi to przez myśl nie przeszło. A więc chodźmy, skoro tak postanowiłaś.

Jeśli zewnętrzny wygląd domu można było określić jako obskurny, to do wnętrza pasowało jedynie określenie „nędzne". Urządzono je na czerwono, lecz aksamitne draperie i dywany dawno zmieniły kolor i stały się czarne, okopcone i poplamione przez lata używania i niewłaściwego obchodzenia się z nimi. Trzaskający ogień na kominku rzucał diabelskie błyski na całą scenerię, czyniąc wnętrze szulerni podobnym do piekła.

Idąc za Lucasem do baru, rozglądała się wokół ze zdumieniem. Nigdy w życiu czegoś takiego nie widziała! Mroczna sala była wypełniona mężczyznami różnego autoramentu, którzy wpatrywali się z napięciem w każdy rzut kośćmi lub wyłożenie kart. Dandysi, woźnice i zawodowi bokserzy wspólnie tłoczyli się wokół stołów. Stuk rozrzucanych kości łączył się z okrzykami triumfu lub jękami rozpaczy. W powietrzu panowała duszna atmosfera napięcia zmieszana z męskim potem, zwłaszcza tam, gdzie gracze otaczali w trzech, czterech szeregach pokryte zielonym suknem stoliki. Wśród tłumu krążyły dziewczyny, roznosząc piwo i kusząc klientów obfitymi biustami, zachęcając w ten sposób do dalszej gry.

Lucas wcisnął Victorii w rękę cynowy kufel.

– Dla kamuflażu – mruknął. – Wyglądałoby dziwnie, gdybyś niczego nie piła. Tylko uważaj. Zielony Wieprz słynie z mocnego piwa.

– Nie denerwuj się. Nie dopuszczę do tego, byś musiał mnie stąd wynosić – zapewniła go Victoria.

– Dobry Boże, mam nadzieję, że nie.

Victoria przyglądała się grającym, sącząc powoli zawartość kufla. Jej wzrok zatrzymał się na mężczyźnie sprawiającym wrażenie dość przygnębionego, którego prowadziła na górę dziewczyna o miłej powierzchowności. Kiedy po krótkim czasie zszedł z powrotem na dół, wszelkie oznaki załamania ustąpiły i gracz był gotowy do podjęcia nowej walki.

Victoria z zafascynowaniem rozglądała się po sali.

– Lucasie, to nadzwyczajne. Absolutnie wyjątkowe. Tak zupełnie różne od tego, co do tej pory widziałam.

Lucas śledził wzrokiem tłum.

– Pod pewnymi względami przypomina mi to tłum u Bannerbrooków, nie sądzisz?

Victoria omal się nie udławiła.

– Gdyby lady Bannerbrook usłyszała tę uwagę, to daję głowę, że minęłyby tygodnie, zanim otrzymałbyś od niej kolejne zaproszenie.

– Gdyby lady Bannerbrook wiedziała, gdzie spędzasz noc, musiałabyś zaczekać na koniec świata, żeby otrzymać od niej kolejne zaproszenie. Co więcej, nie otrzymałabyś go od nikogo z towarzystwa.

– Nie próbuj mnie przestraszyć i zdenerwować, Lucasie. To jest o wiele lepsze od restauracji i tysiąc razy lepsze od Vauxhall. Powiedz mi, po co, na Boga, ci mężczyźni ciągle chodzą na górę z tymi dziewczynami?

Lucas rzucił szybkie spojrzenie w kierunku wąskich schodów w końcu sali.

– To są przegrywający, których one pocieszają i zachęcają, by jeszcze raz spróbowali szczęścia.

– Pocieszają?

– Na górze są małe pokoiki.

Zamrugała powiekami czując, że się rumieni.

– Rozumiem. – Spróbowała przyjrzeć się dokładniej kolejnej parze zmierzającej na górę. Mężczyzna zataczał się i towarzyszka musiała go podtrzymywać. Victoria zmarszczyła brwi. – Mam nadzieję, że ty nigdy nie miałeś okazji, by pójść na górę.

Błysnął zębami nad kuflem piwa.

– Nigdy, daję ci na to słowo honoru. Mówiłem ci już, że w pewnych sprawach różnię się od innych. Poza tym, te schody są przede wszystkim dla przegrywających.

– A ty zawsze wygrywasz – stwierdziła Victoria z satysfakcją. – Och, Lucasie, nie mogę się doczekać, żeby rzucić kośćmi. Ciocia i ja nauczyłyśmy się tej gry, zgłębiając jeden z działów matematyki dotyczący ryzyka. Czy wiesz, że pewne cyfry pojawiają się częściej od innych?

– Naturalnie. – Głos Lucasa brzmiał niezwykle sucho.

– No tak, oczywiście, przecież znasz się na tym. A więc podejdźmy do któregoś ze stołów.

– Pohamuj swój entuzjazm, moja droga. Chyba nie zechcesz tu grać? W tej szulerni nie wygrasz ani jednej uczciwej trójki.

– Nonsens. Mówisz tak, by mnie od tego odwieść. Przyszłam tu się zabawić i zamierzam spróbować szczęścia. Jestem całkiem niezłym graczem, jeśli sobie przypominasz.

– Nie jesteś aż tak dobra, jak sądzisz, Victorio.

Spojrzała na niego z niewinną miną.

– Nie muszę być zła, skoro z tobą wygrałam.

– Victorio...

– Wygląda na to, że swoją wygraną zawdzięczam nieuczciwej grze. Wzdragam się jednak przed rzucaniem ci w twarz tak ohydnego oskarżenia.

– Bardzo mądrze – powiedział Lucas chłodno.

– Jeśli cię obraziłam, czy wyzwiesz mnie na pojedynek? – zapytała.

– Wątpię. Czuję ogromny wstręt do pistoletów.

– Dziwne stwierdzenie jak na ekszołnierza.

– Jedyne rozsądne stwierdzenie jak na ekszołnierza.

– Przecież nosisz przy sobie pistolet – zauważyła cicho.

Wzruszył ramionami.

– Jesteśmy w Londynie, w dodatku zmuszasz mnie do włóczenia się po nocy. Nie mam innego wyboru.

Pociągnęła kolejny łyk piwa i poczuła nagły przypływ odwagi.

– Czy oszukiwałeś tego wieczoru, kiedy ze mną grałeś? Od tamtego dnia umieram z ciekawości.

– To nie ma żadnego znaczenia.

– Ha! Jeśli tak, to znajdę inny sposób, by się zabawić – powiedziała i ruszyła do najbliższego stołu.

– Victorio, poczekaj...

Ale ona już się przepychała przez tłum. Wciśnięta między gorące, spocone męskie ciała pochyliła się w przód, by lepiej widzieć. Kątem oka dostrzegła Lucasa, torującego sobie drogę tuż za nią, lecz nie zważała na to. Podano jej kości. Zagrzechotały w dłoni, kiedy nimi potrząsnęła, po czym rzuciła lekko na zielony stół.

– Ten młody panek wyrzucił siódemkę! – ktoś zawołał. Natychmiast posypały się zakłady o następny rzut Victorii.

Poczuła ogarniające ją podniecenie. Siódemka to doskonała liczba punktów. Teraz już prawie nie czuła odoru męskich ciał, które niemal ją przygniotły. Świadomość, że Lucas stoi z tyłu, dawała jej poczucie bezpieczeństwa. Nie musiała się niczego obawiać, a na dodatek świetnie się bawiła. Ponownie rzuciła kośćmi.

– Jedenaście! – wrzasnął ktoś z podziwem. – Ten paniczyk trafił! – Zewsząd rozległy się okrzyki uznania.

Korzystając z zamieszania, Victoria szepnęła do Lucasa:

– Trafił? Co to znaczy? Sądziłam, że wygrałam.

– Bo wygrałaś. Zabieraj swoją pulę, Vicky. Na dziś wystarczy – oświadczył Lucas.

– Ale ja wygrywam. Nie mogę teraz odejść.

Stojący obok na niepewnych nogach mężczyzna z czerwoną twarzą, w wyświechtanym surducie i brudnym krawacie usłyszał uwagę Victorii. Odwrócił się w stronę Lucasa i rzucił mu wściekłe spojrzenie.

– Te, koleś, chłopak ma prawo grać. Co się go czepiasz?

– Ten człowiek ma rację, Lucasie. Mam prawo grać dalej.

Lucas zignorował uwagę mężczyzny i przysunął się bliżej Victorii. W jego oczach błysnął gniew.

– Vicky, pozwolą ci wygrywać, póki nie złapiesz przynęty. A wówczas zaczniesz przegrywać i to ostro. Zaufaj mi, wiem, co mówię.

– Wobec tego będę grać dopóty, dopóki nie przegram – oświadczyła wesoło i odwróciła się w stronę stołu. Zdawało jej się, że usłyszała ciche soczyste przekleństwo, jednak entuzjastyczne okrzyki współgraczy je zagłuszyły.

Dziesięć minut później, zgodnie z przewidywaniami Lucasa, jej wielkie szczęście nagle się skończyło. Patrzyła z przerażeniem, jak od jednego rzutu traci całą wygraną. Odwróciła się gniewnie do Lucasa i szepnęła:

– Widziałeś? Jak to się mogło stać? Przecież wygrywałam. Nie mogę uwierzyć, żeby szczęście tak nagle mnie opuściło.

Lucas odciągnął ją od stołu.

– Tak niestety bywa ze szczęściem, zwłaszcza w takim miejscu jak to. Ostrzegałem cię.

– Nie bądź taki pewny siebie. Ja naprawdę wygrywałam. Poza tym...

Ale Lucas jej nie słuchał. Jego wzrok, który cały czas lustrował otoczenie, zatrzymał się nagle na grupie graczy siedzących przy karcianym stoliku.

– Niech to diabli!

– Co się stało? – Victoria podążyła za jego wzrokiem.

– Wybrałem to miejsce, bo byłem pewien, że nie spotkamy tu nikogo z towarzystwa, jednak się myliłem. Natychmiast stąd wychodzimy.

– Lucas, przestań się denerwować. Nikt mnie nie rozpozna. Każdy widzi to, co spodziewa się zobaczyć, a nikt nie spodziewa się tu spotkać kobiety w męskim przebraniu.

– Nie mogę ryzykować. Chodźmy, Vicky. – Ruszył w stronę drzwi.

Niechętnie podążyła za nim, obrzucając ostatnim gniewnym spojrzeniem karciany stolik.

– Wielkie nieba, toż to Ferdie Merivale!

– W rzeczy samej.

– Wygląda na mocno pijanego. Spójrz, ledwie może usiedzieć na krześle, a jeszcze próbuje grać w karty.

– Na to wygląda. W dodatku Duddingstone jest przy nim. Co oznacza, że Merivale straci znaczną część majątku, który niedawno odziedziczył. Przestań marudzić, Vicky.

– Co wiesz o tym Duddingstonie?

– Jest świetnym graczem, inteligentnym oszustem bez żadnych skrupułów. Nie pogardzi takim młodym głupcem jak Merivale. Trzeba przyznać, że robi to niezwykle metodycznie.

Victoria zatrzymała się gwałtownie.

– Wobec tego musimy coś zrobić.

– Właśnie usiłuję coś zrobić. Staram się wyciągnąć cię stąd, zanim Ferdie Merivale cię zauważy.

– On nie jest w stanie kogokolwiek rozpoznać. Lucasie, nie możemy go zostawić w szponach tego Duddingstone'a. Przyjaźnię się z siostrą Ferdiego, Lucindą. Nie mogę tak po prostu stać i patrzeć, jak biednego Ferdiego ograbia zawodowy szuler. To bardzo miły chłopiec.

– Toteż nie będziemy stać i patrzeć, bo natychmiast wychodzimy.

– Nie, Lucasie. Musimy coś zrobić.

Odwrócił się i groźnie na nią spojrzał.

– Co wobec tego proponujesz?

Victoria zastanawiała się przez chwilę.

– Możesz przerwać grę i namówić Ferdiego do wyjścia.

– Dobry Boże, czy nie żądasz za wiele? A co będzie, jeśli Ferdie nie zechce wyjść?

– Musisz sprawić, żeby wyszedł.

– To niemożliwe. Powstanie zamieszanie, a nie możemy do tego dopuścić.

– Nie martw się o mnie, Lucasie. Poczekam na ciebie przy drzwiach. Ferdie mnie nie zobaczy. Wszystko, co masz zrobić, to wyciągnąć go stąd, wsadzić do dorożki i odesłać do domu.

– To ciebie zamierzam wsadzić do dorożki i odesłać do domu – powiedział Lucas przez zaciśnięte zęby. – Wiedziałem, że to był błąd. Nie powinienem cię tu zabierać.

– Pospiesz się, proszę. Właśnie zaczynają kolejną partię. Musisz ratować Ferdiego.

– Posłuchaj mnie, Victorio…

– Nie ruszę się stąd, póki nie uratujesz Ferdiego. To przemiły chłopak i nie zasługuje na to, by ten Duddingstone rozszarpał go na kawałki. Idź i ocal go. – Popchnęła go lekko w stronę karcianego stolika. – Obiecuję zachować ostrożność.

Lucas zaklął cicho, jednak jako dobry żołnierz zorientował się, że nic tu nie wskóra. Bez słowa odwrócił się i ruszył przez tłum.

Victoria niewiele mogła dostrzec z tego, co zaszło przy stoliku, lecz po kilku minutach z tłumu wyłonił się Ferdie Merivale, a tuż za nim Lucas. Zauważyła, że jedno ramię Ferdiego jest przyciśnięte pod dziwnym kątem do pleców. Chłopak nie wyglądał na zachwyconego, kiedy Lucas wyprowadzał go na ulicę.

Victoria pochwyciła rozkazujący wzrok Lucasa i podążyła za mężczyznami w dyskretnej odległości. Na zewnątrz dobiegły ją głośne lecz niewyraźne skargi Ferdiego.

– Do diabła, Stonevale, nie możesz tego zrobić. Właśnie zaczynało mi dobrze iść. Jeszcze kilka rozdań i miałbym tego faceta w garści.

– Jeszcze kilka rozdań i byłbyś zmuszony opuścić jutro Londyn i zaszyć się na wsi. Nie spodobałoby ci się tam. Jesteś mieszczuchem. Ile zdążyłeś przegrać do Duddingstone'a?

Ferdie mruknął coś niewyraźnie, na co Lucas pokręcił gniewnie głową.

– Wiem, że tego w tej chwili nie doceniasz, Merivale, i mnie również nie bardzo to się podoba, lecz żaden z nas nie ma wyboru. Może jutro będziesz mi wdzięczny. – Lucas przywołał dorożkę.

– Niech to diabli, Stonevale, nie chcę niczyjej pomocy. Potrafię sam sobie poradzić – upierał się pijany Ferdie.

– Uczyń mi jedną łaskę. Następnym razem, kiedy postanowisz trwonić majątek, rób to tam, gdzie mnie nie będzie. Nawet nie wiesz, jak mi się dzisiaj naprzykrzyłeś. – Lucas wepchnął chłopaka do dorożki i udzielił instrukcji woźnicy.

Dorożka zaturkotała po bruku, a Lucas rozejrzał się za Victorią.

– Zadowolona?

– Doskonale się spisałeś. – Dumna z jego wyczynu Victoria zeszła z chodnika, by dołączyć do Lucasa. – Przysięgam, że masz moją dozgonną wdzięczność, nawet jeśli Ferdie nie doceni tego, co dla niego zrobiłeś.

Lucas chciał coś powiedzieć, lecz nagle zmienił się na twarzy. Patrzył na coś, co znajdowało się z tyłu za nią. W tym momencie usłyszała głośny stuk końskich kopyt po bruku i turkot kół. Zbyt głośny. Obejrzała się i zobaczyła pędzący na nią czarny powóz, ciągnięty przez dwa kare konie. Bezpieczny chodnik wydał się jej oddalony o całe kilometry, a krzyk, który wydobył się ze ściśniętego gardła, zagłuszył stukot kopyt i huk toczących się kół powozu.

Nagle poczuła, że coś ciężkiego wali się na nią i odciąga na bok, a kopyta i koła mijają jej nogi dosłownie o ułamki milimetra.

6

To zapewne jakiś pijany idiota usiłował popisać się swymi godnymi pożałowania umiejętnościami – stwierdziła Victoria, siedząc w powozie naprzeciw Lucasa.

– Zapewne.

Usiłowała dojrzeć w ciemnościach jego twarz. Nadal trzęsły jej się ręce, mimo to czuła się podekscytowana całym wydarzeniem. Ale najważniejszy był teraz jej towarzysz.

Lucas od chwili, kiedy pomógł jej wstać z chodnika i wepchnął ją do powozu, prawie się nie odzywał. Wyczuwała, że jest zdenerwowany. Bezwiednie masował nogę, obawiała się więc, że mógł się w nią zranić.

– Byłeś niezwykle szybki, Lucasie. Wpadłabym pod koła, gdybyś tak błyskawicznie nie zareagował.

Cisza.

– Czy noga bardzo cię boli?

– Jakoś przeżyję.

Westchnęła.

– To wszystko moja wina. Gdybym nie nalegała, byś mnie zabrał do tej szulerni, nie zraniłbyś się w nogę.

– Można na to spojrzeć i w ten sposób – powiedział.

– Tak mi przykro, Lucasie.

– Przykro?

– No, oczywiście, nie z powodu wizyty Pod Zielonym Wieprzem – przyznała otwarcie. – Cudownie się tam bawiłam. Ale przykro mi z powodu twojej nogi. – Wiedziona nagłym impulsem przesiadła się na miejsce obok niego. – Daj, spróbuję ją rozmasować. Nieźle radzę sobie z końmi.

– Czy to ma być rekomendacja?

Uśmiechnęła się z ulgą, słysząc śmiech w jego głosie.
– Oczywiście. To sztuka ulżyć zwierzęciu, które doznało kontuzji.
– Zdaje się, że to raczej ty doznałaś kontuzji. Byłaś pod spodem. Jesteś pewna, że nic ci się nie stało?
– Och, jestem cała i zdrowa. Męski strój zapewnia lepszą ochronę niż wieczorowa suknia. Najgorsze, że zraniłeś się w nogę.
Mówiąc to, położyła mu rękę na udzie i zaczęła masować. Natychmiast wyczuła pod palcami twarde mięśnie. Obcisłe bryczesy nie skrywały ich naturalnych konturów. Miała wrażenie, że dotyka nagiej skóry.
Lucas nie uczynił najmniejszego ruchu, by ją powstrzymać. Siedział tylko i patrzył na nią. Victoria energicznie rozcierała udo.
Trudno się poddaje, pomyślała uciskając mięsień. Jest twardy jak skała.
– Naprawdę jestem ci niezwykle wdzięczna za to, co zrobiłeś dla Ferdiego Merivale'a. – Zdała sobie sprawę, że zaczyna mówić zbyt szybko, chcąc przerwać tę wysoce krępującą ciszę. Wbiła mocniej palce w udo.
– Miło mi to słyszeć, wątpię bowiem, czy usłyszę to samo od Merivale'a. – Wciągnął gwałtownie powietrze. – Trochę delikatniej, jeśli łaska, Vicky. Ta noga jednak mnie boli.
– Och, przepraszam. – Zaczęła masować łagodniej. – Czy tak lepiej?
– O wiele lepiej. – Milczał przez dłuższą chwilę, a potem dodał: – Rzeczywiście masz cudowne ręce. Zazdroszczę twoim koniom.
Kiedy uniosła głowę, zobaczyła, że Lucas uśmiecha się zmysłowo. Oblała ją fala gorąca. Poczuła, że napięcie w jego nodze zmienia się w dziwny sposób, a jej dłoń bezwiednie sunie ku wewnętrznej stronie uda.
Uniósł rękę i przesunął szorstkim palcem wzdłuż linii jej szyi aż do karku. Wstrzymała oddech, wiedząc, co za chwilę nastąpi. Nauczyła się już rozpoznawać ten płomień w jego oczach. Widziała go za każdym razem, kiedy żegnał się z nią w ogrodzie po powrocie z nocnej wyprawy. Już samo oczekiwanie rozpalało jej krew w żyłach.
– Lucasie.
– Powiedz mi, Vicky, czy podobają ci się moje pożegnalne pocałunki?
– Ja... – Poczuła, że coś ściska ją w gardle. – Tak, lubię je.
– Jedną z rzeczy, które w tobie lubię, jest ta twoja urocza szczerość w najbardziej nieoczekiwanych momentach. – Wsunął palce w jej włosy i przyciągnął ją do siebie. – Czy zdajesz sobie sprawę, jakie to na mnie robi wrażenie?
Nagle powóz zakołysał się i szarpnął, a ona wylądowała na kolanach Lucasa. Wzdychając z rozkoszy, otoczyła go ramionami i zbliżyła twarz do

jego twarzy. Nie ma wątpliwości, pomyślała. Zasmakowałam w tych nocnych pocałunkach.

Usta Lucasa odnalazły jej wargi, a język przesunął się wzdłuż dolnej wargi w poszukiwaniu wejścia. Spragniona żaru i rozkoszy, jakich doświadczała w jego objęciach, przywarła mocniej do niego. Zamknął ją w żelaznym uścisku, a kiedy poczuła, że jego palce rozpinają guziki kamizelki, nie była w stanie zaprotestować.

Całe powstrzymywane dotąd podniecenie wybuchło w jej wnętrzu i to był najbardziej ekscytujący moment całego wieczoru. Nie zdawała sobie sprawy, że rozwiązał jej halsztuk, a kiedy opuszkami palców zaczął pieścić jej szyję, zacisnęła dłonie na jego ramionach.

Zaśmiał się cicho, rozsuwając jej kamizelkę i koszulę.

– To doprawdy dziwne uczucie rozpinać na tobie męskie ubranie, moja słodka.

Nie była w stanie mu odpowiedzieć, bo objął dłonią jej nagą pierś. Westchnęła tylko i wyprężyła się. Wiedziała, że powinna zaprotestować, lecz tylko ukryła rozpaloną twarz na jego ramieniu i przytuliła się jeszcze mocniej.

– Czy podoba ci się dotyk mojej ręki, Vicky?

Skinęła głową.

– Tak. – Czuła, jak sutek twardnieje pod dotykiem jego kciuka.

– Jesteś cudowna. Czy zdajesz sobie sprawę, co ty ze mną robisz?

O, tak. Wyczuwała pod pośladkami, jak nabrzmiewa. Rozsunął lekko nogi, dzięki czemu wyraźniej poczuła twardą męskość pod opiętymi bryczesami.

– Lucasie, twoja biedna noga.

– Zapewniam cię, że akurat w tej chwili mnie nie boli.

– Musimy przestać.

– Naprawdę chcesz, bym przestał cię dotykać? – szepnął.

– Proszę, nie zadawaj mi takich pytań.

Bez tchu zacisnęła mu palce na ramionach i wyprężyła ciało. Ogarnął ją płomień i jednocześnie poczuła wilgoć między nogami.

Chyba się tego domyślił, bo przesunął rękę ku zapięciom bryczesów. Victoria nie była w stanie wydusić z siebie słowa, choć wiedziała, że powinna głośno zaprotestować. Odurzył ją zapach męskiego ciała i wyczuwalne napięcie męśni. Na przemian to zaciskała, to rozluźniała palce na jego ramionach.

– Jesteś wilgotna i gotowa, prawda? – Wsunął rękę do bryczesów i odnalazł intensywne ciepło. – Twoje ciało szykuje się na przyjęcie.

– Lucasie!

– Nie musisz się wstydzić, moja słodka. Cieszę się, że pragniesz mnie równie mocno jak ja ciebie. Kiedy przyjdzie czas, będzie nam ze sobą dobrze.

Oszołomiona, uniosła głowę i spojrzała mu w oczy.

– Kiedy to nastąpi?

– Nie dziś w nocy. Zdecydowanie wolę łóżko od poduszek w powozie na nasz wspólny pierwszy raz. I pragnę, by trwało to w nieskończoność, a nie kilka minut, jakie nam jeszcze pozostały.

– Lucas, musimy przestać. Musimy.

Nigdy nie dotykał jej w ten sposób i nie wiedziała, jak sobie poradzić z własnymi emocjami. Ogarnęło ją cudowne uczucie rozkoszy.

– Jesteś pewna, że tego chcesz, maleńka? Tak cudownie reagujesz. – Ponownie przykrył wargami jej usta, potem dotknął nimi szyi, gdy tymczasem jego palce przesunęły się niżej, rozsuwając wilgotne listki w poszukiwaniu malutkiego pączka największej intensywności doznań. – Jesteś taka namiętna. I pragniesz mnie. Powiedz to, Vicky. Przynajmniej tyle możesz zrobić.

Gwałtownie wciągnęła powietrze, kiedy poczuła, że drży z pożądania. Chciała powiedzieć mu, by przestał pieścić ją tak intymnie, lecz nie była w stanie. W każdym razie nie teraz. Pragnęła upić się tym nowym dla niej uczuciem, a tylko Lucas mógł spełnić to pragnienie.

– Proszę, najmilsza. Czy tak wiele od ciebie żądam? – Jego głos brzmiał łagodnie, pieszczotliwie, serdecznie. – Wszystko, o co proszę, to żebyś powiedziała mi, co czujesz. Czy to przyjemne uczucie?

– Tak, och Lucasie, tak.

Zacisnęła powieki, by nie widzieć błysku satysfakcji w jego hipnotyzującym spojrzeniu. Poruszyła się niespokojnie w odpowiedzi na dotyk jego palców.

– Mów do mnie, najsłodsza. Mów, co czujesz, kiedy dotykam cię w taki sposób. – Delikatnie wsunął jeden palec w jej gorące wnętrze.

Krzyknęła i natychmiast wtuliła twarz w jego surdut.

– I w taki...

Cofnęła się instynktownie i nagle nie była w stanie oprzeć się magii jego długich delikatnych palców. Uniosła biodra w niemej prośbie o więcej, nie bardzo wiedząc, o co prosi.

– Lucas, zrób to jeszcze raz. Proszę, dotknij mnie jeszcze raz.

– Czy tak, moja słodka? – Jego palce wywoływały czary w jej gorącym wilgotnym wnętrzu. – Boże, jesteś cudowna, Vicky. Reagujesz tak, jakbyś była stworzona wprost dla mnie.

– Proszę... – Słowa z trudem przechodziły jej przez gardło. Nerwowo wyginała się i poruszała biodrami pod wpływem jego dotyku. – Nie wiem... nie jestem... Och, Lucasie!

– Wiem, kochanie, po prostu wsłuchaj się w siebie. Powiedz, że mnie pragniesz – poprosił znowu.

– Och tak, tak, tak.

I nagle nie mogła już ani mówić, ani myśleć. Coś gorącego i pulsującego, co leżało skrępowane w jej wnętrzu, eksplodowało naraz bez ostrzeżenia, wprawiając w drżenie, które ogarnęło ją aż po koniuszki palców. Nigdy nie przeżyła czegoś takiego i nigdy nie czuła się tak pełna życia jak w tym momencie.

Po chwili napięcie opadło, a ona osunęła się wyczerpana na szeroki tors Lucasa.

– Jesteś tak cudownie, tak rozkosznie namiętna. – Delikatnymi, uspokajającymi pocałunkami obsypał jej twarz i szyję, po czym pospiesznie zapiął jej bryczesy. – Oszaleję, czekając na ciebie. Ale chyba nie każesz mi czekać zbyt długo, prawda, najdroższa? Nie będziesz taka okrutna.

Victoria odczekała, aż oddech się jej uspokoi i dopiero wówczas uniosła głowę. Powóz zaczynał już zwalniać. Spojrzała na niego wciąż lekko oszołomiona. Uśmiechnął się ciepło, a w oczach gorzał znajomy płomień.

– To było... – Przesunęła językiem po wargach i spróbowała jeszcze raz. – To było bardzo dziwne.

– Potraktuj to jako intelektualny eksperyment.

– Eksperyment? – Pomimo dziwnego nastroju, w jakim się znajdowała, wybuchnęła śmiechem, który przywrócił jej dawną żywotność i rozproszył chwilową niemoc. – Jesteś po prostu niemożliwy, milordzie.

– Wcale nie. – Uśmiechał się łagodnie, chociaż oczy mu nadal płonęły. – To, co chcę z tobą robić, jest najzupełniej możliwe. Być może nieprawdopodobne, lecz nie niemożliwe.

Spojrzała mu w oczy i w tym momencie zorientowała się, że powóz staje. Natychmiast oprzytomniała i zaczęła pospiesznie zawiązywać halsztuk.

– Wielkie nieba, jesteśmy na miejscu! Muszę wysiąść, w przeciwnym razie woźnica pomyśli, żeśmy usnęli.

Rozejrzała się nerwowo wokół siebie w poszukiwaniu laski i peleryny. Kiedy otwierała drzwi powozu, spostrzegła, że Lucas porusza się dziwnie ostrożnie. Wysiadła i popatrzyła na niego z troską.

– Dobrze się czujesz?

– Nie.

– O Boże, twoja noga.

– To nie z nogą mam problem.

Wysiadł i z wielką starannością poprawił pelerynę.

– O co więc chodzi, Lucasie? – nie dawała za wygraną.

– W tej chwili nic na to nie możesz poradzić, ale zapewniam cię, że z niecierpliwością będę oczekiwać od ciebie pomocy w niedalekiej przyszłości. – Zastukał laską w siedzenie woźnicy. – Bądź tak dobry i poczekaj na mnie chwilę. Zaraz wracam.

Woźnica dotknął kapelusza ze znudzoną miną i sięgnął po manierkę, którą trzymał pod siedzeniem.

– Lucasie, nie rozumiem. O jaki problem chodzi? – zapytała ponownie, kiedy szli spiesznie ulicą w stronę ogrodowego muru.

– Pomyśl o tym, czego nauczyłaś się o rozmnażaniu u męskich osobników, a jestem pewien, że znajdziesz odpowiedź.

– O mój Boże! – Przełknęła ślinę czując, że oblewa się rumieńcem. Nie była pewna, co miał na myśli, lecz przynajmniej mogła się domyślać źródła jego dolegliwości. – Ojej, nie miałam o tym pojęcia. Czy bardzo ci z tym e... niewygodnie, milordzie?

– Nie rób takiej przerażonej miny. – Uśmiechnął się lekko. – Jestem bardzo zadowolony z rezultatów eksperymentu. Wart był każdej niewygody. – Pomógł jej wspiąć się na mur. – Poza tym zaofiarowałem przecież siebie do celów intelektualnego eksperymentu.

– Pragnęłabym, abyś przestał traktować całą sprawę jak eksperyment. – Zeskoczyła do pachnącego, ciemnego ogrodu i cofnęła się, robiąc mu miejsce.

– Myślę, że lepiej będzie, jeśli właśnie tak na to spojrzysz. – Ucałował ją w czubek nosa i odsunął się. – Dobranoc, Victorio, śpij spokojnie.

Popatrzyła, jak znika po drugiej stronie muru i powoli ruszyła w stronę oranżerii. Nagle zapragnęła się znaleźć w swoim pokoju, by móc spokojnie wszystko przemyśleć.

Uczucia, które w niej rozniecił, zaskakiwały intensywnością i trochę niepokoiły. W ciągu tych kilku minut w powozie straciła sporo ze swojej samokontroli. Znalazła się niemal dosłownie w mocy Lucasa, a on odkrył przed nią potęgę jej własnego ciała.

Zmarszczyła brwi w zamyśleniu, podchodząc do drzwi oranżerii. Nie może pozwolić, by sprawy wymknęły się spod kontroli. Musi zachować ostrożność. Ale Lucas tak bardzo się różnił od mężczyzn, których dotąd znała. Coraz trudniej było o nim myśleć w kategoriach racjonalnych. Coraz częściej dochodziły do głosu emocje, które niosły ze sobą niebezpieczeństwo.

Niech to diabli! – pomyślała gniewnie. To niesprawiedliwe, aby taka Isabel Rycott mogła pozwalać sobie na dyskretne romantyczne związki, podczas gdy stara panna była tej możliwości pozbawiona. A zwłaszcza stara panna w wieku dwudziestu czterech lat. Być może, za jakieś dziesięć lat będzie mogła robić co chce, ale któż miał ochotę czekać aż dziesięć lat, by poznać tajemnice, które Lucas właśnie przed nią odsłonił?

Kto wie, gdzie będzie Lucas za dziesięć lat? – pomyślała niechętnie. Z pewnością na wsi, z żoną i dziećmi.

To takie niesprawiedliwe.

Dzisiejszy wieczór przekonał ją, że jeżeli kiedykolwiek znajdzie sposobność do powtórzenia takiego eksperymentu, to pragnie to robić z Lucasem. Może powinna go posłuchać i spojrzeć na całą sprawę z naukowego punktu widzenia.

Właśnie rozważała wszystkie za i przeciw, kiedy jej wzrok padł na biały jedwabny szalik przyczepiony do klamki od drzwi do oranżerii.

Musiał go zostawić ktoś ze służby, kiedy szedł do ogrodu po zioła do kolacji, pomyślała. Lecz wówczas musiałaby go zauważyć już wcześniej, kiedy wymykała się tędy na spotkanie z Lucasem.

Zaciekawiona, zdjęła szalik z klamki. Wyczuła pod palcami monogram, ale nie mogła go odczytać w bladym świetle księżyca. Weszła do środka, chwilę stała nasłuchując, po czym doszła do wniosku, że ciotka prawdopodobnie jeszcze nie wróciła z balu u Crandallów. Zazwyczaj nie kończył się przed świtem.

Weszła po schodach na górę do swego pokoju i zapaliła świecę. Uniosła szalik do światła i odcyfrowała monogram. Ujrzała starannie wyszytą literę „W". Poczuła, że drżą jej ręce. Widywała już podobne monogramy. Taki znak widniał na chusteczkach i krawatach jej zmarłego ojczyma, Samuela Whitlocka.

Poranne słońce wpadało przez okna oranżerii, oświetlając wspaniały okaz *Plumeria rubra*, który Victoria próbowała uwiecznić na papierze. Spojrzała krytycznie na wyłaniający się portret kwiatu, zdając sobie sprawę, że tym razem nie poświęca mu całej swej uwagi. Zastanawiała się nawet, czy nie powinna przerwać pracy. Zwykle kiedy malowała lub rysowała, zapominała o całym świecie.

Tego ranka jednak jej myśli wirowały jak szalone pod wpływem wspomnień o namiętności, jakiej wczoraj doświadczyła w ramionach Lucasa. Nie mogła wyrzucić ich z pamięci, choć bardzo się starała. Czuła, że postrada rozum, jeśli nad nimi nie zapanuje i czegoś nie postanowi.

– A więc tu jesteś, kochanie. Szukam cię wszędzie. – Cleo Nettleship zdążała zieloną alejką w stronę siostrzenicy. Miała na sobie zachwycającą przedpołudniową suknię w kolorze bladego korala. – Jaki piękny mamy dziś dzień, nieprawdaż? Powinnam się domyślić, że tu się skryłaś. – Zatrzymała się przy jednej z roślin. – Wielkie nieba, czy zwróciłaś uwagę na ten amerykański irys, który Chester przysłał nam w zeszłym miesiącu? Jakże cudownie rozkwitł. Muszę o tym powiedzieć Lucasowi.

Victoria drgnęła i mała kropla różu chlapnęła na karton.

– Psiakrew!

– Słucham, moja droga?

– Nic nic, ciociu Cleo. To tylko drobny wypadek z farbą. Sądzisz, że Lucasa zainteresuje irys?

– Z pewnością. Nie zauważyłaś, jak rozmiłował się w ogrodnictwie? Interesuje go wszystko, co może mu się przydać przy zarządzaniu majątkiem. Jednak szczególnie ciekawią go nowe gatunki roślin sprowadzane do nas z Ameryki. Sądząc z tego, jak sobie poczyna, to ogrody w Stonevale staną się pewnego dnia wielką atrakcją.

Victoria z uwagą nakładała delikatny cień na papier.

– On rzeczywiście wykazuje wielkie zainteresowanie ogrodnictwem. Czy to nie trochę dziwne? Przecież ten człowiek spędził większość życia w wojsku.

– Wcale nie uważam tego za dziwne. Pomyśl tylko o Plimptonie i Burneyu. Ekszołnierze, którzy osiedli w swoich majątkach i osiągnęli wspaniałe rezultaty zarówno w ogrodnictwie, jak i uprawie zbóż. Może jest coś w obu tych dziedzinach, co pociąga mężczyzn, którzy doświadczyli okrucieństwa i rozlewu krwi.

Victoria przypomniała sobie niechęć Lucasa do rozmowy na temat okoliczności zranienia się w nogę.

– Zastanawiam się, czy nie masz przypadkiem racji, ciociu Cleo.

– Wracając do Lucasa, kochanie. – Cleo zatrzymała się przy roślinie, która wypuściła cztery pędy.

Victoria posłyszała lekką zmianę w głosie ciotki i nastawiła uszu. Cleo rzadko prawiła kazania, lecz kiedy już to robiła, Victoria słuchała jej z uwagą. Pomimo rozlicznych zainteresowań i bogatego życia towarzyskiego, Cleo Nettleship była mądrą i inteligentną kobietą.

– O co chodzi, ciociu Cleo?

– Obawiam się, by nie powiedzieć zbyt wiele, kochanie. Jesteś przecież dorosłą kobietą i dotychczas zajmowałaś bardzo wyraźne stanowisko w pewnych sprawach. Nigdy się też nie zdarzyło, żebyś spędzała tyle czasu w towarzystwie jednego mężczyzny. Nie słyszałam też, byś któregokolwiek mężczyznę wspominała tak często jak Stonevale'a. Poza tym, wszyscy już zapewne zauważyli, że ten człowiek bardzo często u nas bywa.

Victoria kurczowo zacisnęła pędzel w dłoni.

– Sądziłam, że lubisz Lucasa.

– Lubię, i to bardzo. Ale nie o to chodzi, Vicky, i dobrze o tym wiesz. – Mówiąc to, włożyła palec do doniczki, by sprawdzić wilgotność ziemi.

– Jeśli Lucas rzeczywiście spędza u nas tak dużo czasu, to tylko dlatego, że stale zapraszasz go na różne odczyty i pokazy, które według twego mniemania powinny go zainteresować – odparowała Victoria.

– To prawda. Wysyłałam mu mnóstwo zaproszeń, a on wszystkie przyjmował – powiedziała Cleo w zamyśleniu. – Ale on nie tylko u nas bywa. Pojawia się wszędzie tam, gdzie i ty.

Victoria poczuła ucisk w gardle.

– Jest przecież przyjacielem lady Atherton. To ona wprowadziła go do towarzystwa.

– To prawda – zgodziła się z nią Cleo. – Ale my również należymy do tego grona, czyż nie? Tak czy owak, Vicky, sądzę, że powinnaś się poważnie zastanowić nad tym, co zamierzasz robić dalej.

Victoria odłożyła pędzel i spojrzała na ciotkę.

– Czemu nie powiesz otwarcie, co cię trapi, ciociu Cleo?

– Zastanawiam się, kochanie, czy zdajesz sobie sprawę, do czego zmierza twoja znajomość z hrabią. Zawsze twierdziłaś, że nie chcesz wychodzić za mąż.

Victoria zesztywniała.

– I nie zmieniłam zdania.

Twarz Cleo złagodniała, kiedy dostrzegła determinację w oczach siostrzenicy.

– Wobec tego, Vicky, ciąży na tobie obowiązek, powiem nawet więcej, twój kobiecy honor wymaga, żebyś nie mamiła żadnego ze swoich adoratorów fałszywą nadzieją. Czy rozumiesz, co chcę powiedzieć?

Victoria spojrzała na ciotkę ze szczerym zdumieniem.

– Sądzisz, ciociu, że bałamuciłam hrabiego, pozwalając mu wierzyć, że pewnego dnia przyjmę jego oświadczyny?

– Nawet mi to przez myśl nie przeszło – powiedziała pospiesznie Cleo. – Przyszło mi tylko do głowy, czy aby Stonevale nie interpretuje sobie twojego zachowania właśnie w ten sposób. Zresztą trudno byłoby go za to winić.

– A co z tobą, ciociu? – rzuciła Victoria gniewnie. – Jak twoim zdaniem interpretuje on twoje liczne zaproszenia?

– To zupełnie co innego, kochanie. Jeśli on mylnie tłumaczy sobie moje zaproszenia, to tylko dlatego, że ty uczestniczysz we wszystkich tych odczytach i pokazach – wyjaśniła Cleo spokojnie.

– To nic nie znaczy. Przecież zawsze byłam obecna na wszystkich co ciekawszych odczytach i dyskusjach twoich przyjaciół.

– Nie mogę się oprzeć wrażemu, kochanie, że dawniej rzadko uczestniczyłaś w dyskusjach na temat płodozmianu, sadownictwa i uprawy winorośli – zauważyła Cleo sucho. – Zawsze bardziej interesowały cię zwierzęta, elektryczność i rośliny egzotyczne.

Victoria poczuła, że oblewa się rumieńcem.

– Mogę cię zapewnić, ciociu, że Stonevale zna moją opinię na temat małżeństwa. Na pewno nie zrozumie opacznie naszej przyjaźni.

– A co z tobą, Vicky? – Cleo podeszła bliżej i uśmiechnęła się do siostrzenicy. – Czy mogło się zdarzyć, że twoja opinia na temat małżeństwa uległa zmianie?

– Zapewniam cię, ciociu, że nic się w tym względzie nie zmieniło – powiedziała Victoria z przekonaniem.

– Wybacz, że o to pytam, kochanie, lecz czy to możliwe, abyś nosiła się z myślą o innym rodzaju znajomości ze Stonevale'em?

– Myślisz, że chcę nawiązać romans z Lucasem?

– Nie jestem ślepa, Vicky – powiedziała Cleo stanowczo. – Nie zbywa mi też na inteligencji i przeżyłam już sporo lat na tym świecie. Widziałam, jak patrzysz na Stonevale'a, kiedy sądziłaś, że on tego nie widzi. Dodaj do tego jego wyraźne tobą zainteresowanie i fakt, że jesteś normalną, zdrową, młodą kobietą, która nie pragnie wiązać się małżeńskim węzłem, a dojdziesz do tego samego wniosku. Obawiam się, Vicky, że stąpasz po bardzo niebezpiecznym gruncie. Byłoby to wielkie niedopatrzenie z mojej strony jako twojej opiekunki, gdybym cię nie ostrzegła.

Victoria bezwiednie zacisnęła dłoń w pięść i spojrzała pustym wzrokiem na niedokończony kwiat na sztalugach.

– Doceniam twą troskę, ciociu.

– Nie, nie doceniasz, czujesz się nią dotknięta. Nie mogę cię za to winić, lecz niestety musimy się liczyć z opinią ludzką. Chodzi tu nie tylko o twoją reputację. Narażasz na niebezpieczeństwo również Stonevale'a.

Victoria uniosła gwałtownie głowę.
– Stonevale'a?
– Doskonale wiesz, kochanie, że mężczyzna z jego pozycją ma zobowiązania względem swego nazwiska i tytułu. Pewnego dnia będzie musiał się ożenić z kobietą z dobrej rodziny o nieposzlakowanej reputacji. Nie może dopuścić, by okrzyknięto go uwodzicielem niewinnych młodych panien. To zniszczyłoby jego szansę na dobry ożenek i wyrzuciłoby poza nawias społeczeństwa. W dodatku on nie zasługuje na taką opinię. To przyzwoity człowiek, Vicky.
– To wszystko jest strasznie niesprawiedliwe.
– Co jest niesprawiedliwe? Że twoja pozycja młodej panny z dobrego domu czyni niemożliwą nawet myśl o romantycznym związku ze Stonevale'em? Tak, to wysoce niesprawiedliwe. Lecz towarzystwo ściśle przestrzega pewnych zasad, które musisz respektować, jeśli chcesz przetrwać w naszym świecie. Już i tak wiele z nich zlekceważyłaś. Bądź cierpliwa. Kiedy się zestarzejesz, będziesz mogła przestać się nimi przejmować.
– Mam już dwadzieścia cztery lata i uchodzę za starą pannę.
Cleo uśmiechnęła się i pokręciła przecząco głową.
– Wiesz równie dobrze jak ja, że to nieprawda. Towarzystwo nadal uważa cię za dobrą partię, a twój posag gwarantuje, że pozostaniesz nią jeszcze przez kilka dobrych lat. Musisz być ostrożna.
– Gdybym była wdową, tak jak Isabel Rycott, byłabym wolna – mruknęła Victoria gniewnie.
– Czyżbyś myślała wyjść za mąż za hrabiego, a potem go zabić, by zdobyć w ten sposób wolność, jaką się cieszy Isabel Rycott? – zapytała z uśmiechem Cleo.
Victoria również odpowiedziała jej uśmiechem.
– Stonevale bardzo mnie prosił, abym zaniechała tego pomysłu.
Cleo spojrzała na nią zaskoczona, a po chwili wybuchnęła gromkim śmiechem.
– Ach, więc jest tak bystry i inteligentny, jak sądziłam. Widzę, że oboje doszliście do porozumienia. Wcale nie potrzebujesz mych rad, Vicky. Wybacz, proszę, że się wtrącałam.
Victorii powoli wracał dobry humor.
– Doceniam twoją troskę, ciociu. Zapewniam cię, że będę postępować z najwyższą rozwagą.
– Miło mi to słyszeć. Towarzystwo jest w stanie wiele wybaczyć, lecz są pewne granice, zwłaszcza jeśli chodzi o kobiety. Nie chciałabym być świadkiem twej kompromitacji. Zbyt wielu masz przyjaciół, by ich tracić.

– To prawda, ciociu.

Na myśl o tym zadrżała. Nie zniosłaby, gdyby zabroniono jej spotykać się z Annabellą lub którąś z przyjaciółek.

Cleo z aprobatą kiwnęła głową.

– Cieszy mnie, że się ze mną zgadzasz. A teraz, jeśli sobie przypominasz, czeka nas rozmowa z naszym doradcą finansowym na temat statku, w który przed rokiem zainwestowałyśmy pieniądze. Wrócił bezpiecznie z Chin ze wspaniałym ładunkiem. Jesteśmy bogatsze o kilka tysięcy funtów. Czyż to nie wspaniałe?

Victoria natychmiast zapomniała o kłopotliwej rozmowie. Uwielbiała takie awanturnicze interesy, jak inwestowanie pieniędzy w morskie ekspedycje. Ryzyko zawsze niosło ze sobą jakiś element przygody.

– Cudownie! – wykrzyknęła. – Musimy podziękować panu Beckfordowi za podsunięcie nam tego pomysłu. Ach, byłabym zapomniała. Chciałam cię jeszcze o coś zapytać. – Victoria schyliła się i wyciągnęła spod krzesła jedwabny szalik z monogramem, który znalazła wczoraj w nocy. – Czy rozpoznajesz ten przedmiot?

Cleo przyjrzała się uważnie monogramowi, po czym oddała szalik siostrzenicy.

– Nie, to z pewnością nie mój. Gdzie go znalazłaś?

– W ogrodzie. Pytałam służbę, ale nic o nim nie wiedzą. Może należy do któregoś z członków twojego kółka naukowego? – zasugerowała Victoria, przesuwając palcem po pięknym monogramie.

– Hm, być może. To męski szalik. Niech pomyślę. Kto ma nazwisko zaczynające się od litery „W”? Wibberly i Wilkins. Muszę ich przy okazji o to zapytać. Czy to wszystko, Vicky?

– Tak, ciociu. A teraz chodźmy porozmawiać z panem Beckfordem o naszym finansowym sukcesie. Może będzie miał dla nas jakąś nową propozycję.

7

Victoria nie chciała się do tego przyznać, ale pomysł wyprawy do lupanaru był wielką pomyłką.

Ściskając nerwowo kieliszek szampana w dłoni, siedziała ukryta za jaskrawozłotym parawanem. W pokoju było jeszcze kilka takich odosobnionych miejsc. Lampy dawały jedynie nikłe światło. Zza parawanów dochodziły pijackie chichoty i inne odgłosy dość niesprecyzowanej natury. Victoria zadrżała na myśl o tym, co się odbywa na górze.

Było już dobrze po trzeciej w nocy. To Lucas wyznaczył tak późną porę eskapady. Oświadczył, że nie chce ryzykować spotkania z kimś, kto mógłby rozpoznać Victorię. Wybrał również ten właśnie lupanar, który zapewniał klientom odrobinę prywatności.

Wszyscy wokół, z wyjątkiem Lucasa, wyglądali na mocno pijanych. Na różowych sofach spało, głośno chrapiąc, kilku mężczyzn. W pokoju było bardzo hałaśliwie, bardzo gorąco i duszno od dymu z cygar. W powietrzu unosił się również inny zapach, który wydzielały dziwne fajki, rozrzucone w różnych miejscach po pokoju.

Victorii zaczynało się robić niedobrze. Przed chwilą Lucas kiwnął znacząco na dwie młode dziewczyny, których dekolty były wycięte tak głęboko, że odsłaniały częściowo różowe brodawki.

– Przyszliśmy jedynie się rozejrzeć – wyjaśnił gładko, kiedy jedna z kobiet zaprotestowała przeciw odesłaniu jej z kwitkiem.

– A może wspólnie się rozejrzymy? – zagruchała druga. Obrzuciła Lucasa tak wymownym spojrzeniem, że Victoria miała ochotę wylać jej kubeł pomyj na głowę.

– A co na to ten młody dżentelmen? – zapytała pierwsza, uśmiechając się do Victorii. – Nie miałbyś ochoty pójść ze mną na górę? Śliczny z ciebie chłopczyk. Mam w pokoju miłosne lusterko. Będziesz mógł się wszystkiemu przyglądać. A jaką mam wspaniałą kolekcję rózeg i batów! Kubek w kubek jak te, których używają w szkołach na paniczyków.

Victoria szybko pokręciła głową i cofnęła się głębiej w cień. Lucas rzucił jej znaczące spojrzenie i pociągnął łyk szampana. Niemal słyszała, jak mruczy: „A nie mówiłem?"

Do niemiłej konkluzji, że pomysł z domem rozpusty był niefortunny, doszła kolejna, że męski strój nie zawsze bywa wygodny. Na przykład, nienagannie zawiązany halsztuk może boleśnie uwierać w szyję. Brzegi kołnierzyka były podciągnięte aż do połowy uszu, by skrywać jej brodę. A wszystko przez Lucasa. W powozie na nowo zawiązał jej krawat, by, jak stwierdził, lepiej ukryć jej twarz.

Uparł się również, by nie zdejmowała kapelusza i naciągnęła go na oczy, dopóki nie znajdą jakiegoś ustronnego miejsca. Kolejnym środkiem ostrożności był wybór takiego lupanaru, którego nie odwiedzali panowie z towarzystwa.

Żołądek podszedł jej do gardła. Czuła, że dłużej nie zniesie tej przerażającej ostentacji.

Właśnie miała powiedzieć Lucasowi, że jest tym wszystkim znudzona i pragnie wyjść, kiedy z końca ciemnego, zatłoczonego pokoju rozległ się okrzyk. Wśród tłumu pijanych mężczyzn i wyzywająco ubranych kobiet nastąpiło poruszenie.

Na środek wyszła właścicielka lupanaru, kobieta w średnim wieku, ubrana w falbaniastą, mocno wydekoltowaną suknię. Twarz jej pokrywała gruba warstwa białego pudru i różu. Suknia uszyta była z kosztownego różowego aksamitu, przypominającego odcieniem krzesła w pokoju, jednak brakowało jej elegancji i prostoty toalet dam z wyższych sfer. Robiła wrażenie tandetnej i staromodnej, podobnie zresztą jak jej właścicielka.

– Szanowni zebrani dżentelmeni z niecierpliwością oczekujący, by się wykazać swą męskością. Dziś wieczór będziecie mieli okazję poznać kogoś nowego. Gwarantuję, że jest ona równie czysta i dziewicza jak w dniu przyjścia na świat. Przybyła prosto ze wsi i nie ma jeszcze trzynastu lat. Przedstawiam wam nową adeptkę naszej szlachetnej profesji, słodką pannę Molly.

Victoria wyjrzała zza parawanu, gdy na środek pokoju wypchnięto młodą dziewczynę o przerażonym spojrzeniu ubraną w cienką białą suknię. Molly spojrzała na przyglądających się jej pożądliwie mężczyzn i roześmiane kobiety i skuliła się ze strachu. Skwitowano to huraganem śmiechu.

Przerażony wzrok Molly błądził po sali, aż zatrzymał się na Victorii. Victoria zacisnęła rękę na krześle, bo żołądek podszedł jej nagle do gardła.

– A więc zaczynamy licytację. Takie słodkie małe stworzenia jak nasza Molly nie kosztują tanio – powiedziała właścicielka.

– Myślę, że czas już wyjść – powiedział półgłosem Lucas, kiedy w pokoju zrobiło się nieco głośniej. Obrzucił ostatnim zdegustowanym spojrzeniem szefową lupanaru i zamierzał wstać z krzesła.

– Nie – zaprotestowała Victoria, nie mogąc odwrócić wzroku od przerażonej twarzyczki Molly. – Nie, Lucasie, nie możemy wyjść, jeszcze nie teraz.

– Do diabła, Vicky, chyba nie chcesz na to patrzeć?

– Oni targują się o nią, jak o krowę czy konia.

– A zwycięzca zabierze ją na górę i wprowadzi w tajniki nowej profesji – dodał szorstko Lucas. – Może się zdarzyć, że zrobi to na oczach całej publiczności. Jestem pewien, że nie zechcesz się temu przyglądać.

– Oczywiście że nie. Lucasie, musimy ją uratować.

Spojrzał na nią zdumiony i usiadł z powrotem na krześle.

– Uratować? A jakimże sposobem? To dość powszechne zjawisko tu, w mieście. Młode dziewczyny ze wsi trafiają w ręce bezwzględnych starych stręczycielek, takich jak ta tutaj. Ich los jest przesądzony i nic na to nie można poradzić.

– Przynajmniej tej dziewczynie można pomóc – oświadczyła Victoria. – Postanowiłam ją kupić.

Lucas gwałtownie wciągnął powietrze.

– Nie wiesz, co robisz, Vicky.

Ale ona już zaczęła się przysłuchiwać licytacji. Na jej korzyść przemawiał fakt, że była bez wątpienia najbogatszą osobą w tym gronie, i zamierzała to wykorzystać.

– Trzydzieści funtów! – krzyknął mężczyzna z drugiego końca pokoju.

Stręczycielka popatrzyła na niego z wyraźną pogardą.

– Za autentyczną dziewicę, panie? No coś takiego, nawet nie chcę słuchać tak śmiesznej oferty. Czekam na rozsądniejsze propozycje.

– A jaki masz dowód, że jest dziewicą?! – zawołał inny mężczyzna. – Dam pięćdziesiąt i ani pensa więcej.

– To już lepiej – stwierdziła rajfurka. – Lecz ciągle mało. No, co z wami? Na konia wydalibyście więcej.

– Na koniu możesz jeździć dłużej niż na dziewicy – odciął się jakiś głos.

– Bzdura. Nasza Molly zapewni ci niezłą przejażdżkę, prawda, kochanie?

Właścicielka pogładziła dziewczynę po jasnych włosach drwiąco czułym gestem. Dziewczyna zadrżała.

– Z jej wyglądem jest warta najwyżej osiemdziesiąt funtów. I żądam zwrotu pieniędzy, jeśli się okaże, że łżesz.

Molly wybuchnęła płaczem, a odpowiedzią był gruby męski rechot. Victoria nie spuszczała wzroku z dziewczyny, mając nadzieję, że nieszczęsna wytrzyma, dopóki ona nie włączy się do licytacji.

Suma wywoławcza podjechała nieco w górę, lecz nie dość wysoko. Potwierdziło to wcześniejsze przypuszczenia Victorii. Nikt z obecnych na sali nie uważał, że Molly jest warta dużych pieniędzy, nikt też nie był dość majętny. Bogatsi woleli utrzymywać kochanki i rzadko zaglądali do takich jak ten przybytków.

Victoria zaczekała, aż suma wywoławcza dojdzie do dziewięćdziesięciu funtów, po czym ostrożnie wyciągnęła rękę zza parawanu.

– Trzysta funtów.

Lucas jęknął.

Stręczycielka skierowała rozpromieniony wzrok na ocieniony parawan.

– Kimkolwiek jesteś, masz, panie, wyborny gust. Mała Molly jest do twojej dyspozycji dziś wieczór. – Poklepała dziewczynę po ręku. – Ależ ty masz szczęście, kochana. Taki miły, dyskretny dżentelmen. Teraz biegnij i nie rób ceregieli, bo pożałujesz.

– Nie masz przy sobie trzystu funtów – rzucił Lucas przez zaciśnięte zęby. – Nie możesz przecież dać tej starej rajfurce swojej wizytówki. Natychmiast by cię rozpoznała.

– Masz absolutną rację. Wobec tego ty będziesz musiał zapłacić tej kobiecie. Powiesz, że jestem nieśmiały. Pospiesz się, Lucasie.

– Niech to diabli! – mruknął, podnosząc się wolno z krzesła. Tylko nie myśl, że nie upomnę się o zwrot.

– Zapewniam cię, że jestem w stanie je zwrócić – odparowała ostro.

Ruszył do stręczycielki, ignorując okrzyki i sprośne komentarze. Znalazłszy się przy Molly, pchnął ją lekko w stronę parawanu, za którym ukrywała się Victoria.

– Ruszaj, dziewczyno.

Molly spojrzała na niego ze strachem, lecz usłuchała rozkazu. Przeszła przez roześmiany tłum do miejsca, gdzie czekała na nią Victoria.

– Teraz cicho, a wszystko będzie dobrze – szepnęła Victoria, po czym wzięła dziewczynę za rękę i pociągnęła ją w stronę drzwi, naciągając jednocześnie kapelusz na oczy.

Molly była zbyt przestraszona, by zaprotestować. Może wyjście z tego domu było lepsze od wizyty w jednym z pokoi na górze. Dziewczyna chwiała się lekko i Victoria domyśliła się, że musiano spoić ją winem lub też naparem z opium.

– Hola, hola, a gdzież to się wybieramy? Nie wolno wyprowadzać tej dziewczyny z lokalu.

Zwalisty mężczyzna o ordynarnych rysach zastąpił im nagle drogę. Prawdopodobnie pełnił tu rolę odźwiernego i strażnika.

– Proszę o moją laskę – rzuciła rozkazująco.

– Powiedziałem, że nie wolno wyprowadzać tej dziewczyny z lokalu! – huknął mężczyzna.

– Nie mam zamiaru wyprowadzać jej z lokalu – odpowiedziała Victoria ze znudzoną miną. Przypomniała sobie, co powiedziała jedna z prostytutek o rózgach i batach. – Lecz mam pewne upodobania, które chciałbym zaspokoić. Doszedłem do wniosku, że moja laska doskonale się do tego nada. Ma właściwy ciężar, jeśli rozumiesz, o co mi chodzi.

Mała Molly wydała stłumiony pisk, za to olbrzym uspokoił się nieco. Widocznie był przyzwyczajony do dziwactw klientów.

– Więc o to chodzi. – Spojrzał z ukosa na Molly. – Będziesz się dziś świetnie bawiła, dziewczyno.

Victoria czekała w napięciu, oglądając się co chwila za Lucasem, ale nigdzie go nie widziała. Kiedy służący wrócił z jej laską, postanowiła działać na własną rękę i spróbować ominąć zwalistego strażnika.

– A teraz chciałbym się udać do mego powozu – powiedziała zimno.

Ruszyła naprzód, ciągnąc Molly za sobą. Mężczyzna zmrużył oczy i skrzyżował na piersi tłuste ramiona.

– Już mówiłem, że nie wolno wyprowadzać tej małej z lokalu.

Victoria zrobiła jedyną rzecz, jaka przyszła jej do głowy: uderzyła olbrzyma laską prosto w krocze. Strażnik wrzasnął i zgiął się wpół, klnąc przy tym siarczyście. Victoria rzuciła się do drzwi, wlokąc Molly za sobą.

– Niech to diabli! – usłyszała za sobą głos Lucasa. – Powinienem się domyślić, że coś takiego się zdarzy.

Rozległ się wściekły ryk odźwiernego i głuchy odgłos uderzenia. Victoria obejrzała się za siebie i zobaczyła, że olbrzym leży rozciągnięty na podłodze, a Lucas spokojnie sięga po pelerynę i rękawiczki.

– Ruszaj do powozu – rozkazał.

Tymczasem Molly przytuliła się do Victorii i zaczęła coś nerwowo popiskiwać. Victoria poklepała ją po ramieniu i wyprowadziła na ulicę.

– Uspokój się, kochanie. Nikt cię tu nie chce skrzywdzić.

Drzemiący do tej pory woźnica, który przywiózł Lucasa i Victorię, na widok swoich klientów natychmiast trzasnął lejcami w końskie zady i podjechał bliżej. Spojrzał z ukosa na wsiadającą do dorożki Molly.

– Ja chcę do domu! – Dziewczyna wybuchnęła płaczem i przytuliła się do ramienia Victorii. – Proszę cię, wielmożny panie, pozwól mi wrócić do domu do Lower Burryton. Moja mamusia pewnie się o mnie niepokoi. Nie powinnam wyjeżdżać, ale mówili mi, że tyle jest pracy w mieście, a moja rodzina potrzebuje pieniędzy.

– Cicho, cicho. Wszystko będzie dobrze. Wrócisz do domu, obiecuję.

W tym momencie drzwi dorożki się otworzyły i wsiadł Lucas. Spojrzał na zapłakaną Molly.

– A więc jest twoja. Co masz zamiar z nią teraz zrobić? – zapytał, dając znak woźnicy, by ruszał. – Nie możesz zabrać jej do domu twojej ciotki. Nie byłabyś w stanie wytłumaczyć jej obecności. Wszyscy by się dowiedzieli, gdzie byłaś tej nocy.

– Znów masz rację, Lucasie. Skoro nie może jechać ze mną, pojedzie z tobą. Twoja ochmistrzyni się nią zajmie, a rano odprowadzi na postój dyliżansów.

– Niech to diabli! – mruknął Lucas w odpowiedzi, ale nie zaprotestował.

Przez kilka minut panowała cisza przerywana jedynie łkaniem Molly.

– Czy masz już dość lupanarów? – zapytał na koniec Lucas, tym razem spokojniej.

Victoria zadrżała.

– Najzupełniej. Nigdy więcej nie chcę widzieć takich miejsc. Przyprawiają mnie o mdłości. Żeby kobiety musiały staczać się tak nisko, by zarabiać na życie, sprzedając siebie tym strasznym mężczyznom, to przekracza wszelkie granice dobrego smaku.

– To, że pozwoliłem ci na to patrzeć, również przekracza wszelkie granice dobrego smaku – powiedział Lucas. – Ale powinienem za to winić jedynie siebie. Zbyt łatwo uległem twoim zachciankom. Dochodzę do wniosku, że tym razem posunęliśmy się za daleko.

Victorię zaskoczyła nieoczekiwana surowość w jego głosie.

– Chyba nie masz zamiaru zrezygnować z naszych przygód?

Popatrzył znacząco na wciąż łkającą Molly.

– Porozmawiamy o tym później.

– Ależ Lucasie...

– Nawiasem mówiąc, winna mi jesteś trzysta funtów. – Oparł się o poduszki dorożki i zamknął oczy. – Plus koszty wywiezienia jej rano z miasta.

Victoria prychnęła pogardliwie.

– No coś podobnego! Skoro w ten sposób stawiasz sprawę, dopilnuję, byś natychmiast otrzymał swoją należność.

– Nie musisz się spieszyć, Vicky. Mogę trochę poczekać.

Zagryzła wargę.

– Ale zamierzasz ją odebrać?

Otworzył oczy i spojrzał na Victorię.

– O tak, moja droga – powiedział. – Możesz być tego pewna.

Lucas wziął kieliszek szampana z tacy podanej mu przez lokaja i odwrócił się, by powitać Jessicę Atherton, która torowała sobie ku niemu drogę przez tłum gości. Wyglądała jak zwykle uroczo w bladoróżowej sukni i modnie ufryzowanych włosach, ozdobionych dwoma grzebieniami nabijanymi rubinami.

Jednak wyraz jej twarzy przywodził na myśl kobietę mającą do spełnienia świętą misję. Lucas coraz częściej łapał się na tym, że w twarzy kobiety, którą niegdyś kochał i utracił, dostrzega jakąś zawziętość. To, co uprzednio brał za skromność, teraz jawiło mu się jako wieczna dezaprobata. Niepokoił go również wyraz jej oczu, tak straszliwie odległy i smutny, jakby otaczający świat nie spełniał i nigdy nie miał spełnić jej wysokich wymagań.

Rozmyślał nad tym jeszcze przez chwilę, a kiedy Jessica podeszła do niego, nagle zdał sobie sprawę, że jeszcze coś go niepokoi. W niej nie ma ognia, pomyślał, jedynie nieprzyjemny chłód anielskiej cnotliwości i domieszka udręki. Dzięki Bogu, że nie musi leżeć w łożu obok tej nietykalnej, eterycznej istoty. Wyglądało na to, że dzięki Victorii Huntington stał się admiratorem kobiecego żaru.

– Najdroższy Lucasie, z niecierpliwością czekałam na twoje przybycie. – Jessica uśmiechnęła się boleśnie, jakby się obawiała, że ma przed sobą ducha, a nie żywą istotę. – Jak twoje sprawy?

– Bardzo dobrze, dziękuję, Jessico. – Lucas pociągnął łyk szampana i śledził wzrokiem tłum w poszukiwaniu Victorii.

Patetycznie zniżyła głos.

– Bardzo się niepokoiłam, czy nasz plan nie napotyka aby na jakieś problemy. Dochodziły do mnie bowiem dziwne plotki.

Lucasowi nie spodobało się określenie „nasz plan", bo oznaczało, że ona również w nim uczestniczy. Nie mógł jednak zaprzeczyć, że to właśnie ona go do tego namówiła. Gdyby nie Jessica, mógłby nigdy nie spotkać Victorii.

– O jakich plotkach mówisz, Jessico?

– Ostatnio często cię widywano z panną Huntington na przyjęciach i wieczorkach, i kilka razy towarzyszyłeś jej w przejażdżce po parku. Co innego uczestniczyć w odczytach i tym podobnych imprezach, na których panna Huntington pojawia się w asyście swej ciotki, a co innego spotykać się z nią w parku. Powiedz mi zatem, Lucasie, czy wszystko to zmierza do naszego upragnionego celu?

Lucas ponownie zacisnął zęby na dźwięk słowa „nasz".

– Powstrzymaj swój niepokój, Jessico. Jestem zupełnie zadowolony ze stanu mej znajomości z panną Huntington.

– Nie musisz być taki grubiański, Lucasie. Pragnę jedynie, abyś osiągnął swój cel i poślubił posażną pannę. Wiem, że to twój obowiązek i robię wszystko, by ci pomóc. Pamiętaj, że jest jeszcze panna Pilkington.

Lucas stłumił cisnące mu się na usta przekleństwo i zmusił się do okazania należytej wdzięczności.

– Dziękuję, Jessico. Doceniam twoje wysiłki. Byłaś niezwykle pomocna.

– Tyle przynajmniej mogę uczynić w imię naszej dawnej znajomości. Chyba wiesz, że zawsze cię życzliwie wspominam, Lucasie.

Życzliwość to wszystko, co Jessica Atherton może z siebie wykrzesać, pomyślał. Nie ma w niej odrobiny ognia.

Uśmiechnął się, kiedy napotkał spojrzenie Victorii, stojącej w drugim końcu sali. Właśnie rozmawiała z ożywieniem ze swoją przyjaciółką, Annabellą Lyndwood.

Kiedy Victorię dosięgnie strzała Amora, będzie płonąć jak greckie ognie, pomyślał.

Jakby wyczuwając jego wzrok, uniosła głowę i zobaczyła Lucasa. Powiedziała coś do Annabelli i ruszyła przez tłum.

Obserwował ją, kiedy szła w jego stronę. Udawało mu się to bez trudu ze względu na jej słuszny wzrost i suknię o kanarkowej barwie. Wyglądała dziś olśniewająco, królewsko i nieznośnie prowokująco. Dekolt miała jak zwykle wycięty zbyt głęboko. Nagle zapragnął znaleźć się z nią sam na sam i ściągnąć tę skąpą górę aż do pasa. Piersi Victorii były dla niego źródłem nieustannego zachwytu; sterczące, o miękkich łukach, doskonale mieściły się w jego dłoni.

Kiedy szła ku niemu, pozdrawiając po drodze znajomych i przyjaciół, przypomniał sobie, jak pieścił jej gorącą i aksamitną skórę owej pamiętnej nocy w powozie. Poczuł, że na samo wspomnienie wzbiera w nim pożądanie. Wyglądało na to, że zdobycie Victorii nie będzie prostą sprawą.

Był już mocno zmęczony nieustanną wewnętrzną walką z własnymi pragnieniami, tym bardziej że wyczuwał w Victorii chęć ich spełnienia.

Wiedział jednak, że z tą kobietą musi postępować niezwykle ostrożnie, choć doprowadził do tego, że drżała w jego ramionach wstrząsana dreszczami ekstazy. Jedynie traktując tę sprawę w kategoriach strategicznych, był w stanie trzymać na wodzy własne palące pożądanie. Mimo to nie miał pewności, ile będzie jeszcze mógł znieść tych „eksperymentów".

Uśmiechnął się widząc, jak Victoria się zatrzymuje i obrzuca Jessicę Atherton taksującym spojrzeniem. Po chwili przywołała jednak na twarz serdeczny uśmiech i ruszyła w ich stronę. Tymczasem Jessica mówiła do niego konfidencjonalnym tonem:

– Wiesz, Lucasie, zastanawiałam się, czy rzeczywiście dobrze wybrałeś. Nie ulega wątpliwości, że koneksje Victorii są doskonałe i jest dziedziczką znacznego majątku, jednak nie mam pewności, czy zdołasz ją poskromić.

– Nie obawiaj się, Jessico. Sądzę, że potrafię sobie poradzić z panną Huntington. – Lucas skłonił głowę przed Victorią i powiedział: – Dobry wieczór, panno Huntington. Cóż za zbieg okoliczności, że spotykamy się u Ridleyów. Czy twoja ciotka jest tu również?

W tym momencie poczuł, że Jessica sztywnieje i milknie.

– Tak, oczywiście – odparła Victoria. – Rozmawia właśnie z lady Ridley. Dobry wieczór, Jessico. Masz cudowną suknię. Spodziewam się, że zdrowie ci dopisuje?

Jessica odwróciła się szybko i uśmiechnęła łaskawie.

– Tak, dziękuję, a tobie?

– Byłam lekko niedysponowana przez ostatnie dwa dni – powiedziała Victoria, rzucając Lucasowi ostrzegawcze spojrzenie.

– Przykro mi to słyszeć – odparła Jessica.

– Och, zapewniam cię, że to nic poważnego, jedynie lekka niedyspozycja żołądkowa. Niestety, mój apetyt zależny jest od mojego nastroju, a muszę się przyznać, że ostatnio nie byłam w najlepszym humorze. Czy ty również podobnie reagujesz na zły nastrój?

– Przyznam się, że tak. Często zupełnie tracę apetyt, kiedy mam kłopoty. Cierpię również na migreny – przyznała Jessica.

– Jesteś zawsze taka pełna zrozumienia, Jessico, taka spostrzegawcza, czego nie można powiedzieć o innych. – Victoria uśmiechnęła się znacząco do Lucasa.

Lucas udał, że nie zrozumiał przytyku.

– Mam nadzieję, że czuje się pani lepiej, panno Huntington?

– Och, poczuję się zdecydowanie lepiej, kiedy uda mi się załatwić pewną sprawę, która ostatnio mnie trapi.

– Wiem, co masz na myśli – przyszła jej z pomocą Jessica. – Kłopoty żołądkowe mijają z chwilą, kiedy osiągnie się spokój umysłu.

– To niezwykle trafne spostrzeżenie. – Uśmiech Victorii przyćmił blaskiem słońce. – Lordzie Stonevale, czy mogłabym prosić cię na słowo? – zwróciła się bezpośrednio do Lucasa.

– Jestem do twojej dyspozycji, panno Huntington.

Nie zrobił jednak najmniejszego ruchu, by odprowadzić ją na bok. Uniósł tylko kieliszek do ust.

– O czym chciałabyś, pani, ze mną porozmawiać?

Victoria odchrząknęła znacząco i spojrzała na Jessicę.

– O drobnej sprawie dotyczącej najbliższego odczytu. Zdaje się, że interesują cię, panie, wykłady.

– To zależy od tematu. Czy ten odczyt będzie dotyczył którejś z dziedzin nauki?

– Jak najbardziej. Będzie w nim mowa o intelektualnym eksperymencie.

– Wobec tego chętnie go posłucham. – Wyciągnął zegarek z kieszonki. – Niestety, obiecałem spotkać się w klubie z przyjacielem i obawiam się, że już jestem spóźniony. Zechciej, pani, powiedzieć swej ciotce, że zawsze chętnie przyjmę zaproszenie na wykład jej kółka naukowego i z niecierpliwością będę oczekiwał na następny. Proszę mi wybaczyć, panno Huntington. Lady Atherton.

Skinął uprzejmie głową obu paniom i wyszedł z sali balowej.

To nie była pierwsza taka ucieczka. Dał znak stangretowi, by powóz podjeżdżał. W ciągu ostatnich kilku dni z rozmysłem unikał rozmów z Victorią na osobności.

Wymóg strategiczny.

Był niemal pewny, o czym chciała z nim rozmawiać.

Nie ulegało wątpliwości, że zamierzała go prosić o dalszy ciąg owego intymnego „eksprymentu", którego doświadczyła w powozie po wizycie w szulerni Pod Zielonym Wieprzem. Po raz setny przekonywał się w duchu, że powinien jeszcze poczekać. Przecież nie chce, aby panna przestała go szanować, pomyślał z kwaśną miną, kiedy powóz zatrzymał się przed wejściem do klubu na St James Street.

Istniał jednak jeszcze jeden, znacznie ważniejszy, powód nakazujący rozwagę. To odpowiedzialność za Vicky. Jego obowiązkiem jako przyszłego pana i męża było roztoczyć nad nią opiekę. Kiedy pójdzie z nią do łóżka, pojawi się kolejne niebezpieczeństwo. Mogła przecież zajść w ciążę.

To zresztą też był sposób na osiągnięcie celu. Lecz nie na tym etapie. Teraz pragnął, aby Vicky przyszła do niego z własnej nieprzymuszonej woli. Chciał, by go pragnęła tak mocno, że nie zawahałaby się poświęcić nawet swojej niezależności. Chciał, by za niego wyszła nie z obowiązku, lecz z miłości.

Pokręcił głową z niezadowoleniem. Te starania o zdobycie względów Victorii Huntington groziły, że jego jasny, chłodny, żołnierski umysł zmieni się w romantyczną miazgę.

Klubowa sala gier różniła się zdecydowanie od szulerni, do której zabrał Victorię. Tutaj mieli wstęp jedynie dobrze urodzeni dżentelmeni o uczciwej reputacji. Wokół zielonych stołów panowała atmosfera zdecydowanie spokojniejsza i bardziej arystokratyczna. Za to stawki były znacznie wyższe, co ogromnie zwiększało ryzyko przegranej.

Jednocześnie można było więcej zyskać, a ponieważ nie oszukiwano, Lucas miał sposobność zdobyć trochę grosza.

– O, Stonevale, chciałbym z panem zamienić parę słów.

Ferdie Merivale zerwał się z fotela i spiesznie podszedł do Lucasa.

Lucas uniósł brew na widok młodego człowieka i nalał sobie kieliszek claretu, zastanawiając się jednocześnie, czy za chwilę nie zostanie wyzwany na pojedynek za to, że wyrwał chłopaka ze szponów Zielonego Wieprza. Ciekawe, jak to wytłumaczy damie, która go wpakowała w całe to zamieszanie. „À propos, Vicky, to młode chłopię, które na twoją prośbę ocaliłem przed katastrofą, postanowiło mnie zabić jutro rano". Przynajmniej Molly, ta wiejska dziewczyna, znajdowała się w bezpiecznym miejscu i nic nie zapowiadało, że kiedykolwiek powróci do Londynu.

– O co chodzi, Merivale?

Ferdie zaczerwienił się i usiłował rozluźnić niezwykle wysoko zawiązany halsztuk. Lecz wzrok miał pewny i zdecydowany.

– Chciałbym panu podziękować, milordzie.

Lucas spojrzał na niego ze zdziwieniem.

– Doprawdy? Za co?

– Za twoją, panie, interwencję. Wówczas nie potrafiłem tego docenić. Miałem już za sobą kilka kieliszków claretu, pojmuje pan.

– Kieliszków czy butelek?

– Butelek – przyznał Ferdie z kwaśną miną. – Tak czy owak, nie miałem pojęcia, jakiego rodzaju człowiekiem jest Duddingstone. Teraz już wiem, że żaden uczciwy mężczyzna nie zasiądzie z nim do gry.

– Żaden inteligentny mężczyzna nie zasiądzie z nim do gry – poprawił go Lucas. – Cieszy mnie, że zdałeś sobie z tego sprawę, panie. Nie będę cię zanudzał kazaniami o odpowiedzialności względem nazwiska i majątku, lecz nalegam, byś dwa razy pomyślał, zanim zaryzykujesz więcej niż jesteś w stanie stracić, bez względu na to, czy zasiadasz do gry z człowiekiem uczciwym, czy z oszustem.

– Jesteś, panie, zupełnie pewny, że nie chcesz mnie zanudzać kazaniem? – zapytał z uśmiechem Merivale. – To zupełnie niepotrzebne. Przysięgam, że wysłuchałem już kilku od mojej matki.

Lucas uśmiechnął się.

– Proszę o wybaczenie. Chyba zbyt długo przebywałem w wojsku. Człowiek się przyzwyczaja do pouczania młodych oficerów. I oszczędź mi tych podziękowań, Merivale. Prawdę powiedziawszy, wcale nie miałem zamiaru cię wówczas ratować. Zupełnie inne sprawy zaprzątały moją uwagę.

– Dlaczego więc to zrobiłeś, panie? – zapytał Merivale.

– Mój hm... towarzysz ulitował się nad tobą i poprosił mnie o pomoc.

– Nie wierzę ani jednemu twojemu słowu, panie. Okazałeś niezwykłą uprzejmość, odciągając mnie od gry, w której mógłbym wiele stracić i chcę, abyś wiedział, że jestem twoim dłużnikiem. – Ferdie Merivale skłonił się lekko i wrócił do baru.

Lucas pokręcił głową w niemym zdumieniu. Victoria miała rację. Ferdie Merivale okazał się rozsądnym młodzieńcem. Jeśli chłopak będzie dalej tak postępował, okaże się godnym tytułu i rodziny.

Nic nie wymaże jednak faktu, że w czasie gdy on wpychał Merivale'a do dorożki, Victorii ktoś o mały włos nie przejechał. Za każdym razem, kiedy wspominał tę scenę, oblewał go zimny pot.

Jednak nie czas się roztkliwiać. Miał dziś wieczór zadanie do wykonania. Zabrał butelkę claretu i poszedł do sali gier zorientować się w sytuacji. Musiał nieco zasilić swe finansowe rezerwy. Obracanie się w towarzyskich kręgach Victorii sporo go kosztowało.

Najprzykrzejsze w tym wszystkim było to, że pieniądze miast na potrzeby głodnych pól Stonevale szły na stroje. Pocieszała go jedynie myśl, że trzeba najpierw zainwestować, by móc osiągnąć większe korzyści.

Podszedł do stolika, przy którym grano w wista. Tego mu właśnie było trzeba. Natychmiast zaproszono go do gry. Zajął więc miejsce przy stole, stawiając obok butelkę claretu.

W rzeczywistości niewiele będzie pił tego wieczoru. Już dawno nauczył się, że dzięki jasnemu umysłowi osiągał więcej, niż jego przeciwnicy, pokrzepiający się niezliczonymi butelkami claretu i porto. Ta, którą postawił obok siebie, była jedynie formą kamuflażu.

Po prawie czterech godzinach nieprzerwanej gry uznał, że wygrał dość, by opłacić krawca i szewca, a także służbę na najbliższe kilka tygodni. Postanowił więc wrócić do domu.

Poczuł się bardzo zmęczony. Kilkugodzinne napięcie i koncentracja podczas gry dały mu się we znaki. Jednak tylko dzięki nim mógł wygrywać znaczne sumy.

Wśród mężczyzn z towarzystwa panowała moda na ostrą, ryzykowną grę. Był to jeden ze sposobów na popisanie się bogactwem, szerokim gestem i siłą charakteru oraz zaimponowanie innym zimną krwią. Przegrane traktowano z wystudiowaną pogardą, jakby pieniądze niewiele tu znaczyły. Lecz później wielu z tych mężczyzn wracało do domów i strzelało sobie w łeb.

Lucas zdecydowanie wolał wygrywać i robił wszystko, by to osiągnąć. Ktoś, kto był mistrzem strategii, potrafił doskonałe sobie radzić w grach hazardowych.

Wychodząc z sali, dostrzegł stojącego przy kominku Edgewortha, który przyglądał mu się z wyrazem niechęci na twarzy. Lucas nie przejął się tym zbytnio. On również nie darzył sympatią tego człowieka. Z uczuciem satysfakcji przypomniał sobie, że przed dwoma tygodniami wygrał u niego znaczną sumę pieniędzy. Mimo to, nie miał najmniejszego zamiaru zasiąść z nim ponownie do gry.

– Dobry wieczór, Stonevale. A więc zasmakowałeś, panie, w tej niesfornej małej dziedziczce. – Edgeworth mówił na tyle głośno, aby jego słowa dotarły do Lucasa. – Niezwykle interesująca młoda dama, nieprawdaż?

Lucas przyjrzał się uśmiechniętej szyderczo twarzy Edgewortha, zastanawiając się jednocześnie, czy mógłby po prostu zignorować jego zaczepkę. Niestety nie. Młody Merivale i jego towarzysz usłyszeli pytanie i odwrócili głowy w ich stronę.

– Nie dyskutuję o uczciwych kobietach z ludźmi pańskiego pokroju, Edgeworth – odpowiedział Lucas spokojnie. – Zresztą nie sądzę, abym chciał rozmawiać z panem o jakichkolwiek kobietach.

– Podobno owa dama w ogóle nie ma zamiaru wychodzić za mąż – ciągnął Edgeworth, ignorując ostrzegawczą nutę w głosie Lucasa. – Skoro mariaż nie wchodzi w grę, można oczekiwać, że masz, panie, inne zamiary względem panny Huntington? Tak często widuje się was razem, że trudno nie wyciągnąć wniosku na temat charakteru waszego związku.

Oto, co się dzieje, kiedy człowiek jest dyskretny, gorzko pomyślał Lucas. Nie oskarżył Edgewortha o oszustwo podczas owej niesławnej gry w karty, i to go najwyraźniej ośmieliło do takich uwag.

Uniósł kieliszek do ust i spojrzał na przysłuchujących się owej wymianie zdań młodych ludzi. Merivale i jego towarzysz czekali, jak Lucas zareaguje na zawoalowaną zniewagę, kwestionującą cnotliwość Victorii.

– Byłoby mądrzej powstrzymać się od spekulowania na temat związków panny Huntington – odpowiedział. – Chyba że jest się przygotowanym na spotkanie w Clery Field w towarzystwie dwóch sekundantów.

Edgeworth, Merivale i jego przyjaciel znieruchomieli. Edgeworth spojrzał ostro na Lucasa i zapytał:

– Co chce pan przez to powiedzieć, Stonevale?

Lucas uśmiechnął się zimno.

– Dokładnie to, co usłyszałeś, panie. Mogę puścić w niepamięć tak drobną sprawę, jak oszukiwanie w kartach. Jednak nie mogę milczeć, kiedy znieważa się w mojej obecności godność uczciwej kobiety. Decyzja należy do ciebie, panie.

Edgeworth postąpił krok w przód z twarzą czerwoną z gniewu.

– Do diabła z tobą, Stonevale! Żeby cię piekło pochłonęło, ty draniu! Myślisz, że szczęście zawsze ci będzie sprzyjać?

Po czym odwrócił się i wyszedł z sali.

Merivale i jego towarzysz przyglądali się tej scenie z otwartymi ustami. Lucas przełknął potężny łyk claretu. Powinien chyba mówić o szczęściu, bo Edgeworth najwidoczniej lubił grać jedynie znaczonymi kartami.

– Dobry Boże! – Ferdie Merivale wytarł chusteczką mokre od potu czoło. – Przez chwilę myślałem, że po raz pierwszy w życiu zostanę poproszony na sekundanta. Świetnie pan sobie z nim poradził. Panna Huntington nie zasługuje na takie zniewagi.

– To szczera prawda – wtrącił się jego towarzysz. – Panna Huntington jest niezwykle szlachetną damą. Podtrzymała mnie na duchu, tańcząc ze mną na moim pierwszym balu, kiedy byłem przekonany, że zrobię z siebie pośmiewisko. Dzięki niej nie tylko nabrałem pewności siebie, ale i nie miałem żadnych kłopotów z zaproszeniem do tańca innych partnerek.

– Zaopiekowała się moją siostrą – dodał Merivale. – Biedna Lucinda była tak strasznie onieśmielona, kiedy przed rokiem wchodziła w świat. Strach ją wprost paraliżował. Wówczas panna Huntington wzięła ją pod swoje opiekuńcze skrzydła i udzieliła kilku cennych rad. Mama była jej za to niewymownie wdzięczna. Jako przyjaciółka panny Huntington Lucinda wkrótce otrzymała wiele wspaniałych zaproszeń.

– Edgeworth zrejterował, co? – zauważył towarzysz Merivale'a. – Słyszałem, że ten człowiek nie przykłada zbyt wielkiej wagi do uczciwej gry.

– Przypuszczam, że Edgeworth jest wściekły na pana z powodu owej pamiętnej sceny przy karcianym stoliku – powiedział wolno Ferdie. – Wszyscy wiedzą, że jesteś, panie, zbyt dobrym graczem, by przez przypadek upuścić karty na podłogę. Kiedy poprosiłeś o nową talię i zacząłeś wygrywać, wszystkich zastanowiło, dlaczego Edgewortha tak nagle opuściło szczęście. Od tego czasu coraz trudniej mu zasiąść do gry. Nie zdziwiłbym się, gdyby go wyrzucono ze wszystkich klubów.

– To interesujące, co mówicie, ale wybaczcie mi, panowie, na mnie już czas. – Lucas skinął głową obu młodzieńcom.

Chwilę później zszedł po stopniach prowadzących do klubu i zatrzymał przejeżdżającą dorożkę. Rozsiadł się wygodnie na poduszkach i odetchnął głęboko. Musiał przemyśleć kilka spraw.

Potarł w zamyśleniu brodę i zapatrzył się w okno. Gra, którą prowadził z Victorią, stawała się coraz bardziej ryzykowna. Oprócz niebezpieczeństw, jakie czyhały na nich podczas nocnych wypraw, pojawiło się nowe – groźba utraty reputacji. Nie wystarczyłoby zabić Edgewortha w pojedynku, by uciszyć raz powstałe plotki.

Nie można dopuścić, aby Victoria utraciła dobre imię. Ktoś mógłby się dowiedzieć o ich nocnych schadzkach, a już i tak zaczęto plotkować na ich temat.

Doskonale wiedział, że gdyby nawet odmówił swego uczestnictwa w nocnej wyprawie, to Victoria i tak poradziłaby sobie w inny sposób. Zdecydowanie zbyt pewnie czuła się w tym swoim męskim przebraniu.

W dodatku istniało niebezpieczeństwo, że znajdzie sobie kogoś innego do pomocy, a tego już by nie zniósł.

Zaczął bezwiednie masować chorą nogę. Trzeba bezwzględnie zakończyć te niebezpieczne konkury. Jedynym wyjściem z sytuacji było małżeństwo z Victorią. Musi to zrobić jak najszybciej. Jego nerwy nie zniosą dłużej takiej dawki szaleństwa.

Lucas założył ręce na piersi i spojrzał znacząco na Victorię, która wierciła się niespokojnie na krześle obok. Udała, że tego nie dostrzega, poprawiając fałdy sukni.

Siedząca z drugiej strony Cleo Nettleship słuchała z uwagą sir Elihu Winthorpa, który wygłaszał odczyt na temat zasad uprawy gryki.

Lucas uznał temat za interesujący, planował bowiem obsiać gryką część pól w Stonevale. Była to doskonała pasza dla bydła i owiec, a z tego, co mówił Winthorp, wynikało, że na kontynencie służyła również ludziom. Powszechnie wiadomo, że tam się je prawie wszystko, jednak w Anglii bywały okresy, kiedy brakowało pszenicy, a gryka mogła te braki uzupełnić.

Victoria niecierpliwie uderzała stopą o podłogę. Najwyraźniej myślała dziś o czymś innym, a Lucas domyślał się, o czym.

Uśmiechnął się z satysfakcją. Nie miał najmniejszego zamiaru ułatwiać jej czegokolwiek. Teraz, kiedy wpadła w zastawioną przez niego pułapkę, powinna sama spróbować się z niej wyplątać. Przypomniał sobie, jak cudownie reagowała na jego pieszczoty, czując jednak, co się z nim dzieje, natychmiast skupił się na wykładzie. Winthorp rozwodził się właśnie nad sposobami nawożenia pól pod grykę.

– Niezwykle pouczające – stwierdziła lady Nettleship po skończonym odczycie. – Choć muszę przyznać, że bardziej interesują mnie wykłady na temat roślin egzotycznych. Powinno się jednak znać najnowsze metody upraw. Czy podobał ci się wykład, Lucasie?

– Bardzo. Jeszcze raz dziękuję, że zechciałaś mnie, pani, o nim zawiadomić.
– Nie ma za co, nie ma za co. Jesteś gotowa do wyjścia, Victorio?
– Tak, ciociu Cleo. – Victoria trzymała już w ręku kapelusz i torebkę.
– Jeszcze chwileczkę, Vicky. Dostrzegłam parę osób, z którymi powinnam porozmawiać. – Cleo rozglądała się po sali z ożywieniem. – Zaraz do was dołączę.

Victoria rzuciła Lucasowi znaczące spojrzenie, kiedy ruszyli w dół po schodach do wyjścia. Doszedł do wniosku, że wygląda uroczo w żółtym spencerze i białej sukni spacerowej. Poczuł, że wzbiera w nim duma. Sprowadził ją ze schodów, kłaniając się po drodze kilku znajomym osobom. Musieli zatrzymać się w holu i wymienić zdawkowe uwagi ze znajomymi. Lucas czuł, że Victoria aż kipi z niecierpliwości.

– Czy coś się stało? – zapytał od niechcenia, kiedy zatrzymali się przy wyjściu, czekając na lady Nettleship.
– Nie, ale muszę z tobą porozmawiać, Lucasie.
– A więc stało się coś.
– Nic się nie stało. Chcę jedynie porozmawiać z tobą na osobności, a nie miałam po temu okazji od tej nocy, kiedy... – Urwała i oblała się rumieńcem, po czym odchrząknęła i dokończyła: – Od tej nocy, kiedy byliśmy Pod Zielonym Wieprzem.
– Jeśli już o tym mówimy, to spotkałem niedawno w klubie Ferdiego Merivale'a. Zapewne będziesz szczęśliwa, jeśli ci powiem, że wcale nie był na mnie zły. Nawet mi podziękował za wybawienie go z opresji. Wygląda na to, że odzyskał rozum.

Victoria aż pojaśniała.
– Tak się cieszę. Zawsze lubiłam Ferdiego i jego siostrę.
– Zatem wielka szkoda, że nie mogłem powiedzieć mu, komu ten sukurs zawdzięcza. Jeśli o mnie chodzi, zostawiłbym go na pastwę losu.
– Tylko dlatego, że musiałeś chronić mnie – przyznała ze wzruszającą lojalnością. – Gdyby nie to, jestem pewna, że sam byś coś przedsięwziął. Zaopiekowałeś się przecież małą Molly.

Lucas uśmiechnął się krzywo.
– Czy będziesz dziś wieczór u Foxtonów?
– Tak, ale chyba wiesz, jak trudno znaleźć w tym tłumie okazję do chwili rozmowy. Może spotkamy się na przejażdżce w parku jutro po południu?
– Bardzo bym chciał, ale niestety mam inne plany.
– Ach tak? Naprawdę nie będziesz miał chwili czasu? Choćby pięciu minut koło piątej?

Zrobiło mu się jej żal. Biedna dziewczyna, zbyt daleko zabrnęła i nie umiała się z tego wyplątać. Zastanawiał się, jak by jej pomóc.

– Nie lubię tych popołudniowych przejażdżek po parku, Vicky. Zbyt tam tłoczno.

– Tak, wiem, ale muszę z tobą porozmawiać. Jeśli nie chcesz spotkać się ze mną w parku, to przyjdź do ogrodu dziś wieczorem. – Zniżyła głos. – To naprawdę bardzo ważne, Lucasie.

– Niestety, nie zaplanowałem na dzisiejszy wieczór żadnej wycieczki. Przecież wiesz, że te sprawy wymagają pewnych przygotowań.

– Do diabła! – syknęła. – Nie planuję żadnej wycieczki. Muszę się jedynie z tobą zobaczyć. Byłabym wielce zobowiązana, gdybyś mógł umieścić mnie w twoim, jakże bogatym, rozkładzie dnia.

Spojrzał na nią z lekkim zdziwieniem.

– Wygląda pani na zdenerwowaną, panno Huntington.

– Bo jestem, lordzie Stonevale – rzuciła Victoria gniewnie. – Stajesz się wprost irytujący.

– Mam na względzie jedynie twoją reputację, Victorio. Musimy być niezwykle ostrożni – powiedział, rozglądając się na boki.

– Do diabła z moją reputacją! Muszę z tobą pomówić!

Zaskoczyła go i jednocześnie uradowała jej niecierpliwość. Najwidoczniej dziewczyna była u kresu wytrzymałości. Jeden Bóg wie, jak bardzo i jemu trudno było trzymać nerwy na wodzy. Najwyższy czas położyć temu kres.

– Dobrze więc – oświadczył, udając głęboki namysł. – Przejrzę moją książkę spotkań i sprawdzę, czy mogę spędzić z tobą parę minut w ogrodzie dziś około północy. Czy to ci odpowiada?

– To niezwykle uprzejme z twojej strony, milordzie.

Drgnął, widząc że Victoria pokazuje mu język.

– Ach, drobnostka.

– Zaczynam podejrzewać, że drwisz sobie ze mnie, Lucasie.

Spojrzał na nią zaskoczony. Nie wolno mu zapominać, że ma do czynienia z niezwykle bystrą kobietą.

– Zrobię wszystko, żeby być dziś w ogrodzie. A teraz wybacz mi, proszę, ale dostrzegłem Tottinghama. Obiecał pożyczyć mi egzemplarz *Historii naturalnej i zabytków starożytności w Selborne* White'a. Od dawna pragnąłem przeczytać tę książkę.

– Nie musisz o nią prosić Tottinghama, milordzie – powiedziała chłodno Victoria. – Jeśli postarasz się ze mną spotkać dziś wieczorem, pożyczę ci mój egzemplarz.

– Victorio, moja słodka, czyżbyś próbowała mnie przekupić? – zapytał z uśmiechem.

Zarumieniła się lekko i odwróciła w poszukiwaniu ciotki.

8

Lucas wdrapał się na mur i dostrzegł Victorię czekającą pod drzewem. Wyglądała jak piękna zjawa, otulona w kasztanową aksamitną pelerynę z kapturem, oblamowaną żółtą satyną. Była to ta sama peleryna, którą miała na balu u Foxtonów.

Ostrożnie zeskoczył na ziemię, jak zwykle przenosząc ciężar ciała na prawą nogę, a lewą utrzymując równowagę. Mimo to poczuł ostry ból w udzie. Nie nadawał się do wspinaczek po ogrodowych murach.

Zaczął bezwiednie masować bolącą nogę. Jak mógł dopuścić, żeby to Victoria dyktowała reguły gry? Ona po prostu wodziła go za nos.

Najwyższy czas zaciągnąć ją do łóżka i uczynić swoją. Co prawda, wolałby się najpierw z nią ożenić, ale zadowoli się tym, co może dostać. Już sama myśl o spędzeniu z Victorią nocy w wygodnym łożu, zamiast tłuczenia się w wynajętych powozach i igrania z niebezpieczeństwem przynosiła ulgę chorej nodze i utwierdzała w przekonaniu, że jest to pierwszy krok do małżeństwa.

– Lucas? – szepnęła najciszej, jak mogła, idąc ku niemu po mokrej trawie. Uniosła okrytą kapturem głowę i popatrzyła na niego z wyrazem takiej ufności i słodyczy na twarzy, że aż serce mu się ścisnęło.

Jęknął i objął dłońmi jej twarz. Bez słowa pochylił się i przywarł do jej ust gorącymi wargami. Kiedy wreszcie ją puścił, ciało płonęło mu pożądaniem.

– Znosiłem męki, widząc, jak tańczysz z tymi wszystkimi mężczyznami u Foxtonów – mruknął przez ściśnięte gardło.

– Lucasie, proszę, przestań mnie tak całować. Mamy niewiele czasu. Ciotka wkrótce wróci do domu. Powiedziałam jej, że mam migrenę, dlatego wychodzę wcześniej z balu. Na pewno zajrzy do mego pokoju.

– Cóż to za ważna sprawa zmusza cię do wystawiania na szwank własnej reputacji, Vicky?

Otuliła się szczelniej peleryną i spojrzała mu śmiało w oczy połyskujące w świetle księżyca.

– Sądziłam, że nie będzie to trudne, lecz teraz widzę, że się myliłam.

Zapragnął nagle przyciągnąć ją do siebie i zapewnić, że nie musi nic mówić, ale opanował tę pokusę. Sama musi zrobić pierwszy krok. Strategia przede wszystkim, nakazał sobie w duchu. Nie wolno mu o niej zapominać, a także o tym, że nie może ponosić winy za uwiedzenie Victorii. Lepiej będzie dla nich obojga, jeśli to ona zaproponuje intymny związek.

– Słucham cię, moja słodka.

Uniosła brodę z determinacją.

– Wiele ostatnio myślałam.

– Nie zawsze wychodzi to na zdrowie. Zbyt wiele myśli burzy spokój umysłu.

– No cóż, mój już został zburzony. – Odwróciła się i zaczęła chodzić tam i z powrotem po mokrej trawie. Zdawała się nie zważać na to, że jej satynowe pantofelki nasiąkają wilgocią.

– Długo się zastanawiałam, zanim podjęłam decyzję. Z powodów, które z pewnością zrozumiesz, nie mogłam o tym rozmawiać z moją ciotką.

– Rozumiem – skinął z powagą głową. – Są sprawy, o których nie można dyskutować nawet z najbliższymi.

– Otóż to. – Odwróciła się i ruszyła w przeciwnym kierunku. – Chyba mówiłam ci już o tym, że nie zamierzam wychodzić za mąż.

– Wiele razy.

– Jednak ostatnio doszłam do wniosku, że nie miałabym nic przeciwko… przeciwko romantycznemu związkowi z mężczyzną.

– Rozumiem.

– Cieszy mnie to, trudno jest mi bowiem ująć to w słowa. – Zatrzymała się, po czym ponownie podjęła spacer. – Czy e… pamiętasz, co zdarzyło się tej nocy w powozie, kiedy wracaliśmy z jaskini hazardu?

– Doskonale.

Nasunęła kaptur mocniej na twarz.

– Ku memu zaskoczeniu przekonałam się wówczas, jak… silny może być związek między kobietą i mężczyzną.

Ukrył rozbawienie.

– Cieszy mnie, że uznałaś to doświadczenie za przyjemne.

– Przyjemne? – Zatrzymała się gwałtownie i spojrzała na niego szeroko otwartymi oczyma. – Było więcej niż przyjemne. Onieśmielające pod pewnymi względami, lecz niezwykle podniecające. Wprost zachwycające.

Rozczuliła go ta urocza szczerość.

– Pochlebiasz mi.

– Bynajmniej. – Podjęła na nowo spacer. – Lucasie, wiele o tym myślałam i doszłam do wniosku, że pragnęłabym powtórzyć to doświadczenie. Prawdę rzekłszy, to pragnęłabym posunąć się dalej. Rozumie się, z przyczyn czysto poznawczych.

– Z przyczyn czysto poznawczych – powtórzył wolno. – Tak jak zbieranie chrabąszczy, przypuszczam?

– Myślę, że można to tak określić.

– Czy mnie również umieścisz w pudełku za szkłem, kiedy zakończysz badania?

Spojrzała na niego chmurnie.

– Nie waż się ze mnie żartować, Lucasie. Daleka jestem w tej chwili od żartów.

– Zauważyłem.

– Jeśli mam być całkiem szczera, to chciałabym nawiązać z tobą taką znajomość, jaka łączy Isabel Rycott z Edgeworthem.

– Dobry Boże, mam nadzieję, że nie.

Victoria zatrzymała się i popatrzyła na niego z wyrazem zaskoczenia i pomieszania na twarzy.

– A więc nie chcesz mnie?

Bez słowa porwał ją w ramiona i przywarł do jej warg z taką namiętnością, że aż zadrżała. Potem objął dłońmi jej twarz i spojrzał w oczy wzrokiem, w którym zawierała się cała głębia jego pożądania.

– Pragnę cię bardziej niż czegokolwiek na tej ziemi. Nigdy o tym nie zapominaj, Victorio. Bez względu na to, co się zdarzy, obiecaj, że nigdy o tym nie zapomnisz.

Dotknęła jego dłoni i uśmiechnęła się tkliwie.

– I ja cię pragnę, Lucasie. Nigdy dotąd czegoś takiego nie odczuwałam. Czy będziesz się ze mną kochał?

– Och, Vicky, moja słodka, niesforna, namiętna dziewczyno. – Porwał ją w ramiona, trawiony sprzecznymi uczuciami: pożądania, czułości i ulgi. – Rozpalę w tobie taki ogień, że oboje spłoniemy w jego żarze.

– To nie brzmi zbyt zachęcająco – szepnęła, kryjąc twarz na jego piersi.

Uśmiechnął się.

– Zaczekaj, dopóki się nie przekonasz.

Zaśmiała się cicho i otoczyła rękami jego talię.

– Lucasie, jestem taka podekscytowana.

– Ja również – wyszeptał i dodał po chwili: – To prawie tak, jakbyś właśnie zgodziła się zostać moją żoną.

Zesztywniała.

– Lucasie...

– Powiedziałem: prawie. Uspokój się, Vicky. Nie miałem zamiaru cię przestraszyć, ale chyba zdajesz sobie sprawę, że nie miałbym nic przeciwko trwalszemu związkowi. Czy nie zechciałabyś zastanowić się nad propozycją małżeństwa?

Wstrzymał oddech, modląc się w duchu, żeby powiedziała: tak, a wówczas wszystko stałoby się o wiele prostsze.

– Dzięki ci, Lucasie. To bardzo miłe z twojej strony. Zupełnie niepotrzebne, ale bardzo miłe. Doceniam twoją propozycję, nie musiałeś bowiem jej czynić – powiedziała z rozjaśnioną twarzą.

– Ale odpowiedź brzmi: nie?

– Oczywiście, ale dziękuję, że zapytałeś. – Uniosła głowę i dotknęła lekko wargami jego ust. Po czym uśmiechnęła się promiennie. – A teraz zastanówmy się nad naszym planem.

Wymijająca odpowiedź Victorii zirytowała Lucasa. Ta mała bałamutka sądzi, że może mieć wszystko za darmo. Chyba nadszedł już czas, aby zrozumiała, że to wszystko nie jest takie proste, jak sądzi.

– Dobrze więc. Kiedy?

Zamrugała oczami.

– Kiedy co?

– Kiedy spotkamy się po raz pierwszy jako kochankowie? I jak to zorganizujemy? Myślałaś o tym? Przecież trzeba to dokładnie zaplanować. Jest jeszcze sprawa miejsca. Nie możemy tak po prostu wynająć dorożki, która będzie jeździć po Londynie przez kilka godzin, kiedy my się będziemy w niej kochać. To bardzo niewygodne, poza tym nie chcę, by woźnica się czegoś domyślił – oświadczył Lucas szorstko.

Wyraz zaskoczenia na obliczu Victorii ustąpił zatrwożeniu.

– Myślałam... myślałam, że ty się wszystkim zajmiesz. To znaczy, sądziłam, że wiesz, jak się takie sprawy załatwia.

– Nie bardzo. Nigdy dotąd nie pozostawałem w intymnym związku z dobrze urodzoną młodą damą. Tego się nie robi, Victorio. W każdym razie nie wśród dżentelmenów. Stawiasz mnie w niezwykle kłopotliwej sytuacji.

Jęknęła.

– Ciocia Cleo ostrzegała mnie, że wystawiam na szwank nie tylko moją reputację, lecz także i twoją.

– Doprawdy? – Lucasa nie zdziwiła wiadomość, że lady Nettleship domyśla się, do czego to wszystko zmierza. Ciekawe, ile ona naprawdę wie. –

Lady Nettleship jest niezwykle spostrzegawczą kobietą. To oczywiste, że nie pochwala wystawiania na szwank dobrego imienia.

– Zdaję sobie sprawę, że nie jest to dla ciebie łatwe, Lucasie, i że z pewnością wiąże się to z pewnym ryzykiem.

– Chylę czoło przed twoją roztropnością, Vicky.

Przygryzła wargę i spojrzała na niego z ukosa.

– Widzę, że nieuczciwością z mojej strony było proponować ci coś takiego.

– Jak sama powiedziałaś, pociąga to za sobą pewne ryzyko.

Westchnęła żałośnie.

– Masz słuszność. Nie mam prawa narażać na szwank ani twojej, ani mojej reputacji. Może powinniśmy o tym po prostu zapomnieć.

– Pozostaje jeszcze moja propozycja – powiedział wolno.

Poklepała go czule po ramieniu, jakby był poczciwym chłopczykiem.

– Twoja propozycja małżeństwa jest urocza, Lucasie. Obawiam się jednak, że jedynym dla mnie wyjściem jest poczekać kilka lat, póki nie zostanę uznana za prawdziwą starą pannę. Może wówczas nikt już się nie obruszy, jeśli zdecyduję się pójść w ślady lady Rycott. Wybacz mi, Lucasie. Niepotrzebnie podjęłam ten temat.

Zaniepokoił się widząc, że Victoria chce się wycofać. W dodatku za jedyne wyjście uważa staropanieństwo. Jeśli teraz pozwoli jej odejść, może jej nigdy nie odzyskać. Co więcej, mogłaby znaleźć innego mężczyznę, który nie oglądając się na ryzyko, przystałby na jej propozycję.

Chwycił ją szorstko za brodę.

– Jeśli romantyczny związek jest właśnie tym, czego pragniesz, Victorio, to zaszczytem dla mnie będzie w nim uczestniczyć.

Jej twarz rozjaśnił uśmiech, a w oczach błysnęło coś na kształt kobiecego triumfu.

– I potraktujesz to jako intelektualny eksperyment, milordzie?

W głowie Lucasa rozdzwonił się nagle spóźniony dzwonek alarmowy. Przyjrzał się podejrzanie zadowolonemu wyrazowi twarzy Victorii i zrodziło się w nim obrzydliwe podejrzenie, że został właśnie wyprowadzony w pole.

– Zawsze byłem gorącym zwolennikiem intelektualnych eksperymentów – odparł chmurnie.

– Och, Lucasie, jak mam ci dziękować? – Zarzuciła mu ręce na szyję i objęła mocno. – Jesteś dla mnie taki dobry.

Zaklął cicho pod nosem, lecz nie mógł zaprzeczyć, że jej radość sprawia mu przyjemność. Wyglądało na to, że bardzo trudno czegokolwiek odmówić

Victorii. Powinien uważać na to w przyszłości. Niechętnie uwolnił się z jej objęć i ucałował ją w czubek nosa.

– A więc postanowione. Teraz, moja słodka, wracaj lepiej do domu. Zdaje mi się, że słyszałem powóz nadjeżdżający ulicą.

– O Boże! To na pewno ciotka Cleo. – Odwróciła się i ruszyła w stronę domu, po chwili jednak przystanęła i obejrzała się niespokojnie. – Uważaj na nogę, Lucasie, kiedy będziesz przechodził przez mur. Ta wspinaczka nie wychodzi jej wcale na zdrowie.

– W zupełności się z tobą zgadzam. – Przeklęta noga zdążyła już dać znać o sobie. – Mam nadzieję, że wkrótce te wspinaczki nie będą już potrzebne. Dobranoc, Vicky.

– Jeśli chodzi o nasze pierwsze hm... spotkanie... – Popatrzyła niespokojnie na drzwi do oranżerii, bo teraz i ona usłyszała turkot kół powozu.

– Nie zaprzątaj sobie tym głowy, Vicky. Zajmę się wszystkim.

– Naprawdę?

Stanął na murze i spojrzał jej w oczy. Zmełł w ustach przekleństwo.

– Naprawdę, Vicky. To należy do moich obowiązków, czyż nie?

– Dasz mi znać, kiedy wszystko przygotujesz? – zapytała z ufnością.

– Możesz mi wierzyć, kochanie, że pierwsza się o tym dowiesz.

Zeskoczył z muru w ciemny zaułek. Zranione udo gwałtownie zaprotestowało. Ból w nodze przybrał na sile, kiedy ruszył ulicą w stronę czekającego powozu. W ten czy inny sposób musi definitywnie położyć kres tym wspinaczkom. Ostrożnie rozejrzał się na boki, przeszedł na drugą stronę ulicy i skręcił za róg. W tym momencie wyrósł jak spod ziemi człowiek z nożem w ręku.

Był nieco zaskoczony nagłym pojawieniem się Lucasa. Najwidoczniej czekał na swoją ofiarę i nie dosłyszał zbliżających się kroków. Natychmiast jednak wymierzył cios nożem.

Lucas zdążył wykonać unik i zaklął, bo noga odmówiła mu posłuszeństwa. Opadł ciężko na kolano, ignorując szarpiący ból w udzie i chwycił napastnika za uzbrojone ramię.

Rozległ się ryk wściekłości i zaskoczenia, kiedy Lucas przekręcił się na plecy i szarpnął bandytę ostro za rękę. Nieznajomy uderzył w mur kamienicy stojącej na rogu i nóż wypadł mu z dłoni.

Lucas przetoczył się na kolana, po czym wstał i oparł się o ścianę domu. W lewej nodze czuł rwący ból.

Napastnik tymczasem zdążył już zniknąć w ciemności. Jedynie echo powtarzało stukot oddalających się kroków. Nie próbował nawet odzyskać noża.

– Hej tam! – krzyknął woźnica, nadbiegając ze spóźnioną pomocą. – Co się dzieje? Czy coś się wam stało, panie? Jesteście ranni?

– Nie. – Lucas spojrzał na swój drogi westoński surdut i zaklął ponownie. Zapłacił za niego fortunę, a teraz będzie musiał sprawić sobie nowy.

– Jakiś rozbójnik próbował pewnie przywłaszczyć sobie pańską sakiewkę – stwierdził woźnica, pochylając się, by podnieść nóż. – Ohydne narzędzie. Ten drań pewnie zwąchał interes.

– Najwidoczniej – przytaknął Lucas. – Nie wiem tylko, jakiego rodzaju.

– Ulice nie są bezpieczne ani dla jaśnie panów, ani dla bandytów – zauważył woźnica. – Świetnie z nim sobie poradziliście, panie. Śmigał, aż się kurzyło. Takich rzeczy uczą zapewne w Akademii Jacksona?

– Nie. Uczyłem się tego w o wiele cięższych warunkach. – Lucas ruszył w stronę powozu, wstrzymując oddech, bo noga bolała niemiłosiernie. Zatęsknił nagle za butelką porto, czekającą na niego w bibliotece. – Ruszajmy. Nie mam zwyczaju spacerować o tej porze po ulicy.

– Tak jest, panie. Chciałem tylko powiedzieć, że nie spotkałem dotąd dżentelmena, który by tak świetnie sobie radził w ulicznej bójce. Większość panów, z jakimi miałem do czynienia, kończyła z poderżniętym gardłem.

Victoria weszła do pokoju i cicho zamknęła za sobą drzwi. Po czym oparła się o drewniane odrzwia i odetchnęła głęboko. Serce waliło jej jak młotem, a nogi miała jak z waty.

Udało się!

Wymagało to większej odwagi, niż sądziła, ale postawiła na swoim. Będzie miała romans z Lucasem Mallorym Colebrookiem, hrabią Stonevale.

Ręce jej się trzęsły, kiedy ruszyła niepewnie przez pokój w stronę ciemnego okna. Teraz, kiedy po tylu dniach zmagań ze sobą osiągnęła wreszcie swój cel, zaczęły ogarniać ją wątpliwości. Czy aby nie naraża się na zbyt wielkie niebezpieczeństwo?

Jednak perspektywa doświadczenia namiętności w ramionach Lucasa warta była każdego ryzyka.

Jakiż z niego wspaniały mężczyzna. To nie jeden z tych głupich wymuskanych dandysów czy gruboskórnych rozpustników. Obawiał się o jej reputację, a jednak uszanował jej życzenie niewiązania się węzłem małżeńskim. Wyglądało na to, że nie zależy mu na jej majątku, lecz na niej samej.

– Dobry Boże! Czyżbym zakochała się w tym człowieku? – Victoria wstrzymała oddech, kiedy dotarło do niej, co przed chwilą powiedziała. – Przecież tak właśnie jest.

Jakież to wspaniałe! Być zakochaną i wolną. Czegóż więcej mogłaby pragnąć kobieta?

Wpatrywała się w ciemność za oknem, usiłując dostrzec w niej swoją przyszłość. Lecz wszystko wydawało się takie mgliste i niepewne. W końcu udała się na spoczynek.

O świcie nagle się obudziła i usiadła na łóżku.

„Ty suko szatana! Odeślę cię z powrotem do piekła!

Nóż! Dobry Boże, nóż!"

Nie potrafiła sobie przypomnieć szczegółów koszmaru, który wyrwał ją ze snu, ale i tak nie miało to znaczenia. Od kilku miesięcy miewała podobne sny, po których budziła się zlana potem, z uczuciem porażającego strachu przed czymś trudnym do określenia.

Przynajmniej tym razem nie krzyczałam, pomyślała z ulgą. Czasami budziła się z krzykiem i biedna Nan musiała ją uspokajać.

Postanowiła wstać z łóżka. Wiedziała z doświadczenia, że światło dnia rozwieje nocne strachy. Nie miały już sensu ponowne próby zaśnięcia.

Odsunęła kotarę. Za oknem świtało i wkrótce poranne światło zaleje oranżerię. Wymarzona pora na malowanie. Kiedy inne sposoby zawodziły, spokój i wytchnienie odnajdywała w tworzeniu.

Ubrała się i zeszła na dół. Służba już się krzątała. Z kuchni dochodził stuk rondli.

Sztalugi, pudło z farbami i szkicowniki leżały tam, gdzie je pozostawiła. Rozglądała się przez chwilę po zielonej oranżerii i jej wzrok padł na zachwycającą swym kwiatowym bogactwem *Strelitzia reginae*.

W jasnym świetle poranka kwiat błyszczał mieszaniną złota i żółci, wyglądał jak bursztyn muśnięty błękitem.

Szybko ustawiła sztalugi tak, by go dobrze widzieć. Przypomniała sobie, że Lucas zachwycał się nim podczas swej pierwszej wizyty w oranżerii.

Postanowiła namalować kwiat dla niego. Podobały mu się przecież jej akwarele i szkice, poza tym żywo interesował się ogrodnictwem. Może spodoba mu się *Strelitzia reginae* jako pamiątka ich pierwszej intymnej nocy? Będzie to jej dar dla niego.

Zupełnie jak prezent ślubny, przemknęło jej przez myśl. Otworzyła pudło z farbami i w tym momencie dostrzegła tabakierkę. Przez kilka sekund przyglądała się jej ze zdziwieniem, zastanawiając się, jakim sposobem znalazła się właśnie w tym miejscu. To doprawdy zadziwiające, podobnie jak historia z szalem, który parę dni temu znalazła na drzwiach oranżerii.

Z lekką obawą wzięła tabakierkę do ręki i obejrzała ją uważnie. Było to ładne pudełeczko, niczym się jednak niewyróżniające, z wyjątkiem litery „W" wygrawerowanej na wewnętrznej stronie wieczka.

Na chwilę straciła oddech. Przecież duchów nie ma, pomyślała gniewnie. Lecz fakt, że ktoś może bawić się z nią w ten sposób, był bardziej przerażający niż perspektywa zobaczenia upiora.

To zupełnie niemożliwe, przekonywała siebie w duchu, biorąc kilka głębokich oddechów, by uspokoić nerwy. Musi być rozsądna. Ta tabakierka nie może należeć do ojczyma, podobnie jak ów szal, znaleziony kilka dni temu. To po prostu dziwny zbieg okoliczności. Z pewnością musiał zostawić obie te rzeczy któryś ze znajomych ciotki podczas swej bytności w oranżerii. Szal spostrzegła od razu, natomiast tabakierka musiała leżeć w pudle z farbami od jakiegoś czasu.

Było to jedyne rozsądne wytłumaczenie, nikt bowiem, z wyjątkiem niej samej, nie wiedział, co się naprawdę zdarzyło owej strasznej nocy, kiedy jej ojczym postradał życie u stóp schodów.

Victoria omiotła wzrokiem rozjarzoną światłami salę balową w pałacu Middleshipów, którą wypełniał tłum elegancko ubranych gości i ze zdumieniem stwierdziła, że jest zdenerwowana i podekscytowana jak panna młoda podczas weselnego przyjęcia. To miało się stać tej nocy. Właściwie podobało jej się, że wszystko to przypomina prawdziwą weselną uroczystość.

Przed trzema dniami Lucas poinformował ją, że poczynił już przygotowania do ich pierwszej wspólnej nocy. Jednak powodzenie całego planu zależało od wyjazdu lady Nettleship na wieś. Na szczęście Cleo zdecydowała się pojechać i dziś rano wyruszyła do podlondyńskiej posiadłości swych przyjaciół.

– Czy naprawdę nie masz nic przeciwko temu, że zostaniesz tu sama na noc? – zapytała Cleo po raz trzeci, wiążąc pod szyją budkę i sprawdzając podróżne torby.

– Nie sama, ciociu. Zostaje przecież cała służba, łącznie z Nan. Poza tym, jeśli sobie przypominasz, idę dziś wieczór na bal do Middleshipów i na pewno nie wrócę przed świtem, a ty wracasz przecież już po południu.

– No cóż, masz już prawie dwadzieścia pięć lat, chyba więc nie popełnię nieprzyzwoitości, zostawiając cię samą na jedną noc. Na bal zaś pojedziesz w towarzystwie lady Lyndwood i jej córki. Uważaj na siebie, Vicky.

Ucałowała Victorię i wsiadła do powozu. Dziewczyna pomachała jej na pożegnanie i wówczas poczuła lekki skurcz żołądka na myśl o tym, co ją czeka.

To się stanie dziś w nocy. Nie mogła się już wycofać. Pragnęła tego i pragnęła Lucasa. Już wkrótce nawiąże romans z mężczyzną, którego kocha. Sama myśl o tym sprawiała, że serce zaczynało jej mocniej bić.

Umówiona godzina zbliżała się nieubłaganie. Victoria zaczęła dyskretnie wycofywać się z sali. Lucas z pewnością już na nią czeka.

– Wychodzisz, Victorio? – Nagle jak spod ziemi wyrosła przy niej lady Rycott.

– Niestety, mam jeszcze kilka umówionych spotkań dziś wieczorem – odpowiedziała uprzejmie Victoria. – Obiecałam, że wpadnę na chwilę do Bridgewaterów, a potem czeka mnie jeszcze raut.

Isabel uderzyła lekko Victorię wachlarzem po ręku i uśmiechnęła się do niej tajemniczo.

– Doskonale cię rozumiem, moja droga. Będziesz jeździć od balu do balu, dopóki nie spotkasz hrabiego, prawda?

Victoria oblała się rumieńcem.

– Nie rozumiem, o czym pani mówi, lady Rycott.

Isabel roześmiała się cicho, lecz z dziwnym odcieniem goryczy.

– Nie ma się czego wstydzić, moja droga. To nic strasznego poczuć nagle sympatię do interesującego mężczyzny. Taka jest kobieca natura. Lecz mądra kobieta cały czas panuje nad emocjami i sytuacją. Wybiera mężczyzn niezbyt silnych, którymi z łatwością może kierować.

– Proszę wybaczyć, lady Rycott, ale naprawdę muszę już iść.

– Tak, oczywiście, zapamiętaj jednak moje słowa. Jako przyjaciółka Samuela i Karoliny pragnę jedynie twego dobra. – Jej oczy błysnęły nagle wrogo. – I nie musisz tak zadzierać nosa!

Victoria spojrzała na nią zaskoczona.

– Zapewniam cię, pani, że nie miałam zamiaru cię obrazić.

Na ustach Isabel pojawił się uśmiech, który nie był ani czarujący, ani tajemniczy.

– Słyniesz z uprzejmości, prawda? Ale ja wiem, co myślisz o mym przyjacielu Edgeworcie. Dostrzegłam to w twoich oczach, kiedy spotkaliśmy się w parku. Nie wypadł zbyt interesująco w porównaniu z twoim drogocennym hrabią.

Victoria zesztywniała.

– Nigdy nie mówiłam...

– Nie musiałaś niczego mówić. Twoje oczy mi to powiedziały. Cóż za bezczelność! Sądzisz pewnie, że postawiłam na kulawego, nędznego kucyka, podczas gdy ty zdobyłaś czystej krwi ogiera. Lecz jeszcze pożałujesz swojego wyboru – syknęła Isabel.

– Lady Rycott, proszę się tak nie denerwować.

– Ależ ja się wcale nie denerwuję i powiem ci coś, moja droga: gdybym miała jeszcze raz wybierać, wybrałabym Edgewortha nie Stonevale'a. I tobie radzę to samo. W przeciwnym razie zginiesz.

Victoria poczuła się zakłopotana tą dziwną rozmową. Zastanawiała się, ile też kieliszków wina mogła wypić lady Rycott. Złowrogie błyski w pięknych oczach Isabel były dość niepokojące.

– Zechciej mi wybaczyć, lady Rycott.

Usiłowała ją wyminąć, lecz Isabel chwyciła ją za rękę.

– Jeśli sądzisz, że zdobyłaś nadzwyczajnego mężczyznę, to się grubo mylisz. Prawda jest taka, że kobieta nie ma żadnego pożytku z mężczyzny, jeśli nie może nim manipulować. Czy nie rozumiesz? Jesteśmy zależne od mężczyzn. Dlatego musimy okazać się silniejsze od nich. Kiedy silna kobieta zwiąże się ze słabym, posłusznym mężczyzną, może zdobyć wszystko, czego zapragnie. Wszystko.

– Lady Rycott, sprawiasz mi, pani, ból.

Isabel spojrzała ze zdziwieniem na swoją dłoń i natychmiast puściła ramię Victorii. Szybko odzyskała panowanie nad sobą.

– Zresztą dla ciebie i tak jest za późno. Niestety, nie zorientowałaś się w porę, że silny mężczyzna jest niebezpieczny. Gdybyś miała choć trochę rozsądku, Vicky, wybrałabyś Edgewortha, nie Stonevale'a.

Po tych słowach Isabel odwróciła się i zniknęła w tłumie gości. Victorii zdawało się, że dostrzegła łzy w tych egzotycznych oczach. Przez chwilę patrzyła w ślad za nią, próbując odzyskać spokój. Ta dziwna rozmowa przyćmiła nieco radosne oczekiwanie. Ale gdy zarzuciła na ramiona pelerynę i skryła twarz pod kapturem, poczuła, że znowu ogarnia ją podniecenie. Prędko zbiegła po stopniach ganku.

Zgodnie z informacją Lucasa, czekał na nią zakryty powóz. Na koźle siedział woźnica otulony w pelerynę, w wysokim kapeluszu mocno naciągniętym na oczy. Uśmiechnęła się do niego i pozwoliła, by lokaj Middle-shipów pomógł jej wsiąść do powozu.

Po chwili jechała już ulicami Londynu, by wkrótce znaleźć się w spokojniejszej części miasta. Ruch uliczny był tu mniejszy, a zabudowania rzadsze. Wkrótce dostrzegła oświetlone światłem księżyca łąki i pola.

Nagle powóz zatrzymał się przed jakimś zajazdem. Poczuła suchość w ustach. A więc nadeszła długo oczekiwana chwila. Szumiało jej w głowie od nadmiaru emocji. Oczekiwanie i podniecenie walczyły w niej z niepokojem i niepewnością. Po raz kolejny zadała sobie pytanie, czy aby dobrze robi.

Jestem przecież dorosłą kobietą, przekonywała siebie w duchu, a nie naiwną gąską, która niedawno ukończyła pensję. Podjęła już decyzję i nie cofnie się teraz.

Wyjrzała przez okno powozu na podwórze i usłyszała, jak „woźnica" wydaje polecenia chłopakowi, który wyszedł z zajazdu, by zająć się końmi. Bez względu na to, jakie to były polecenia, głos Lucasa brzmiał zawsze jak głos dowódcy.

Chwilę później drzwi powozu się otworzyły i stanął w nich on sam. Tym razem już bez kapelusza i peleryny. Spojrzał na nią i bez słowa podał jej rękę.

– Czy jesteś najzupełniej pewna, że tego właśnie chcesz, Victorio? – zapytał cicho.

– Tak, Lucasie. Pragnę tej nocy bardziej niż czegokolwiek w życiu.

Uśmiechnął się zagadkowo, acz łagodnie.

– Więc będziesz ją miała. Chodź.

Po chwili Victoria siedziała w jednym z pokoi na piętrze przed wesoło buzującym ogniem na kominku i popijała herbatę, którą przyniosła jej żona właściciela zajazdu. Obok dzbanka stała karafka z sherry. Kobieta zwracała się do niej per „milady", ponieważ Lucas powiedział gospodarzowi, że Victoria jest jego żoną. Nikomu nie przyszłoby do głowy, że może być inaczej.

– Wyjaśniłem gospodarzowi, że jesteś zmęczona, dlatego chcielibyśmy parę godzin odpocząć, ale ponieważ spieszno nam w dalszą drogę, wyruszymy jeszcze przed świtem – poinformował ją Lucas, wchodząc do pokoju i zamykając za sobą drzwi. – Dzięki temu będę miał czas odwieźć cię bezpiecznie na bal, zanim goście zaczną się rozchodzić. Wrócisz do domu z Annabellą Lyndwood i jej matką. Nikt by tego lepiej nie wymyślił.

– Z wyjątkiem mnie, oczywiście. – Victoria uśmiechnęła się nieśmiało znad filiżanki.

Wzrok Lucasa złagodniał.

– Myślę, że dziś w nocy oboje będziemy mieli okazję to sprawdzić. – Podszedł do drugiego krzesła przed kominkiem. Oczy mu błyszczały, kiedy siadał i napełniał dwa kieliszki sherry. – Za nasz intelektualny eksperyment, Vicky.

Odstawiła filiżankę i wzięła kieliszek, czując, że drżą jej palce.

– Za nasz eksperyment – mruknęła, unosząc kieliszek w toaście.

Nie spuszczając z niej oczu, uniósł w odpowiedzi swój.

Opróżnili kieliszki w pełnej napięcia ciszy, po czym Lucas wyjął kieliszek z dłoni Victorii i odstawił na stół.

W tym momencie przypomniała sobie o podarunku. Zerwała się z krzesła i pospieszyła do miejsca, gdzie złożyła pelerynę i torebkę.

– Vicky, co się stało? – zapytał Lucas.

– Nic. Mam coś dla ciebie. Mały prezent. – Odwróciła się, ściskając w rękach małą paczkę. Nagle wydała się jej lichym podarunkiem. – To nic wielkiego. Sądziłam... miałam nadzieję, że ci się spodoba. – Uśmiechnęła się nieśmiało. – Dzisiejsza noc należy do tych, które chciałoby się czymś upamiętnić.

Podniósł się wolno z krzesła.

– Tak, to szczególna noc. Żałuję, że nie pomyślałem o czymś dla ciebie. Wszystko przez tę moją wojskową pamięć. Byłem tak zajęty praktyczną stroną wieczoru, że zupełnie o tym zapomniałem.

Podszedł i wziął z jej rąk paczkę, po czym odprowadził Victorię z powrotem do krzesła.

Patrzyła w napięciu, jak Lucas ostrożnie odwija papier i patrzy z uwagą na obrazek ze *Strelitzia reginae*. Nagle poczuła, że nie wytrzyma dłużej tej niepewności. Bo cóż to za prezent? – pomyślała. Zwykły obrazek z kwiatem. Jednak gdy Lucas spojrzał jej w oczy, odetchnęła z ulgą. A więc spodobał mu się podarunek.

– Dziękuję, Vicky. Jest piękny. Zawieszę go w takim miejscu, bym codziennie mógł na niego patrzeć. Będzie mi przypominał dzisiejszą noc.

– Cieszę się, że ci się podoba. Nie każdemu mężczyźnie spodobałby się taki prezent.

– Mnie się podoba, pod warunkiem że nie będziesz robić takich prezentów innym mężczyznom. – Ujął ją za rękę. – Masz zimne palce – szepnął, po czym odwrócił jej dłoń i dotknął ustami nadgarstka. Zacisnęła palce. – Jesteś bardzo spięta.

– Jeśli chcesz znać całą prawdę, to jestem zdenerwowana – przyznała.

– Czy poczujesz się lepiej, jeśli ci powiem, że ja również jestem zdenerwowany?

– Trudno mi w to uwierzyć.

– Wobec tego mocno przeceniasz moją odwagę. Bardzo cię pragnę, Vicky, ale boję się ciebie przestraszyć i zniszczyć nastrój własną niezdarnością czy brakiem opanowania – powiedział cicho.

Spojrzała na niego ze zdziwieniem i nagle zapragnęła go uspokoić.

– Powinnam się domyślić, że będziesz się czuł równie skrępowany jak ja. Jesteśmy pod wieloma względami bardzo do siebie podobni, nie sądzisz?

Skinął głową.

– Bardzo by mi to pochlebiało.

– Jesteś tu, bo cię o to prosiłam. Zmusiłam cię, byś postąpił wbrew własnym zasadom.

Uśmiechnął się lekko.

– Przeceniasz mnie, Vicky. Nawet nie zdajesz sobie sprawy, jak bardzo pragnąłem trzymać cię nagą w ramionach i czuć, jak drżysz, kiedy będę się z tobą kochał, jak tulisz się do mnie i pociągasz mnie głęboko w swoje wnętrze. Jestem tutaj, bo tylko w ten sposób będę mógł się przekonać, jakim żarem zapłoniesz.

Victoria wpatrywała się w niego, niezdolna oprzeć się jego namiętnemu spojrzeniu. Czuła, jak przez jej ciało przepływają fale gorąca, ale nie dało się ich porównać z żarem, jaki płonął w jej wnętrzu. Nie mogła opanować drżenia rąk.

– Chcę ci coś powiedzieć, Lucasie.

– Cóż takiego, moja słodka? – zapytał żartobliwie, przesuwając palcami wzdłuż jej ramienia.

– Ja... zdaje mi się, że zakochałam się w tobie.

– Tylko zdaje ci się? – Popatrzył na nią rozpalonym wzrokiem.

– Och Lucasie!

Podniósł ją delikatnie z krzesła, posadził sobie na kolanach, przyciągnął do siebie i zamknął jej usta gorącym pocałunkiem.

Victoria miała wrażenie, że za chwilę utonie w jego objęciach. Kiedy dotknął językiem jej warg, wszystkie niepokoje i obawy rozpłynęły się jak za dotknięciem czarodziejskiej różdżki. Lucas jej pragnął. I ona go pragnęła. Dobry Boże, jakże ona go pragnęła.

Następne minuty były jak sen wypełniony łagodnymi pieszczotami, które oswobodziły Victorię z sukni, halek i niepewności. Pomyślała, że powinna czuć się zażenowana, ale odczuwała jedynie palącą namiętność i zdumienie, że ten mężczyzna pragnie jej tak bardzo, że zaryzykował własną reputację, by ją zadowolić.

– Jesteś taki dobry dla mnie. – Dotknęła palcami jego policzka. – Tyle mi ofiarowujesz. Noce pełne przygód i teraz tę szczególną.

– Pamiętaj, że od dzisiaj wszystkie przygody będziemy przeżywać wspólnie.

Przesunął wolno rękę wzdłuż jej boku. Czuła, jak żar płonący w jego oczach rozpala jej ciało. Delikatnie postawił ją na podłodze i poprowadził w stronę łoża. Wsunęła się pod kołdrę i przyglądała się, jak Lucas gasi świece. Pokój oświetlał teraz jedynie ogień płonący na kominku. Wrócił i usiadł na brzegu łoża. Po chwili jeden wysoki but upadł na podłogę. Za nim poszedł drugi. Bezwiednie zacisnęła palce na kołdrze, patrząc, jak Lucas się rozbiera. Światło ognia zabarwiło mu skórę na brąz i podkreśliło muskularność ramion. Brzuch miał twardy i płaski. Nagle coś błysnęło w gęstwinie ciemnych włosów na piersi.

– Co to za wisior, Lucasie? Czy jest ze złota?

Dotknął bezwiednie medalionu.

– Z bursztynu. Jest na nim pewien wizerunek. Podobno to rodzinna pamiątka.

– Nigdy go nie zdejmujesz?

Wzruszył ramionami.

– Noszę go stale, od chwili kiedy wuj mi go podarował. – Uśmiechnął się lekko. – Wierzę, że przynosi szczęście i chyba tak jest, w przeciwnym razie nie byłbym tu dziś z tobą. Sądzę jednak, że lepiej będzie wyglądał na twojej szyi.

Rozpiął łańcuszek i pochylił się ku niej.

– Nie, Lucasie, nie mogę go przyjąć. To rodzinna pamiątka. Nie możesz go oddać.

– Mogę zrobić z nim, co zechcę. – Włożył go Victorii na szyję i kiwnął głową z satysfakcją. Bursztynowy medalion zapłonął miodowym blaskiem na jej skórze. Maleńkie postaci rycerza i jego pani widoczne były teraz w najdrobniejszym szczególe. – Jest jakby stworzony dla ciebie, Vicky. Chcę, byś go nosiła. To symbol tego, co wspólnie dziś przeżyjemy. Dopóki będziesz go nosić, będę wiedział, że nie jestem ci obojętny i że zdaje ci się, że mnie kochasz.

Uśmiechnęła się jednocześnie przekornie i zalotnie.

– Wobec tego nigdy go nie zdejmę. Nie mogę sobie wyobrazić, bym mogła myśleć o tobie inaczej jak teraz.

– Nigdy o tym nie zapominaj, dobrze? – Przesunął wierzchem dłoni wzdłuż jej policzka, po czym sięgnął do bryczesów.

Jej oczom ukazało się muskularne, naprężone ciało. Ale ona dostrzegła jedynie szeroką, poszarpaną bliznę na udzie.

– Dobry Boże! – wyszeptała.

– Czy to cię niepokoi? – Patrzył na nią spokojnie, nadal trzymając bryczesy w ręku.

Wyciągnęła rękę i delikatnie dotknęła zabliźnionej rany.

– Niepokoi? Oczywiście że nie. W każdym razie nie tak, jak myślisz. – Popatrzyła na niego z troską. – Jakże to cię musiało boleć. Nie mogę znieść myśli, że cierpiałeś i byłeś o krok od śmierci.

– Już dobrze, Vicky. Nie przejmuj się tym tak bardzo. To było dawno temu i zapewniam cię, że nie odczuwam najlżejszego bólu. Zajmują mnie teraz daleko ważniejsze sprawy, a żadna z nich nie ma nic wspólnego ze śmiercią. Dotyczą bowiem wyłącznie życia. – Chwycił jej palce i pocałował. – Nawet nie przypuszczałem, że tak się zmartwisz. Niektóre kobiety zareagowałyby na ten widok szokiem i omdleniem. Prawdę powiedziawszy sądziłem, że coś innego przyciągnie twoją uwagę. Jesteś niezwykłą kobietą, Victorio.

– Nie powiedziałabym, ja... – Urwała, dostrzegając wreszcie to coś. – Ojej! – Patrzyła jak zahipnotyzowana. – Jego penis był nabrzmiały i wyprężony, a niedoświadczonym oczom Victorii wydawał się przeogromny.

– No, nareszcie przestałaś się zajmować tą przeklętą blizną – zauważył Lucas z humorem, odrzucając bryczesy na krzesło.

– Jesteś bardzo... – Język nagle odmówił jej posłuszeństwa. Oblizała wargi i spróbowała jeszcze raz. – Jesteś wspaniały, milordzie. Prawdę rzekłszy, ogromny. Większy, niż mogłam się spodziewać. – Zaczerwieniła się, kiedy zmarszczył brwi. – Oczywiście, nie miałam pewności, jak będziesz wyglądał, ale... to znaczy, chciałam powiedzieć, że nie spodziewałam się aż takich rozmiarów.

Lucas wydał z siebie coś pomiędzy śmiechem i jękiem i wsunął się pod kołdrę.

– Vicky, kochanie, jesteś tak cudownie szczera i to w najbardziej nieoczekiwanych momentach. Jakże pragnąłem mieć cię tak blisko.

Położył dłoń na jej nagich pośladkach i przyciągnął ją do siebie. Następnie począł delikatnie rozsuwać stopą jej nogi, a Victoria nagle zdała sobie sprawę, że mocno je zaciska. Starając się odprężyć, skuliła się i jeszcze bardziej zacisnęła kolana.

Lucas uśmiechnął się zmysłowo.

– Niestety, moja słodka, nie posuniemy się dalej z naszym intelektualnym eksperymentem, jeśli będziesz zaciskała kolana.

Tą uwagą rozproszył jej strach. Zachichotała i otoczyła go ramionami.

– Doprawdy, milordzie? Nigdy bym się tego nie domyśliła. Spodziewam się, że będziesz mnie informował o każdym szczególe tego eksperymentu.

– Dobrze więc. Oto szczegół, którego z całą pewnością nie można pominąć.

Pochylił się i zaczął delikatnie ssać jej sutek.

– Lucas!

Wstrzymała oddech i zamknęła oczy, czując, że jej ciało zaczyna drżeć. Wygięła się instynktownie, zachęcając go do dalszych pieszczot.

Poczuła w oszołomieniu, że jego noga wsuwa się delikatnie między jej uda. Tym razem nie zaprotestowała, otwierając się na jego dotyk.

– Jesteś taka delikatna, taka rozkoszna i taka ufna. – Głos Lucasa był nabrzmiały pożądaniem. Jego długie palce przesuwały się po jej ciele, odkrywając, penetrując i rozpalając w niej ogień.

Kiedy oswoiła się z ekscytującymi doznaniami, jakie wywoływały jego pieszczoty, stała się śmielsza. Przesunęła dłońmi wzdłuż jego ramion, a następnie w dół kręgosłupa do bioder. W odpowiedzi usłyszała namiętne, gorące słowa.

– Masz cudowne dłonie, Vicky. Nigdy dotąd nie czułem się tak wspaniale.

Przysunął się do niej tak, aby poczuła nabrzmiałą męskość dotykającą jej uda. Wiedziona impulsem wyciągnęła rękę i dotknęła prężącego się ku niej członka. Lecz gdy poczuła kroplę wilgoci, natychmiast cofnęła dłoń.

– Proszę – wydyszał z ustami przy jej piersi. – Zrób to jeszcze raz. – Przytrzymał jej dłoń, prosząc cicho o kolejne pieszczoty.

Tym razem przesunęła ostrożnie po nim drżącymi palcami i usłyszała w odpowiedzi chrapliwy jęk. Świadomość, że potrafi tak na niego oddziaływać, wprawiła ją w uniesienie.

Powoli wsunął się na nią, robiąc sobie miejsce między nogami. Uniósł jej kolana, odsłaniając ją całkowicie, po czym pochylił się i przycisnął usta do jej warg.

Cofnęła się instynktownie, kiedy poczuła, że zaczyna w nią wchodzić. Jakiż on jest ogromny i twardy, pomyślała. Uniosła powieki i spojrzała w jego napiętą twarz.

– Nie jestem pewna, czy to się uda – powiedziała nerwowo.

– Zapewniam cię, że tak. Nie powinnaś się niecierpliwić, kochanie. Mamy przed sobą wiele godzin. – Dotknął ustami jej szyi, potem chwycił delikatnie wargami brzeg ucha. – Choć nie wiem, czy będę w stanie tak długo czekać, by dowieść ci, jak doskonale do siebie pasujemy. Obawiam się, że rano pozostałby ze mnie jedynie cień.

Roześmiała się nerwowo, lecz natychmiast straciła dech, gdy Lucas położył dłoń na jej brzuchu i odszukał wilgotne listki ukryte w jej łonie. Wówczas zaczął ją pieścić tak, jak owej pamiętnej nocy w powozie, aż zaczęła drżeć i z jękiem przywarła do jego ramienia. Cudowny ogień namiętności rozszalał się w jej wnętrzu, zmieniając ją w dziką wijącą się istotę, płonącą oślepiającym żarem. Czując, że za chwilę eksploduje, przywarła mocno do Lucasa, wbijając mu paznokcie w ramiona i odruchowo unosząc biodra w oczekiwaniu spełnienia. Z ust jej wydobyły się ciche jęki zachwytu, które zmieniły się w namiętne prośby o ugaszenie trawiącego ją ognia.

– Czy pragniesz mnie teraz, najmilsza? – Lucas dotknął penisem wejścia do wilgotnego tunelu.

Tym razem nie cofnęła się.

– Tak, och tak, mój kochany!

Ciało miał zbyt napięte z wysiłku, by nad sobą panować. Ponownie zaczął w nią wchodzić.

Victoria drgnęła, nieprzygotowana na tak silny atak. Całe oszałamiające podniecenie zniknęło, ustępując miejsca bólowi. Mimo to nie zamierzała się cofać. Zbyt daleko się posunęli i czuła, że Lucas jest u kresu wytrzymałości. Nie może pozbawiać go rozkoszy, którą sam tak szczodrze ją obdarzył. Zacisnęła palce na jego ramionach i napięła mięśnie.

– Spokojnie, kochanie, nie traktuj tego jako aktu męczeństwa – szepnął Lucas.

– Wybacz. Proszę, rób swoje, Lucasie. Nic mi nie będzie.

– Nie chcę, byś tak to odczuwała.

Przywarł wargami do jej ust i ponownie się wycofał. Sięgnął ręką w dół i zaczął ją drażnić, wsuwając najpierw jeden, potem drugi palec w jej wnętrze, delikatnie ją rozciągając, aż spłynęła słodkim, gorącym miodem. Jeszcze raz ogarnęła ją fala rozkoszy.

Lucas zaczekał, aż jej ciało zacznie pulsować i prężyć się pod nim, a głowa nerwowo przetaczać się po poduszce, aż Victoria zacznie cicho jęczeć, drżeć i przywierać do niego namiętnie, zaciskając palce na jego ramionach. Wtedy dopiero jednym silnym pchnięciem wniknął w nią głęboko.

W uszach dźwięczały mu jeszcze jej ciche okrzyki ekstazy, kiedy poczuł, jak długo tłumione napięcie eksploduje i unosi go fala rozkoszy.

9

Victoria powoli budziła się ze snu, zdając sobie sprawę, że niekończące się uderzenia, które docierały do jej świadomości, to odgłosy walenia do drzwi. Któż to mógł być? Na pewno nie Nan. Ona nigdy by w ten sposób nie pukała. Jedynie ciotka mogła ją tak brutalnie budzić, w dodatku tak wcześnie rano.

Nie był to jednak zwykły ranek. Był to dzień, w którym...

Otworzyła oczy, w jednej chwili uświadamiając sobie, gdzie jest i co się zdarzyło. Odetchnęła z ulgą, kiedy zobaczyła, że za oknem nadal panuje noc. Ona i Lucas są bezpieczni. Zdążą jeszcze wrócić przed świtem na bal. Nagle spostrzegła, że nie ma obok niej Lucasa. Usiadła gwałtownie, przyciskając kołdrę do szyi i zobaczyła, że Lucas pospiesznie wciąga bryczesy. Klnąc cicho, chwycił koszulę i podążył boso do drzwi.

– Lucas, zaczekaj. Mam okropne przeczucie, że nie powinieneś otwierać tych drzwi.

Lecz było za późno. Lucas otworzył je z rozmachem i warknął wściekle do kogoś, kto stał z drugiej strony:

– Cóż, u diabła, ma oznaczać to wtargnięcie?! Moja żona i ja zażywamy odpoczynku! – Po tych słowach zaległa złowroga cisza, po czym Lucas dodał z zaskakującą powagą: – Proszę o wybaczenie, lady Nettleship. Doprawdy, nie miałem zamiaru wrzeszczeć na panią. Zechciej mi wybaczyć. Ale prawdę powiedziawszy, jesteś ostatnią osobą, którą spodziewałbym się tu ujrzeć.

– Tak – odparła zimno Cleo. – Mogę to zrozumieć.

Victoria zamknęła oczy i oparła czoło o podkurczone kolana. Uświadomiła sobie, co się stało.

– Jeśli dasz mi, pani, pięć minut na ubranie się, to dołączę do ciebie na dole. W takich okolicznościach pragnęłabyś zapewne usłyszeć jakieś wyjaśnienia.

– Masz zupełną słuszność, panie. Zanim jednak zejdę na dół, odpowiedz mi na jedno pytanie. Czy z moją siostrzenicą wszystko w porządku?

– Najzupełniej. Daję ci na to moje słowo.

– Pospiesz się więc, panie. Słońce jeszcze nie wzeszło, ale i tak pozostało niewiele czasu. Należy natychmiast podjąć jakieś decyzje, z czego zapewne zdajesz sobie sprawę.

– Naturalnie. Za parę minut będę na dole. Możemy porozmawiać, kiedy Victoria będzie się ubierać.

Zamknął cicho drzwi i wolno odwrócił się w stronę łoża. Z jego twarzy widocznej w nikłym świetle dogasającego ognia nie można było nic wyczytać.

– Przykro mi, Vicky. Jak widzisz, mamy mały problem.

– Wielkie nieba, cóż my teraz poczniemy?

Nie była w stanie jasno myśleć. Miała wrażenie, że tonie w morzu chaosu.

– Zrobimy oczywiście to, co należy.

Usiadł na krześle i wciągnął buty. Następnie dokończył ubierania sprawnie i szybko, jak przystało na żołnierza.

Victoria spojrzała na niego z zakłopotaniem.

– Nie pojmuję, skąd się tu wzięła moja ciotka. Jakim sposobem mogła się dowiedzieć o nas i o zajeździe? Sama nie wiedziałam, dokąd jadę, póki mnie tu nie przywiozłeś. Nic z tego nie rozumiem.

Podszedł do łoża i spojrzał na nią chmurnie.

– Nie mam pojęcia, co twoja ciotka tu robi i jak się o nas dowiedziała, lecz możesz być pewna, że to wyjaśnię. Jednak nie to jest teraz ważne. Chyba zdajesz sobie z tego sprawę? Oboje wiedzieliśmy, na co się narażamy. Przyłapano nas i nie ma już od tego odwrotu. Teraz musimy stawić czoło faktom.

Objęła rękami kolana i spojrzała na niego wzrokiem, w którym kryła się niepewność i strach.

– Mówisz zupełnie jak żołnierz i wyglądasz, jakbyś szykował się do bitwy. Przerażasz mnie, Lucasie.

Jego oczy złagodniały. Pochylił się i wziął w dłonie jej twarz.

– Nie tak wyobrażałem sobie nasz związek. Skoro jednak sprawy potoczyły się w ten sposób, jedyne co mogę zrobić, to prosić cię, abyś mi zaufała. Zaopiekuję się tobą, Victorio. Przysięgam na mój honor.

Zanim zdążyła odpowiedzieć, zniknął za drzwiami. Przez chwilę siedziała nieruchomo, po czym wolno odrzuciła kołdrę i wstała. Natychmiast poczuła ból w miejscach, w których dotąd nigdy go nie odczuwała. Wiele by teraz dała za możliwość odpoczynku i gorącą kąpiel. Niestety, nie było to możliwe. Zdziwił ją nieznany ciężar na szyi. Odruchowo dotknęła bursztynowego medalionu, jak dotyka się talizmanu.

Kiedy szła w stronę garderoby leżącej na krześle, spłynęły na nią jak srebrny deszcz wspomnienia minionej nocy. Uporała się z halkami i suknią z daleko mniejszą zręcznością, niż zrobił to Lucas. Nigdy dotąd nie wkładała balowej sukni bez pomocy pokojówki.

Na koniec owinęła się peleryną, wzięła głęboki oddech, otworzyła drzwi i ruszyła w dół po schodach. Wystraszony właściciel zajazdu, którego najwidoczniej wyrwano ze snu, wskazał jej prywatny salonik.

Victoria weszła do środka, natychmiast wyczuwając atmosferę napięcia. Lucas stał przy kominku z ręką wspartą na gzymsie, a nogą na drewnianej kłodzie. Lady Nettleship siedziała na krześle przy stole. Oboje unieśli głowy, kiedy stanęła w drzwiach.

– Chyba pomyliłam pokoje – rzuciła Victoria z kwaśną miną. – Mam wrażenie, jakbym przyszła na pogrzeb.

– Spodziewam się, że nie będziesz tego tak traktować, kiedy wszystko omówimy i ustalimy – odezwała się Cleo. – Usiądź, Victorio.

Od bardzo dawna ciotka nie zwracała się do niej w ten sposób. Usiadła. Spojrzała na Lucasa, ale niczego nie mogła wyczytać z jego twarzy. W postawie wyczuwała jednak jakąś nieugiętą determinację, z którą rzadko miała okazję się spotykać, która jednak zawsze wywoływała w niej niepokój.

– A więc – zaczęła Cleo, jakby usiłowała przywołać do porządku członków jej kółka naukowego – Lucas i ja już wszystko omówiliśmy. Jest gotów zrobić to, co do niego należy. Ufam, że ty również jesteś gotowa ponieść konsekwencje swego czynu. Najważniejszą rzeczą jest teraz ślub za specjalnym zezwoleniem. Wystąpię jako świadek, by wszyscy wiedzieli, że odbywa się to za moją zgodą.

Małżeństwo. Victoria zacisnęła kurczowo ręce na łonie. Przez cały czas, kiedy zmagała się ze swoją garderobą, odrzucała od siebie tę myśl. Próbowała zachować spokój i myśleć racjonalnie.

– Nie ma potrzeby wpadać w panikę – zaczęła ostrożnie. – Przykro mi, że się o nas dowiedziałaś, ciociu Cleo, lecz skoro tylko ty jedna o tym wiesz, wszystko da się zatuszować.

– Sądziłam, że wychowałam cię na mądrą dziewczynę, Victorio. Skoro ja o tym wiem, to wie również ktoś jeszcze. Jaki myślisz, skąd się o was dowiedziałam?

Victoria na chwilę zamknęła oczy.

– No tak, oczywiście. Cóż ze mnie za idiotka. Wybacz, ciociu, ale jak się dowiedziałaś?

– Posłaniec zaskoczył nas w porze obiadu – wyjaśniła chłodno Cleo. – List, który doręczył, nie miał podpisu, za to informował o tym, że moja siostrzenica jest w zajeździe z mężczyzną, którego uważam za przyjaciela. Oczywiście natychmiast przyjechałam.

– Oczywiście. – Victoria spojrzała na Lucasa.

Małżeństwo – powtórzyła w myślach – małżeństwo z człowiekiem, którego kocham. Nie było ono jej zamiarem, ale po zastanowieniu doszła do wniosku, że nie jest ono takie złe, jak początkowo sądziła. Nie będą się już musieli ukrywać. Będą mogli oficjalnie bywać razem. Będą co noc sypiać w jednym łożu. Nie, małżeństwo nie było jednak takie straszne.

– Trochę czasu zajmie przygotowanie specjalnego zezwolenia – zauważyła.

– Mam je w kieszeni. – Lucas spojrzał jej w oczy. – Noszę je od kilku dni.

Oczy rozszerzyły się jej ze zdziwienia.

– Masz je? Dlaczegóż, na Boga, nosiłeś je ze sobą?

– Waśnie na taką ewentualność. Czy nie rozumiesz? Ryzyko, że nas odkryją, towarzyszyło nam od samego początku. Chciałem więc ograniczyć ewentualne konsekwencje do minimum. – Uśmiechnął się lekko. – Dawno temu nauczyłem się, że mądrze jest mieć zawczasu przygotowaną pozycję, na którą można się wycofać i przegrupować.

– Wojskowy umysł w akcji. – Musiała jednak podziwiać go za przezorność. – Każdy liczył się z możliwością konsekwencji, tylko nie ja.

Cleo spojrzała na nią ze smutkiem.

– Przyznam, Victorio, że dziwi mnie, iż wplątałaś się w taką kabałę. Często balansowałaś na granicy przyzwoitości, lecz zawsze zachowywałaś ostrożność w kontaktach z mężczyznami. Jak, na Boga, mogłaś pozwolić... – Urwała raptownie i popatrzyła na Lucasa. – Nieważne. Chyba znam odpowiedź. Zresztą nie czas oglądać się wstecz. Musimy patrzeć w przyszłość.

– Nie ruszymy w żadną stronę, dopóki Victoria nie podejmie decyzji – zauważył Lucas cicho. – Nie jest dzieckiem i nie można jej zmusić do małżeństwa. Już się jej oświadczyłem i byłbym zaszczycony, gdyby oddała mi swą rękę, lecz nie mogę jej do niczego zmuszać.

– A więc jak, Victorio? – Cleo popatrzyła na nią z powagą. – Lucas gotów jest zrobić to, co do niego należy. A ty?

Victoria spojrzała Lucasowi w oczy. Miłość, tęsknota, poczucie winy i niepewność zawiązały się w jej żołądku w ciasny węzeł. To wszystko była jej wina. Lucas znalazł się w takiej sytuacji wbrew sobie i tylko dlatego, że chciał spełnić jej kaprys. Naraziła na niebezpieczeństwo nie tylko własny honor i towarzyską pozycję ciotki, lecz również honor i pozycję Lucasa.

– To wszystko moja wina – powiedziała, spoglądając w dół na swoje zaciśnięte dłonie. – Jeśli lord Stonevale zrobi mi ten zaszczyt i zgodzi się mnie poślubić, to wyjdę za niego.

Nastąpiła chwila pełnej napięcia ciszy. Kiedy uniosła głowę, zobaczyła, że jej ciotka oddycha z ulgą, ale teraz liczył się tylko Lucas, który patrzył na nią z niezwykłą intensywnością. Bez słowa opuścił swoje miejsce przy kominku, podszedł do niej i delikatnie ujął za ręce.

– To dla mnie zaszczyt. Dziękuję, Vicky. Daję ci moje słowo, że zrobię wszystko, by cię uszczęśliwić.

Uśmiechnęła się. Poczuła, że pod dotykiem jego dłoni zgromadzone w niej napięcie opada. Kochała go, i on również żywił do niej głębokie uczucie.

– Zawsze uważałam małżeństwo za coś gorszego od śmierci, lecz ufam, że dzięki tobie spojrzę na nie inaczej.

Uśmiechnął się, a w jego oczach widać było satysfakcję. Pochylił się i ucałował ją w czubek nosa, po czym odwrócił się w stronę Cleo.

– No, to najgorsze mamy już za sobą. Dama najwidoczniej pogodziła się z losem. A teraz musimy działać szybko i ostrożnie.

Cleo uniosła brwi.

– Jestem pewna, że tego dopilnujesz, Stonevale. Pozostawiam wszystko twojej pieczy.

Kilka godzin później Victoria ze zdumieniem stwierdziła, że przewidywania ciotki sprawdziły się co do joty. Kiedy wczesnym rankiem ona i Lucas zostali sobie poślubieni, sprawy potoczyły się w oszałamiającym tempie. Cały dom stanął na nogach: służba pospiesznie szykowała bagaże Victorii. Lucas zdecydował, a ciotka Cleo go poparła, że najlepszym wyjściem będzie wyjazd do Stonevale.

– Powiemy wszystkim, że z powodu twojego zaawansowanego wieku nie życzyliście sobie uroczystej ceremonii – wyjaśniła Cleo Victorii, zastępując w tym Lucasa. On sam był chwilowo nieobecny. Zaraz po ceremonii ślubnej pożegnał się i wrócił do swego domu, by poczynić przygotowania do wyjazdu.

Victoria kręciła nosem na ten „zaawansowany wiek", lecz nie mogła nie uznać słuszności takiej decyzji. Była to niezwykle zręczna wymówka. By uniknąć plotek, należało podać jak najmniej informacji.

– Rozpowiemy, że Lucasa wezwały do Stonevale sprawy niecierpiące zwłoki. Oboje opuścicie Londyn dziś po południu i miesiąc miodowy spędzicie w jego dobrach. Przy odrobinie szczęścia zdążycie wyjechać z miasta, zanim ktokolwiek zacznie zadawać pytania. Kiedy wrócicie po kilku tygodniach, postawicie wszystkich przed faktem dokonanym – zakończyła Cleo.

Victoria aprobująco kiwnęła głową. Powoli oswajała się ze swoją nową pozycją żony Lucasa Mallory'ego Colebrooka i zaczynała znajdować w tym przyjemność. Spoglądając na bagaż stojący w holu, postanowiła, że potraktuje całą sprawę jak wielką przygodę, która niosła ze sobą moc ekscytujących przeżyć.

Kiedy godzinę później Rathbone zaanonsował lady Jessicę Atherton, wywołał ogólną konsternację.

– Ona rzadko składa nam wizyty. Musiała się dowiedzieć o ślubie. Lecz jakim sposobem stało się to tak szybko? – zapytała przerażona Victoria.

Cleo prychnęła wzgardliwie.

– Chyba nie muszę ci mówić, że plotki rozchodzą się po Londynie jak robactwo. Po Jessice dowiedzą się o tym inni. Miałam nadzieję, że nie nastąpi to tak szybko. Chodź, Victorio, nie taki diabeł straszny. Ostatecznie, gdyby miała zamiar wykluczyć nas za to z towarzystwa, nie składałaby oficjalnej wizyty, prawda?

Jessica Atherton wpłynęła do salonu jak bladolawendowa zjawa, z łaskawym uśmiechem na twarzy. Podeszła do Cleo i uścisnęła jej ręce w sposób wyrażający najgłębszą sympatię i zrozumienie.

– Cleo, kochanie, tak mi przykro z powodu tego pośpiechu. Wiem, jak się czujesz, toteż pospieszyłam tu natychmiast po otrzymaniu wiadomości.

– To bardzo miło z twojej strony, Jessico. Zechciej spocząć, proszę. – Cleo wskazała jej pobliskie krzesło i spojrzała ukradkiem na Victorię, która wzniosła oczy do sufitu. – Jak się dowiedziałaś o małżeństwie Victorii?

– Całe miasto już o tym mówi. – Jessica uśmiechnęła się współczująco do Victorii. – Zawsze byłaś impulsywna, Vicky. Mądrzej byłoby załatwić tę sprawę we właściwy sposób, lecz nie da się zaprzeczyć, że oboje z Lucasem zrobiliście dobrą partię i chcę, byś wiedziała, że z całego serca wam gratuluję.

Victoria zmusiła się do uśmiechu wdzięczności. W obecności Jessiki wszyscy odczuwali dziwną potrzebę okazywania wdzięczności.

– Dziękuję, Jessico.

– Ależ nie masz za co dziękować. Nie przejmuj się plotkami. Wkrótce ucichną. Składając wam dziś wizytę, zamknę ludziom usta. Zapewne niektórzy mnie za to potępią.

Cleo uniosła brwi.

– Postąpiłaś niezwykle przewidująco.

– Jak wiecie, Lucas jest moim starym przyjacielem, toteż powinnam się postarać, by jego żona nie doznała żadnych przykrości.

Jessica przyjaźnie poklepała Victorię po ręku.

– Moja ciotka ma rację – odezwała się Victoria. – Jesteś doprawdy niezwykle przewidująca, Jessico.

Uśmiech Jessiki przywodził na myśl wizerunki świętych.

– Czy pani wie, lady Nettleship, że wiele mi opowiadano o twojej cudownej oranżerii? Może Victoria zechciałaby mi ją teraz pokazać?

– Ależ oczywiście. Pokaż jej oranżerię, Vicky – powiedziała szybko Cleo, zadowolona, że dłużej już nie musi grać roli gospodyni. – Jestem pewna, że Jessice spodobają się te nowe róże z Chin.

Victoria niechętnie podniosła się z krzesła. Jednak prowadząc Jessicę przez hol w stronę oranżerii, poczuła wyrzuty sumienia. Jessica przecież zadała sobie tyle trudu. Należałoby przynajmniej okazać jej wdzięczność.

– Cóż za cudowna kolekcja kwiatów – powiedziała Jessica, kiedy znalazły się w oszklonym pomieszczeniu. – Wprost zachwycająca.

Ruszyła alejką, zatrzymując się przy ciekawszych okazach. Victoria dość chaotycznie objaśniała jej odmiany róż i irysów, które przesuwały się przed wyrażającym łaskawą aprobatę wzrokiem Jessiki. Kiedy zbliżały się do końca ścieżki, Victoria nagle zauważyła, że jej gość coraz mniejszą uwagę poświęca oglądanym kwiatom. Stłumiła cisnący się na usta jęk, kiedy zdała sobie sprawę, że Jessica poprosiła o oprowadzenie, bo chciała porozmawiać z nią na osobności.

W pewnym momencie Jessica zatrzymała się przy krwistoczerwonym papuzim tulipanie. Najwidoczniej gromadziła siły przed rozmową. Na koniec odezwała się cichym, napiętym głosem:

– Będziesz dla niego dobrą żoną, prawda, Vicky? – Nie patrzyła jednak na nią, udając, że przygląda się tulipanowi. – On zasługuje na dobrą żonę.

Pierwszą reakcją Victorii na to obcesowe, bardzo osobiste pytanie był gniew. Zdusiła go jednak w sobie. Jessica przecież miała dobre intencje i bez wątpienia leżało jej na sercu szczęście Lucasa.

– Mogę cię zapewnić, że zrobię wszystko, co w mojej mocy, Jessico.

– Tak, jestem przekonana, że dołożysz wszelkich starań. Tylko, że ty nie jesteś w jego typie, prawda? Wiedziałam o tym od początku, ale on upierał się, że tak jest.

– A jaki typ według ciebie on preferuje?

Jessica na moment zamknęła oczy.

– Wspaniałą gospodynię, która wzorowo poprowadzi mu dom. Kobietę, która da mu dziedzica i zapewni jego dzieciom właściwe ich pozycji wychowanie. Kobietę o doskonałych manierach, która zna swoje obowiązki i spełnia je bez szemrania. Kobietę, która dołoży wszelkich starań, by uczynić jego życie wygodnym, która nie będzie go nękała głupimi żądaniami ani też nie stanie się przyczyną kłopotów. Lucas jest bardzo dumnym człowiekiem.

Victoria stłumiła w sobie rosnącą irytację.

– Jeszcze raz powtarzam, że zrobię, co w mojej mocy. Wydaje mi się jednak, że Lucas jest najzupełniej zadowolony z tego małżeństwa.

– Lucas jest człowiekiem, który wie, czego chce. Zna swoje obowiązki. Powiedział mi, że małżeństwo z tobą go zadowoli i mam nadzieję, że tak będzie.

– Czy Lucas rozmawiał z tobą o naszym małżeństwie? – Victoria nagle zaczęła uważnie słuchać swego irytującego gościa.

– Naturalnie. Doskonale wiedział, że może mi zaufać. Jak już mówiłam, znamy się od kilku lat i świetnie rozumiemy. – Palce Jessiki kreśliły delikatną linię wokół liścia. – Kochany Lucas. Śmiertelnie go zraniłam, kiedy przed czterema laty zmuszona byłam odrzucić jego oświadczyny. Ale gdy kilka miesięcy temu sam znalazł się w podobnej sytuacji, zrozumiał, dlaczego tak postąpiłam. Wiedział, że może się zwrócić do mnie o pomoc.

Victoria poczuła ucisk w gardle.

– Nie wiedziałam...

– Lucas lepiej od wielu mężczyzn pojmuje znaczenie obowiązku i teraz już wie, że zrobiłam jedynie to, co było konieczne, przyjmując oświadczyny lorda Athertona. Małżeństwo to sprawa obowiązku i rozsądku, nieprawdaż? Trzeba robić to, co się musi.

Victoria poczuła, że robi jej się zimno.

– Nie wiedziałam, że ty i Lucas tak dobrze się znacie – wykrztusiła z trudem.

– Owszem, bardzo dobrze. – Lśniące kropelki wilgoci błysnęły na ciemnych rzęsach Jessiki i spadły na różany płatek. – Nie możesz sobie nawet wyobrazić, jak się czułam, kiedy odnalazł mnie po tak długim czasie i powiedział, że odziedziczył tytuł i szuka odpowiedniej żony.

Victoria patrząc na wdzięczny profil Jessiki spostrzegła, że kolejna łza spada na różany płatek.

– „Odpowiedniej żony" – usłyszała swój głos, który nawet dla jej własnych uszu zabrzmiał głupio.

– Poprosił mnie, bym go wprowadziła w takie kręgi towarzyskie, gdzie mógłby znaleźć odpowiednią kandydatkę na żonę.

– A jakie wymagania miała spełniać taka kandydatka? – zapytała Victoria, czując suchość w ustach.

– No cóż, przede wszystkim musiała być dziedziczką.

– Dziedziczką – powtórzyła w oszołomieniu Victoria.

– Zapewne już wiesz, że cała ta historia z ukrytą pod łóżkiem fortuną jego wuja, to brednie. Sama ją rozpuściłam, aby ludzie nie dowiedzieli się o faktycznym stanie finansów Lucasa.

Victoria zesztywniała.

– To niezwykle sprytne z twojej strony.

– Robiłam, co mogłam – odpowiedziała Jessica z tragiczną dumą w głosie. – Nie mogłam mu nie pomóc po tym, co niegdyś do siebie czuliśmy. Muszę jednak wyznać, że zdarzały się chwile, kiedy ciężko mi było patrzeć, jak on cię adoruje.

– Wyobrażam sobie.

Victoria miała ochotę chwycić pierwszą z brzegu doniczkę i cisnąć ją w jedną ze szklanych ścian oranżerii.

– Kiedy dziś rano dowiedziałam się, że ty i Lucas tak nagle wzięliście ślub, pomyślałam sobie, że to nawet lepiej. Lucas potrzebował tego małżeństwa dla ratowania majątku, a poza tym lepiej się stało dla nas obojga, że wszystko potoczyło się tak szybko.

– A co ze mną, Jessico? Czy w ogóle pomyślałaś o mnie, kiedy przedstawiałaś mnie Lucasowi?

Jessica spojrzała na nią z zaskoczeniem.

– Przecież ty nie masz się na co uskarżać. Groziło ci spędzenie reszty życia w staropanieństwie. Zamiast tego zostałaś hrabiną. Jesteś żoną Lucasa. Czegóż chcesz więcej?

– Może tego, by mi pozwolono spędzić tę resztę życia w staropanieństwie. – Victoria zacisnęła dłonie w pięści. – Możesz sobie uważać, że wyświadczyłaś Lucasowi wielką przysługę, lecz nie miej złudzeń co do mnie. Bo ja wcale nie czuję wdzięczności za to wtrącanie się. Jak mogłaś być tak okrutna?!

Victoria odwróciła się i ruszyła alejką w kierunku drzwi.

– Vicky, poczekaj. Dlaczego się gniewasz? Sądziłam, że zrozumiesz. Jesteś inteligentną kobietą. Słyniesz przecież z bystrości umysłu. Sądziłam, że zdajesz sobie sprawę z tego, że w twoim wieku największą zaletą jest majątek. Z jakiego innego powodu mężczyzna miałby zabiegać o kobietę, która ma skłonności do tak skandalicznego, nieopanowanego zachowania, która... – Jessica urwała gwałtownie, czując, że posunęła się za daleko. – Jednym słowem, powinnaś być równie zadowolona z tego mariażu. Ostatecznie dostałaś przecież hrabiego.

Victoria zatrzymała się gwałtownie i odwróciła w jej stronę.

– A Lucas mój majątek. Masz absolutną słuszność, Jessico. Oboje jesteśmy odpowiedzialni za ten związek i teraz musimy w nim żyć. Ale ty już swoje zrobiłaś. Nie ma potrzeby, byś dalej wtrącała się w nasze życie.

Oczy Jessiki się rozszerzyły i więcej łez zabłysło na rzęsach.

– Przykro mi, że nie jesteś zadowolona, ale taki już los kobiety. Tylko pensjonarki myślą, że wyjdą za mąż z miłości. Wszystkie robimy to, co musimy. Jeśli nie okażesz Lucasowi odrobiny uczucia, pomyśl, jak mu będzie ciężko. Zresztą obojgu wam będzie ciężko. W końcu przecież musisz dać mu dziedzica.

– Dziękuję, że przypomniałaś mi o moich małżeńskich obowiązkach.

– Wielkie nieba, ty naprawdę się gniewasz. Niczego nie pojęłaś. Victorio, proszę, wybacz mi. Nie wiesz nawet, jak mi przykro.

Jessica zalała się łzami i zaczęła nerwowo szukać chusteczki.

Victoria zawahała się, rozdarta między wściekłością a litością, której wcale nie pragnęła odczuwać. Łzy Jessiki były jednak prawdziwe. Zła na siebie, lecz niezdolna oprzeć się łzom kobiety, podeszła bliżej i nieśmiało dotknęła ramienia Jessiki.

– Proszę, przestań, Jessico, bo się rozchorujesz. Co się stało, to się nie odstanie. Nie jesteś niczemu winna. To była wyłącznie moja decyzja i tylko ja ponoszę za wszystko odpowiedzialność.

Jessica powstrzymała płacz i przytuliła się kurczowo do Victorii. Ona zaś poklepała ją z zażenowaniem po plecach.

– Błagam cię, Vicky, nie wykorzystuj tego przeciwko Lucasowi. On uczynił jedynie to, co musiał, dla ratowania majątku.

Victoria próbowała wymyślić jakieś pocieszenie, które uspokoiłoby szlochającą damę, ale nie potrafiła. Właściwie mogła jedynie myśleć o zemście na Stonevale'u. Właśnie się zastanawiała, jak mu się odpłacić, kiedy z holu dobiegł głos Lucasa.

– Vicky? Co się dzieje? Twoja ciotka mówi, że jeszcze nie jesteś gotowa.

Po chwili wszedł do oranżerii. Rozejrzał się niecierpliwie i jego wzrok napotkał spojrzenie Victorii, obejmującej płaczącą kobietę. Natychmiast rozpoznał szlochającą tak rozpaczliwie osobę.

– Lady Atherton przyszła przekazać nam swoje najlepsze życzenia, milordzie. Prawda, że to miło z jej strony, zwłaszcza w takich okolicznościach? Okazuje się, że jesteście bardzo bliskimi przyjaciółmi, i że pomogła ci w znalezieniu posażnej panny. Wygląda na to, że plotki o majątku twego wuja są zupełnie bezpodstawne. A teraz wybaczcie mi. Zostawiam was samych, byście się mogli pożegnać. Za nic nie chciałabym przeszkadzać.

W oczach Lucasa pojawił się błysk zrozumienia.

– A niech to wszyscy diabli! – syknął.

Uśmiechnęła się chmurnie.

– Myślę dokładnie to samo.

Uwolniła się z objęć Jessiki i ruszyła w stronę drzwi. Kiedy doszła do miejsca, gdzie stał Lucas, uniosła głowę i spojrzała na niego bez słowa.

– Później porozmawiamy – rzucił przez zaciśnięte zęby.

– Nie wydaje mi się, byśmy mieli o czym. Zechciej mnie przepuścić, milordzie.

Usunął się niechętnie, a jego oczy wyrażały zawód i gniew.

– Pospiesz się, Vicky. Chciałbym jak najszybciej wyruszyć. Czeka nas długa droga.

Nie raczyła mu nawet odpowiedzieć. Musiała opanować się całą siłą woli, by nie cisnąć w niego doniczką z kaktusem.

Dotarła do swego pokoju, trzęsąc się z gniewu i żalu. Zastała tam podekscytowaną Nan, która dokonywała ostatnich przygotowań do podróży.

– Dobrze, że jaśnie pani już jest. Ja prawie skończyłam. Albert mówi, że właśnie ładują ostatnie skrzynie i konie już zaprzężono. Jaśnie pani musi się pospieszyć z przebieraniem. Słyszałam, że jego lordowska mość już przybył i chce natychmiast ruszać.

– Nie ma pośpiechu, Nan. Nigdzie dziś nie jadę. Proszę, bądź tak dobra i zostaw mnie w spokoju.

Nan aż otworzyła usta ze zdziwienia.

– Cóż jaśnie pani mówi? Jego lordowska mość wydał ścisłe polecenie, byśmy się pospieszyli. Będzie wściekły, jeśli się dowie, że mitrężymy czas.

– Proszę, odejdź, Nan.

Pokojówka zagryzła wargę. Rzadko widywała swoją panią w takim nastroju i nie bardzo wiedziała, co ma robić. Postanowiła ustąpić.

– A może podać jaśnie pani filiżankę herbaty? Jeśli jaśnie pani nie czuje się dobrze, jego lordowska mość na pewno to zrozumie.

– Nie chcę herbaty, jedynie chwili spokoju.

– O Boże, to wszystko źle się skończy – mruczała Nan, idąc w stronę drzwi. – Mężczyźni nie lubią czekać, a już najmniej ci, którzy kiedyś wydawali rozkazy żołnierzom w czasie bitwy. Rozkażą: skacz, i wszyscy muszą skakać. Tacy oni są.

Victoria zaczekała, aż Nan zamknie drzwi i wolno podeszła do okna. Elegancki powóz Jessiki stał na ulicy przed domem. Po chwili zobaczyła, jak Lucas sprowadza swoją dawną ukochaną po schodach i pomaga jej wsiąść do powozu. Następnie daje znak stangretowi i wraca z ponurą miną do domu. Nie zdziwiła się, kiedy wkrótce usłyszała w korytarzu pospieszne kroki i pukanie do drzwi.

– Jego lordowska mość życzy sobie porozmawiać z jaśnie panią – posłyszała stłumiony głos Nan. – Mówi, że to bardzo pilne.

Victoria przeszła przez pokój i otworzyła drzwi.

– Powiedz jego lordowskiej mości, że jestem niedysponowana.

– Jaśnie pani, błagam, proszę nie kazać mi tego mówić. On nie jest teraz w najlepszym humorze.

– Do diabła z jego humorem!

Victoria zatrzasnęła drzwi tuż przed nosem przerażonej Nan. Potem wróciła do okna i patrzyła, jak służący przymocowywują ostatnią ze skrzyń do podróżnej karety, którą Cleo uparła się pożyczyć nowożeńcom.

Następne pukanie do drzwi można było przewidzieć bez trudu.

– Vicky, kochanie, otwórz w tej chwili – posłyszała głos Cleo. – Co ma znaczyć to całe przedstawienie? Twój mąż życzy sobie niezwłocznie wyruszyć. Byli oficerowie nie lubią czekać.

Victoria westchnęła, jeszcze raz przeszła przez pokój i otworzyła drzwi.

– Powiedz mojemu mężowi, że może sobie jechać, kiedy chce. Powiedz, żeby na mnie nie czekał, bo z nim nie pojadę.

Cleo popatrzyła na nią surowo.

– A więc o to chodzi. – Weszła do pokoju i cicho zamknęła drzwi. – Nie myliłam się sądząc, że coś dziwnego kryje się za tą poranną wizytą lady Atherton. Cóż ona ci takiego powiedziała?

– Czy wiedziałaś, że Lucas kiedyś oświadczył się o jej rękę?

– Nie, ale nie pojmuję, co to ma za znaczenie? Lucas ma trzydzieści cztery lata. To zrozumiale, że nie jesteś pierwszą, którą poprosił o rękę. Czy to cię tak zdenerwowało? Daj spokój, Vicky, jesteś zbyt inteligentna, by robić z tego taki problem. Cokolwiek między nimi było, należy już do przeszłości.

– Nie przyjęła jego oświadczyn, bo nie miał ani tytułu, ani majątku, który zadowoliłby jej rodzinę.

– No cóż, to już jej problem. Teraz Lucas ma tytuł. Nie rozumiem, czemu tak się tym przejmujesz, Vicky.

– Lucas odziedziczył tytuł, lecz, niestety, nie majątek – powiedziała Victoria zimno. – Jessica wyjaśniła mi, że jego lordowska mość postanowił ożenić się z bogatą panną, by uratować chylący się ku ruinie majątek i poprosił swoją drogą przyjaciółkę, aby znalazła mu odpowiednią kandydatkę na żonę. Czy masz ochotę zgadnąć, którą ze znanych ci panien spotkał ten zaszczyt?

Cleo w charakterystyczny dla siebie sposób uniosła brwi.

– Prędzej zgadłabym, która ze znanych mi panien sama nawarzyła sobie piwa, a teraz narzeka, że musi je wypić. Gdyby miała choć trochę oleju w głowie, a ufam, że ma, postarałaby się uczynić to piwo zdatnym do wypicia.

Victoria zamrugała oczami zdziwiona tym niespodziewanym brakiem poparcia ze strony ciotki. Założyła ręce na piersi i spojrzała na nią zdziwiona.

– Nie wyglądasz na zszokowaną tymi informacjami.

– Wybacz, ale przeżyłam już jeden szok, kiedy zastałam cię w tej gospodzie. To chyba dość jak na mój wiek.

Victoria poczuła, że oblewa się krwistym rumieńcem. Spuściła wzrok.

– Tak, oczywiście. Wybacz mi, proszę. Jest mi doprawdy bardzo przykro.

Wzrok Cleo złagodniał.

– Vicky, kochanie, obawiam się, że niepotrzebnie się denerwujesz. Nie jest dla mnie nowiną, że Lucas nie ma majątku. Powiedział mi o tym tego ranka w gospodzie, kiedy czekaliśmy, aż do nas zejdziesz.

– Powiedział ci, że ożenił się ze mną dla pieniędzy?

– Powiedział mi, że chciał zostać ci przedstawiony, ponieważ, mówiąc otwarcie, szukał bogatej panny. Ale ożenił się z tobą, bo bardzo cię polubił i doszedł do wniosku, że będziesz dla niego doskonałą żoną.

– Polubił mnie. To niezwykle łaskawe z jego strony – wycedziła Victoria przez zęby.

– Będę z tobą zupełnie szczera, Victorio. Od samego początku wiedziałam, że ze Stonevale'em będą kłopoty. Kiedy jesteście razem, tworzy się między wami coś, co zagęszcza atmosferę. Ale lubię go, i pomyślałam, że jeśli ty chciałaś zaryzykować wszystko dla tego mężczyzny, on zapewne zrobi to samo.

– Cieszę się, że go akceptujesz, ciociu.

– Oszczędź sobie, proszę, tej ironii. Przecież to ty ponosisz odpowiedzialność za to wszystko.

Victoria spuściła głowę, a kiedy ją uniosła, napotkała życzliwy, lecz nieugięty wzrok Cleo.

– Jak zwykle masz rację. Teraz muszę się zastanowić, co mam dalej robić.

– Pierwszą rzeczą, jaką powinnaś zrobić, to przebrać się w strój podróżny. Lucas chce wyruszyć po południu i uważam, że ma rację. Im szybciej wyjedziecie z miasta, tym lepiej.

– Nie mam zamiaru nigdzie z nim jechać.

– Vicky, zachowujesz się nierozsądnie. Nie masz wyboru, musisz z nim jechać.

Zanim Cleo zdążyła powiedzieć coś więcej, rozległo się rozpaczliwe pukanie do drzwi. Po chwili usłyszały głos Nan:

– Proszę wybaczyć, jaśnie pani, ale jego lordowska mość mówi, że jeśli jaśnie pani natychmiast nie zejdzie, to będzie zmuszony wejść na górę i ściągnąć jaśnie panią siłą.

Na pewno by to zrobił. Victoria nie miała co do tego żadnych wątpliwości. Nie miało sensu odwlekanie nieuniknionej rozmowy. Ruszyła w stronę drzwi i już w progu odwróciła się i powiedziała:

– Zdobyłam najbardziej czarującego z mężczyzn, nieprawdaż? Czegóż więcej mogłaby pragnąć panna młoda?

10

Czekał na nią w bibliotece, w pobliżu okna, które wychodziło na ogród tak dobrze mu znany z ich nocnych spotkań. Victoria weszła do pokoju i usłyszała cichy stuk zamykanych za nią drzwi. Cały dom pogrążył się w pełnej szacunku ciszy, jakby wszyscy nagle wstrzymali oddechy. Zauważyła, że służba, łącznie z jej pokojówką i Rathbone'em, porusza się po domu z wielką ostrożnością. Lucas był jej mężem zaledwie od kilku godzin i gościem w domu jej ciotki, lecz najwyraźniej zdążył już zdobyć autorytet. Nikt nie chciał narazić się na jego gniew. Victoria sama musiała stawić mu czoło.

– Chciałeś mnie widzieć, milordzie? – zapytała, uciekając w chłodną uprzejmość.

Omiótł ją wzrokiem od stóp do głów.

– Nie przebrałaś się jeszcze do podróży.

Wymagało to większej odwagi, niż sądziła.

– Bo nie jadę z tobą. Życzę ci szczęśliwej drogi, milordzie.

Obróciła się na pięcie i ruszyła do drzwi.

– Jeśli teraz wyjdziesz, Vicky, gorzko tego pożałujesz. – Przerażająco chłodny ton głosu skutecznie zatrzymał ją na miejscu. Odwróciła się i spojrzała na niego.

– Wybacz, proszę. Czy chciałbyś mi coś jeszcze powiedzieć?

– Bardzo wiele. Ale czas nagli i wolałbym odbyć tę rozmowę w powozie, a nie w bibliotece twojej ciotki. Teraz jedynie pragnąłbym przeprosić cię za emocjonalny wybuch lady Atherton. Nie przypuszczałem, że do tego stopnia straci panowanie nad sobą.

– Tak, zdaje się, że zawiodły ją nerwy. Kiedy miałeś zamiar powiedzieć mi prawdę?

– O jakiej prawdzie mówisz? Że kiedyś poprosiłem Jessicę o rękę? To stara historia, Vicky, i nie ma z nami nic wspólnego.

– Do diabła! – syknęła. – Bardzo dobrze wiesz, o jaką prawdę mi chodzi. Pragnąłeś, aby nas sobie przedstawiono, bo jestem posażną panną. Czy masz czelność temu zaprzeczać?

Wytrzymał jej zimne spojrzenie.

– Nie. Zresztą sama się tego domyślałaś. Nie pamiętasz, jak mnie ostrzegałaś? Pomimo to zgodziłaś się na moją propozycję. Podjęłaś ryzykowną grę i przegrałaś, ale była to twoja własna decyzja. Czyż nie powiedziałaś, że nie ma prawdziwego ryzyka bez prawdziwego niebezpieczeństwa?

– Musisz rzucać mi w twarz moją własną głupotę?

– A dlaczego nie? Czyż nie tego się po mnie spodziewałaś? Jestem przecież łowcą posagów, który złowił dziedziczkę.

Poczuła się tak, jakby wymierzono jej cios w żołądek.

– A teraz oczekujesz ode mnie, abym pogodziła się z tym poniżeniem?

Kilkoma krokami pokonał dzielącą ich odległość i chwycił ją za ramiona. Oczy mu pałały.

– Do diabła, oczekuję, byś okazała mi trochę zaufania. Przez ostatnie tygodnie bez protestu powierzałaś mi swoje bezpieczeństwo i honor. Dlaczego teraz, kiedy zostałaś moją żoną, miałoby być inaczej?

– Zaufać ci? Po tym, co mi uczyniłeś?

– Czy uczyniłem coś aż tak nikczemnego? Uprzedzałem cię, że cały plan jest niebezpieczny, ale ty chciałaś mieć tę swoją noc bez względu na koszty.

– Jak śmiesz drwić ze mnie?

– Wcale z ciebie nie drwię. Przypominam ci jedynie, jak usiłowałaś tłumaczyć swoje uczucia do mnie. Pragnęłaś tej nocy równie mocno jak ja. Do diabła, powiedziałaś nawet, że mnie kochasz.

Victoria pokręciła głową, jej oczy zwilgotniały.

– Powiedziałam, że zdaje mi się, że cię kocham. Najwidoczniej się pomyliłam.

– Podarowałaś mi obrazek ze *Strelitzia reginae*, a potem oddałaś mi się bez zastrzeżeń. Sądziłem, że naprawdę mnie kochasz. Kiedy twoja ciotka zapukała do drzwi, pierwszym moim odruchem była myśl, że należy cię chronić. Co według ciebie miałem zrobić? Nie zgodzić się na małżeństwo z tobą?

– Proszę, nie przekręcaj moich słów. Dostrzegłeś okazję, na którą czekałeś, i skorzystałeś z niej. Nie staraj się temu zaprzeczać.

– Nie będę zaprzeczać, że chciałem się z tobą ożenić. Nie ryzykowałbym twego czy mego honoru, gdybym nie miał pewności, że prędzej czy później i tak do tego dojdzie. Niefortunnie się złożyło, że twoja ciotka nas odkryła i przyspieszyła bieg wydarzeń, jednak końcowy rezultat i tak był nieunikniony.

– Wcale nie był nieunikniony! – wybuchnęła.

– Vicky, bądź rozsądna. Przecież i tak nie moglibyśmy tego dłużej ciągnąć. Sytuacja stawała się coraz bardziej niebezpieczna. Ludzie zaczynali plotkować, a ty nie robiłaś nic, by te plotki uciszyć. Podejmowaliśmy wielkie ryzyko, by zaspokoić swoje nocne zachcianki. Prędzej czy później nasza tajemnica wyszłaby na jaw, a wówczas żadne z nas nie miałoby wyboru. W dodatku mogłaś przecież zajść w ciążę. Nie pomyślałaś o tym?

– Dlaczego nie powiedziałeś mi całej prawdy, zanim cokolwiek się zaczęło? – Słyszała, że jej głos przybiera histeryczne tony rozwścieczonej handlarki ryb. Rozpaczliwie usiłowała nad sobą zapanować.

– Jeśli mam być szczery, to nie powiedziałem ci prawdy, bo chciałem cię zdobyć i obawiałem się, że jeśli dowiesz się o mojej sytuacji finansowej, nie dasz mi żadnej szansy. Byłaś taka nieugięta w swoim uporze, by nie wychodzić za mąż, taka przewrażliwiona na punkcie łowców posagów, że mogłem zalecać się do ciebie w jedyny sposób, na który mi pozwoliłaś. Nawet nie wiesz, jak ciężkie były dla mnie ostatnie tygodnie, Vicky. Przynajmniej mogłabyś okazać trochę zrozumienia i życzliwości.

Spojrzała na niego z niedowierzaniem.

– Życzliwości? Jak śmiesz po tym wszystkim żądać, bym okazała ci życzliwość?

– A dlaczego nie? Potrafisz okazać życzliwość innym, łącznie z lady Atherton. Sam widziałem, jak ją pocieszałaś, kiedy wypłakiwała ci się na ramieniu. – Lucas puścił ją gwałtownie i przesunął palcami po włosach. – Dlaczego nie miałbym otrzymać choć cząstki tej życzliwości? W końcu jestem twoim mężem i Bóg jeden wie, że nie będzie mi łatwo.

– A co masz do zaoferowania w zamian?

Odetchnął głęboko.

– Stanę na głowie, by być dla ciebie dobrym mężem. Masz na to moje słowo.

– A w jaki sposób to zrobisz? – Zaczęła rozcierać ramiona, na których jego palce pozostawiły czerwone ślady. – Nie masz przecież majątku. To ja wnoszę pieniądze do tego małżeństwa, jak zauważyła twoja dawna przyjaciółka. Ty wnosisz tytuł. Jestem ci wdzięczna za niego, ale nigdy nie zależało mi na tytułach.

Zacisnął usta.

– Podarowałem ci również przygodę, której szukałaś.

– Chciałeś powiedzieć, podszedłeś mnie za pomocą tej przygody.

– Vicky, posłuchaj mnie...

– Chcę wiedzieć jedno. Czy masz zamiar nawiązać romans z lady Atherton teraz, kiedy załatwiłeś już sprawę małżeństwa?

– Boże, nie. Rozumiem, że w tej sytuacji nie bierzesz pod uwagę mojej uczciwości, lecz jeśli znasz Jessicę, to dobrze wiesz, że cały ten pomysł z romansem nie wchodzi w grę.

Victoria skrzywiła się.

– Wybacz mi. Oczywiście, masz rację. Lady Atherton jest wzorem dobrego wychowania. Nawet by nie pomyślała o angażowaniu się w niedozwolony związek z tobą.

– Właśnie.

– Jest taką szlachetną istotą. Nie miała żadnych skrupułów, by zrobić to, co nakazywał jej obowiązek, kiedy przed czterema laty przyjęła oświadczyny lorda Athertona zamiast twoich.

– Zrobiła to, co musiała – powiedział Lucas szorstko.

– Cóż za straszliwa wyrozumiałość.

– Cztery lata to szmat czasu – odpowiedział Lucas, wzruszając ramionami. – Prawdę powiedziawszy, cieszę się, że nie ożeniłem się z Jessicą. Niedawno doszedłem do wniosku, że nie byłby to dobry związek.

Victoria spojrzała na niego z uwagą.

– Dlaczego tak sądzisz? Wydaje się wprost dla ciebie stworzona. Należy przecież do tego typu kobiet, które potrafią być oddanymi żonami i, o czym już mówiliśmy, wzorem zasad.

– Pohamuj swój ostry język, Vicky. – Lucas skrzywił się nieznacznie. – Prawdę mówiąc, uznałem, że jest nudna. Ostatnio doszedłem do przekonania, że wolę kobiety, które nie obawiają się ryzyka, a także, zwłaszcza po ostatniej nocy, bardziej namiętne.

– Doprawdy? – Rzuciła mu harde spojrzenie. – Oczywiście, podpowiada ci to własne doświadczenie. Czyżbyś miał sposobność porównać moje zachowanie w łożu z zachowaniem lady Atherton?

Lucas uśmiechnął się złośliwie.

– Nie bądź gąską, Vicky. Czy nawet w swoich najbardziej szalonych wzlotach imaginacji mogłabyś wyobrazić sobie Jessicę wchodzącą chyłkiem do gospody ze mną lub z innym mężczyzną? Zapewniam cię, że była równie sztywna i zasadnicza cztery lata temu jak teraz. Nigdy nie zaryzykowałaby swojej reputacji dla mężczyzny, bądź takiej nocy, jak ostatnia.

– W przeciwieństwie do mnie. – Victoria westchnęła.

– Tak, w przeciwieństwie do ciebie. Absolutnym przeciwieństwie. Nigdy dotąd nie spotkałem kobiety, która byłaby podobna do ciebie. Jesteś wyjątkowa, Vicky. Zapewne dlatego nie zawsze wiem, jak z tobą postępować. Jednak mogę ci obiecać, że będę się bardzo starał. Ale dość na tym, straciliśmy już zbyt wiele czasu na tę bezcelową rozmowę. Idź na górę i natychmiast się przebierz. – Spojrzał na zegar. – Masz piętnaście minut.

– Po raz ostatni powtarzam, że nigdzie z tobą nie jadę.

Drgnęła, kiedy chwycił ją za podbródek i zmusił do patrzenia w oczy. Zadrżała pod wpływem tego wzroku. W jego oczach pałała przerażająca determinacja. Victoria nagle zrozumiała, dlaczego żołnierze szli za Lucasem w bój i dlaczego cała służba poruszała się po domu z taką ostrożnością.

– Victorio – powiedział wolno. – Wygląda na to, że nie w pełni pojęłaś sens moich słów. To bez wątpienia moja wina, ulegałem bowiem twoim kaprysom, ignorując zdrowy rozsądek. I chyba dlatego powzięłaś przypuszczenie, że możesz lekceważyć moje polecenia. Zapewniam cię, że się mylisz.

– Nie przyjmuję poleceń od żadnego mężczyzny.

– Ode mnie jednak przyjmiesz. Jestem twoim mężem i mam zamiar wyruszyć w drogę za… – tu spojrzał na zegar – trzynaście minut. Jeśli do tego czasu nie będziesz gotowa, wsadzę cię do powozu, tak jak stoisz. Czy to jasne?

Victoria gwałtownie wciągnęła powietrze.

– Wyglądasz, jakbyś trzymał bat w garści, milordzie – wycedziła jadowcie. – I jak większość mężczyzn, prawdopodobnie nie zawahasz się go użyć.

– Mogę cię zapewnić, że nigdy nie użyję na ciebie bata, Vicky, i doskonale o tym wiesz. A teraz przestań nadużywać mojej cierpliwości. Pozostało ci jeszcze dwanaście minut.

Victoria odwróciła się i bez słowa wybiegła z biblioteki.

Podróż do Yorkshire była najdłuższą w życiu Victorii. W czasie jazdy rzadko widywała męża. Lucas spędzał większość czasu w siodle, woląc jechać konno obok karety niż mieć do czynienia z humorami żony. Na nocnych postojach w zajazdach Victoria dzieliła pokój z Nan, a Lucas ze swoim kamerdynerem. Posiłki spożywano w atmosferze chłodnej uprzejmości.

Kiedy dotarli do Stonevale, nastrój Victorii się nie poprawił, a i Lucasa również, choć był chyba zadowolony, że nie musi znosić jej humorów.

Widok pól otaczających jej nowy dom nie napawał otuchą. Nie trzeba było rozległej wiedzy, by zauważyć, że zbiory w tym roku będą w najlepszym wypadku średnie. Wszędzie panowała atmosfera przygnębienia, poczynając od walących się chłopskich chat, a kończąc na wychudzonych zwierzętach, stojących apatycznie na łąkach.

Brak towarów w witrynach wiejskiego sklepu podkreślał jeszcze okoliczną biedę, która jak ciężka chmura zawisła nad całym Stonevale. Na widok kilkorga dzieci bawiących się w kurzu Victoria zmarszczyła brwi. Ich ubranka były równie nędzne, jak londyńskich uliczników.

– To niewybaczalne – mruknęła do Nan. – Jak można było dopuścić do takiej ruiny!

– Jego lordowską mość czeka ogromna praca – zauważyła Nan. Doskonale zdawała sobie sprawę z uczuć swej pani do hrabiego. – Zasłuży na swój piękny tytuł, jeśli uda mu się przywrócić życie tym polom.

– Z pewnością mu się uda – stwierdziła Victoria z ponurą miną. W duchu zaś dodała: A do tego będą mu potrzebne moje pieniądze. Po raz pierwszy zdała sobie sprawę z ogromu odpowiedzialności spoczywającej na Lucasie. Dobrobyt i szczęście mieszkańców Stonevale zależały od dobrobytu pana tych włości. Ich los był ściśle związany z dworem.

Gdyby miała ocalić te ziemie, czy zdecydowałaby się na małżeństwo dla pieniędzy? Prawdopodobnie tak. Zgodnie bowiem ze słowami lady Atherton, każdy robi to, co musi. Jednak świadomość tego faktu nie zmieniła jej stosunku do Lucasa. Mogła zrozumieć powody, jakie nim kierowały, lecz nigdy mu nie wybaczy, że wybrał właśnie ją. Na pewno znalazłby wiele chętnych na jej miejsce. Nie brakuje panien, które sprzedałyby swój majątek za tytuł.

– Prawda, jaśnie pani, że to piękny dwór? – zapytała Nan, wychylając się z okna powozu. – Szkoda, że pola i ogród są tak zaniedbane. Nie to, co wiejski dom lady Nettleship.

Victoria przyłapała się na tym, że zerka z zaciekawieniem, choć ślubowała, że zachowa chłodną rezerwę w stosunku do wszystkiego, co dotyczy Lucasa.

Pokojówka miała rację. Stonevale było wspaniałym dworem o imponującej kamiennej fasadzie. Szerokie schody frontowe schodziły ku wybrukowanemu dziedzińcowi i ogromnemu podjazdowi. Pośrodku dziedzińca stała wielka fontanna z sadzawką. Niestety, cicha teraz i zapuszczona. Nad dworskimi zabudowaniami unosiła się ta sama atmosfera przygnębienia i beznadziejności, co nad wsią i polami. Victoria spoglądała na swój nowy dom z przerażeniem. Daleko mu było do luksusowego, wygodnego, otoczonego kwitnącym ogrodem pałacu ciotki.

Lucas przekazał wierzchowca stajennemu i podszedł do Victorii, by wprowadzić ją po stopniach do domu.

– Jak widzisz, jest tu wiele do zrobienia – powiedział cicho.

– Nadzwyczaj trafna uwaga, milordzie. – Victoria poczuła się dziwnie oszołomiona.

– Chciałbym, Vicky, abyśmy wspólnie się tym zajęli. Oboje mamy w tym cel. To będzie przecież nasz dom. A wkrótce i naszych dzieci.

Skrzywiła się, przypominając sobie słowa Jessiki Atherton: „Jeśli nie okażesz Lucasowi odrobiny uczucia, pomyśl, jak mu będzie ciężko. W końcu przecież musisz dać mu dziedzica".

Natychmiast się opanowała, ale Lucas musiał dostrzec błysk gniewu w jej oczach, bo twarz mu stężała.

– Przedstawię ci służbę, chociaż nie ma jej zbyt wiele. Majordomus nazywa się Griggs. Przyjechał ze mną z Londynu. Ochmistrzynią jest pani Sneath. Pochodzi z tej wioski.

Wyczerpana długą podróżą, przerażona tym, co zobaczyła, i zbyt dumna, by odpowiedzieć na drobne gesty pojednania ze strony Lucasa, Victoria zebrała fałdy sukni i weszła po schodach do swego nowego domu.

Pierwszy obiad na nowym miejscu nie był zbyt imponującym wydarzeniem. Griggs przeprosił za nie najlepszą jakość wina i brak lokai do obsługi stołu. Jedzenie również pozostawiało wiele do życzenia. Jadalnia zaś była jeszcze gorsza: dywan wytarty, meble zniszczone i matowe, srebra zaśniedziałe, a żyrandol nieczyszczony od lat.

Najbardziej jednak drażniła ją ponura cisza przy stole. Nie należała do osób łatwo znoszących ciche dni i była już u kresu wytrzymałości. Gniewało ją, że Lucas jakby niczego nie zauważał.

– A więc, milordzie – zaczęła, pokrzepiając się tęgim łykiem wina – od czego zaczniesz wydawanie moich pieniędzy? Może od ogrodów? A może od dzierżawców? Czy może chciałbyś przemeblować dom? Bardzo by się to przydało.

Lucas zakręcił winem w kieliszku, po czym spojrzał na Victorię.

– Od czego chciałabyś zacząć, Vicky?

– Dlaczegóż tak cię interesuje moja opinia? Ratowanie Stonevale to twój pomysł, nie mój. – Uśmiechnęła się zimno. – Teraz, kiedy masz już moje pieniądze, z pewnością wiesz, jak je wydać. Mój ojczym nie miał z tym żadnych problemów. Wyrzucał je na konie i kochanki.

– Wygląda na to, że życie nie stawiało ci do tej pory wyzwań, z którymi mogłabyś się zmierzyć.

Spojrzała na niego.

– Jak mam to rozumieć?

– Jesteś kobietą inteligentną i energiczną, w dodatku los obdarzył cię sporym majątkiem. Wykorzystałaś go, by kupić sobie niezależność i finansować życie towarzyskie, ale nie przeznaczyłaś go na coś naprawdę pożytecznego.

Zabolała ją ta uwaga.

– Przekazuję duże sumy na cele charytatywne.

– Nie wymagało to jednak od ciebie ani czasu, ani umiejętności. W dodatku nie miałaś męża i rodziny, przy których mogłabyś spożytkować swe liczne talenty. Z wyjątkiem malowania i odczytów naukowych nie wymyśliłaś nic, co wypełniłoby ci czas i pozwoliło wykorzystać zdolności. Ujściem dla nich było jedynie życie towarzyskie. Toteż szybko się znudziłaś i zaczęłaś szukać przygód. I to, moja droga, wpędziło cię w kłopoty.

Poczuła rosnący gniew.

– Zapewniam cię, że nie znudziło mnie miejskie życie.

– Nie? Sądziłem, że to nuda przywiodła ci na myśl te nocne eskapady.

Victoria zbladła.

– To nieprawda. Nie znasz powodów, które mną kierowały, i byłabym ci wdzięczna, gdybyś powstrzymał się przed wysuwaniem pochopnych wniosków.

Z powątpiewaniem pokręcił głową.

– Nie, sądzę, że moje rozumowanie jest trafne. Dlatego się mną zainteresowałaś, bo zapewniałem ci przygody, których pragnęłaś. Skoro nie podoba ci się myśl, że mogłem cię poślubić dla pieniędzy, to jak sądzisz, co czułem, kiedy się okazało, że główną moją zaletą było to, że mogłem ci zaoferować nocne przygody? Wykorzystałaś mnie do własnych celów.

– Nieprawda! – wypaliła.

– Nie? Czyżbyś chciała powiedzieć, że kierowało tobą coś więcej niż chęć wykorzystania mnie do własnych celów?

Spojrzała na niego z gniewem.

– Tak, to znaczy nie. Do diabła, Lucas, przekręcasz moje słowa.

– Tak czy owak, jesteś teraz tutaj i nie możesz się już wycofać. Wiedziałaś, na jakie ryzyko się narażasz, mimo to podjęłaś wyzwanie. Pierwszą regułą w grze, moja słodka, jest umieć przegrywać i nie litować się nad sobą. Skoro grasz, musisz płacić.

– Nie lituję się nad sobą, tylko jestem wściekła. A to ogromna różnica.

Lucas odchylił się na oparcie krzesła i założył ręce na piersi.

– Dąsasz się, Vicky, to wszystko. Nigdy dotąd nie widziałem cię w takim nastroju i przyznam, że jestem ciekaw, jak długo to potrwa. Miałem nadzieję, że ci minie, zanim dotrzemy na miejsce, najwidoczniej jednak się myliłem.

– Tak, myliłeś się. – Zaczynała drżeć od tłumionego gniewu. Niesłuszność jego oskarżeń była nie do zniesienia.

– Powinnaś być mi wdzięczna, Vicky. Proponuję ci sposób na uniknięcie w przyszłości błędów, które wpędziły cię w kłopoty. Jestem rad, mogąc zaproponować coś, dzięki czemu będziesz mogła właściwie spożytkować czas i własne pieniądze. – Popatrzył na nią. – Pomóż mi uratować Stonevale.

– To miło, że mówisz o moich pieniądzach.

– Vicky, pragnę, byś stała się częścią tego miejsca, pragnę, byś je ze mną dzieliła. Przyznaję, że bez twego dziedzictwa nie mógłbym niczego dokonać, ale nie chcę wydawać twoich pieniędzy bez porozumienia z tobą. Z ochotą będę informować cię o każdym moim zamierzeniu. Masz bystry umysł i dużą wiedzę. Mogłabyś mieć ogromny wpływ na to, co będzie tu się działo. Proszę cię jedynie o to, byś ze mną pracowała, zamiast się dąsać.

– Twoja propozycja jest doprawdy zajmująca – powiedziała podejrzanie aksamitnym głosem. – Skoro tak chętnie proponujesz mi udział w podejmowaniu najmniejszej nawet decyzji, to może ofiarowałbyś mi również kontrakt ślubny, w którym zagwarantowałbyś, że nie tkniesz ani pensa z mojego majątku bez mojej zgody?

Skrzywił się ponuro.

– Nie jestem kompletnym głupcem. Podpisanie takiego kontraktu byłoby szczytem idiotyzmu z mojej strony. Wrócimy do sprawy, kiedy postanowisz być dla mnie prawdziwą i kochającą żoną.

– Ha! Nigdy nie podpiszesz takiego kontraktu i oboje o tym wiemy.

– Nawet gdybym to zrobił, i tak niewiele byś zyskała, Vicky. Jestem twoim mężem, a to daje mi pewne prawa.

– W tym właśnie tkwi sedno sprawy.

Lucas lekko się uśmiechnął.

– A żebyś wiedziała. Gdybym w tej chwili dał ci taki kontrakt, wykorzystałabyś go, by się na mnie zemścić. Przyznaj to, Vicky. Nie umiesz przegrywać i teraz szukasz jedynie okazji do rewanżu.

– Dzięki temu mogę pożytecznie wykorzystać czas i energię – odparowała. Uśmiechnęła się zimno i wstała od stołu. – A teraz wybacz, milordzie, lecz muszę się użalać nad sobą. Wrócę więc do swojego pokoju i popłaczę sobie trochę.

Griggs otworzył przed nią drzwi i Victoria zniknęła w holu.

Lucas obserwował jej wspaniałe wyjście spod wpółprzymkniętych powiek, po czym dał znak majordomusowi, by napełnił mu kieliszek przywiezionym z Londynu porto. Kilkudniowa forsowna jazda mocno dała się we znaki jego nodze. Sącząc porto zastanawiał się, co właściwie powinien zrobić: udusić Jessicę Atherton, czy przerzucić Victorię przez kolano. Prawdę powiedziawszy, to drugie rozwiązanie wydawało się zdecydowanie bardziej interesujące. Dałby wiele, mogąc jeszcze raz spojrzeć na jej krągłe pośladki.

Wolno opróżnił stojącą przed nim butelkę porto. Wino wpływało łagodząco nie tylko na tępy ból w udzie. Uspokajało również płonące w nim pożądanie. Od czasu tej gorącej, rozkosznej nocy w zajeździe, dręczyły go wspomnienia, które burzyły jego zazwyczaj zimną krew.

Podejrzewał, że Victoria również doświadcza podobnych uczuć. Tak cudownie reagowała na jego pieszczoty, była taka ufna i namiętna w swoim pożądaniu. Powiedziała nawet, że zdaje jej się, że go kocha. Miał dziwne przeczucie, że dotąd żadnemu mężczyźnie nie powiedziała aż tyle. Wiedział również, że jeszcze żadnemu się nie oddała. Przyjemność z obserwowania zmysłowych doznań Victorii była chyba najbardziej erotycznym z doświadczeń.

Obrazek, który mu podarowała, wisiał już na ścianie w jego pokoju, tuż obok toaletki, skąd mógł na niego patrzeć każdego ranka. Była to jedna z pierwszych rzeczy, jakie rozpakował tuż po przyjeździe do Stonevale. Ciekawe, czy Victoria domyślała się, ile ten drobny podarunek dla niego znaczy. Zapewne nie. Teraz interesowało ją jedynie zadośćuczynienie za urażoną dumę.

Zaskoczyło go wrażenie, jakie wywierał na nim ten namalowany kwiatek. Może dlatego, że był to pierwszy podarunek od kobiety od czasu śmierci matki. Medalionu z puklem ciemnych włosów, podarowanym mu przed czterema laty przez Jessicę Atherton w ogóle nie brał pod uwagę. Wcisnęła mu go w dłoń, kiedy ze łzami w oczach odrzucała jego oświadczyny. Cisnął tę pamiątkę do rowu pewnej nocy w przeddzień bitwy.

Patrzył przez chwilę w zamyśleniu na pustą już butelkę porto i przyszło mu na myśl puste łoże, które czekało na niego na górze.

Gdyby sprawy nie potoczyły się tak szybko, byłby teraz w Londynie i szykował się do wspinaczki po ogrodowym murze. Jego szalona, namiętna towarzyszka nocnych wypraw czekałaby już z pewnością na niego.

Ale teraz został mężem tej małej trzpiotki i musi sobie jakoś z nią poradzić. Nie ma zamiaru spędzić reszty życia z boczącą się żoną, a już na pewno nie w pustym łożu.

Tak łatwo przychodziło Victorii okazywanie życzliwości innym, pomyślał gniewnie, wstając od stołu. Czemu nie mogłaby jej choć trochę ofiarować swemu mężowi? Czyż nie zdawała sobie sprawy, że nie mógł inaczej postąpić?

Mężczyźnie z jego pozycją nie pozostawało nic innego niż bogato się ożenić. Victoria powinna o tym wiedzieć. Co się stało, to się nie odstanie, i jedynym wyjściem jest pogodzenie się z faktami. Te humory nie mogą trwać wiecznie. Nie będzie dłużej tolerował jej złości. Nie zniesie też samotnych nocy. Jest żonatym mężczyzną, a to daje mu pewne prawa i przywileje.

Z rosnącym powoli uczuciem determinacji wyszedł z jadalni i ruszył schodami na górę. Spróbuje jeszcze raz porozmawiać dzisiejszej nocy z Victorią, a jeśli nadal nie będzie chciała go wysłuchać, znajdzie inny sposób na złamanie jej uporu.

Ormsby, kamerdyner, nadal krzątał się po pokoju, rozpakowując kufry. Spojrzał ze zdziwieniem na Lucasa wchodzącego do sypialni.

– Dobry wieczór, jaśnie panie. Czy jaśnie pan ma zamiar dziś wcześnie udać się na spoczynek?

– W rzeczy samej. Powiedz Griggsowi, żeby odesłał służbę do łóżek. Wszystkim przyda się odpoczynek po tak długiej podróży.

Ormsby skłonił się uprzejmie.

– Czy jaśnie pan będzie potrzebował czegoś na chorą nogę? Po tak długiej podróży musi jaśnie panu doskwierać.

– Właśnie skończyłem butelkę porto. To powinno wystarczyć.

– Tak jest, jaśnie panie. – Ormsby poruszał się po pokoju cicho i sprawnie. – Nan mówiła mi, że lady Stonevale też już się położyła. Jeśli mogę sobie pozwolić na uwagę, to chyba wszyscy będziemy musieli zmienić swój tryb życia.

– Chyba byłoby to wskazane. Osobiście wolę wiejskie życie od miejskiego.

Zaczął bezwiednie masować bolącą nogę. Wcale nie będzie żałował tych przeklętych wspinaczek po ogrodowym murze, ciągłego niepokoju, by ukryć tożsamość swej towarzyszki w czasie jej wizyt w jaskiniach hazardu, lupanarach i ciemnych zaułkach Londynu.

Ormsby wyszedł z pokoju pięć minut później. Lucas zaczekał, aż ucichną jego kroki na korytarzu, po czym wziął świecę i podszedł do drzwi łączących jego pokój z sypialnią Victorii. Nie dochodził stamtąd żaden dźwięk. Victoria zapewne leżała już w łóżku, może nawet spała.

Cicho otworzył drzwi, przekonując się w duchu, że jako mąż ma prawo wchodzić do sypialni żony. Gałka przekręciła się lekko w jego dłoni. Ciekawe, czy Victoria próbowała zamknąć przed nim drzwi. Przewidując taką ewentualność, zaopatrzył się w klucze.

Sypialnia była pogrążona w ciemności. Jedynie prostokąt okna dawał nikłe światło. Victoria najwidoczniej lubiła spać przy odsłoniętych zasłonach. To dość niezwykły kaprys. Dostrzegł jej smukłą postać skuloną pod kołdrą. Poczuł, że twardnieją mu mięśnie brzucha.

Niestety, światło świecy wydobyło również z mroku wyblakłe draperie, brudny dywan i zniszczone meble. Skrzywił się na ten widok. Dom, do którego wprowadził Victorię, nie dorównywał jej poprzedniemu domowi.

Podszedł do łoża, zastanawiając się, jak jej wyjaśni, że przyszedł wyegzekwować swoje małżeńskie prawa. Jeszcze na schodach przygotował sobie długą przemowę o obowiązkach żony względem męża, ale teraz wydała mu się ona nieprzekonująca. Co pocznie, jeśli się okaże, że ona już go nie chce? Kiedy zaświtała mu ta ponura myśl, światło świecy padło na złotą plamę bursztynu połyskującą na szyi Victorii.

Nie zdjęła medalionu.

Poczuł, jak spływa na niego ulga. A więc nie wszystko stracone.

W tym momencie Victoria się poruszyła. Powieki zadrgały, i nagle, bez żadnego ostrzeżenia, uniosły się w górę, odsłaniając dwoje przerażonych oczu.

– Dobry Boże, nie, nie! Nie zbliżaj się do mnie! – krzyknęła.

Lucas obserwował zaskoczony, jak Victoria siada na łóżku i unosi rękę, jakby chciała go odepchnąć. No tak, jednak się mylił. Nie mogła znieść jego widoku w sypialni. Poczuł, że coś go ściska w żołądku.

– Vicky, na miłość boską…

– Nóż! Boże miłosierny, nóż! – Patrzyła z przerażeniem na świecę. – Nie, błagam, nie.

Lucas zrozumiał, że Victoria znajduje się w półśnie. Musiał ją obudzić w trakcie jakiegoś koszmaru, w którym tkwiła nadal.

Podszedł do łoża, odstawił świecę na nocny stolik i chwycił Victorię za ramiona. Z jej ust wydobył się krzyk, a oczy wpatrywały się w coś, co tylko ona widziała.

Lucas mocno nią potrząsnął.

– Victorio, obudź się.

Kiedy nie zareagowała, zrobił to co zwykle, kiedy któryś z jego żołnierzy wpadł nagle w histerię w czasie bitwy: wymierzył jej siarczysty policzek.

Poskutkowało. Gwałtownie wciągnęła powietrze, zamrugała powiekami i na koniec spojrzała przytomnie.

– Lucas – odetchnęła. – Dobry Boże, to ty. – Jęknęła z ulgą i wtuliła się w jego ramiona, jakby był aniołem zesłanym, by wybawić ją z piekielnych otchłani.

W holu rozległy się pospieszne kroki i po chwili usłyszeli niespokojne pukanie do drzwi.

– Jaśnie pani! Milady! To ja, Nan. Czy coś się stało?

Lucas niechętnie uwolnił się z objęć Victorii. Jęknęła w cichym proteście. Pogładził ją uspokajająco po ręku.

– Spokojnie, kochanie. Porozmawiam tylko z twoją pokojówką.

Otworzył drzwi i zastał Nan spacerującą nerwowo po korytarzu.

– Szłam właśnie do mojego pokoju, kiedy usłyszałam krzyk milady. – Popatrzyła na niego podejrzliwie. – Czy wszystko w porządku?

– Nic się nie stało, Nan. To moja wina. Obudziłem jaśnie panią w środku złego snu.

– Och, tak właśnie myślałam. – Wzrok Nan złagodniał. – Biedna pani. Od kilku miesięcy męczą ją złe sny. To chyba dlatego tak polubiła przyjęcia i nocne życie. Ale teraz znowu zaczynają ją męczyć te koszmary. Może powinnam spać bliżej jaśnie pani?

– Nie musisz się o nią martwić, Nan. Przecież ma teraz męża. Zaopiekuję się nią. I tak będę bliżej od ciebie.

Nan spłonęła rumieńcem i szybko kiwnęła głową.

– Tak, jaśnie panie. Wobec tego już pójdę. – Dygnęła i odeszła.

Lucas zamknął drzwi i odwrócił się w stronę łóżka. Victoria obejmowała rękoma kolana. Jej oczy w nikłym świetle świecy były ogromne.

– Wybacz mi, Vicky. Nie chciałem cię przestraszyć – powiedział.

– Przede wszystkim, może mi wyjaśnisz, co robiłeś w moim pokoju? – rzuciła gniewnie.

A więc zdążyła już dojść do siebie, pomyślał z westchnieniem.

– Może to cię zaskoczy, ale masz teraz męża, a mężowie mają prawo wchodzić do sypialni żon. – Przeszedł przez pokój i usiadł na brzegu łóżka, ignorując jej wrogie spojrzenie. – Pokojówka powiedziała mi, że od pewnego czasu dręczą cię złe sny. Czy jest jakiś powód ku temu?

– Nie.

– Pytam dlatego, że ja także miewam nieprzyjemne sny – powiedział cicho.

– Chyba każdy je ma.

– Tak, ale mój sen jest dość szczególny i często się powtarza. Czy z twoim jest podobnie?

– Tak – odparła z pewnym wahaniem, po czym zapytała szybko: – A co ci się śni?

– Że jestem uwięziony pod martwym koniem na polu pełnym trupów i konających. – Wciągnął głęboko powietrze i zapatrzył się w migający płomień świecy. – Niektórzy z tych ludzi bardzo cierpią. Za każdym razem, kiedy śni mi się ten sen, muszę słuchać ich agonalnych jęków i dręczę się, zastanawiając, czy ja również umrę, czy też może któraś z tych ludzkich hien, plądrujących ciała zabitych po prostu poderżnie mi gardło i w jednej chwili przerwie nić życia.

Wyrwało go ze wspomnień jej ciche, współczujące westchnienie i lekki dotyk palców na szlafroku.

– Jakie to straszne – szepnęła. – Dobry Boże, Lucasie, to przerażające. Twój sen jest nawet gorszy od mojego.

– A co tobie się śni, Vicky?

Zacisnęła palce na kołdrze i spuściła wzrok.

– W moim śnie zawsze stoję u wylotu schodów. Tuż za mną skrada się... mężczyzna. W jednym ręku trzyma świecę, a w drugim sztylet.

Lucas czekał, czując, że to jeszcze nie koniec snu. Ze sposobu, w jaki wypowiedziała słowo „mężczyzna", wynikało, że postać z koszmaru jest jej znana. Najwidoczniej jednak nie zamierzała kontynuować swej opowieści, a on nie nalegał, nie chcąc zniszczyć tej wątłej nici porozumienia. Doszedł do wniosku, że i tak zrobił wielki krok do przodu od czasu ich pamiętnej kłótni przed wyjazdem. Rozum w tym wypadku nakazywał rozwagę i umiar.

Pamiętaj o strategii, upomniał siebie w duchu. Podczas długiego biegu należy zawsze umiejętnie rozkładać siły i niczego nie robić pospiesznie. Stłumił więc jęk i wstał.

– Czy doszłaś już do siebie?

Szybko kiwnęła głową, unikając jego wzroku.

– Tak, dziękuję, nic mi nie będzie.

– Wobec tego życzę ci dobrej nocy. Zawołaj, jeśli będziesz mnie potrzebować.

Powrót do własnego pokoju był jednym z najtrudniejszych momentów w jego życiu.

11

Następnego dnia po popołudniu Victoria zabrała swój szkicownik i poszła na spacer do pobliskiego lasu, szukając wytchnienia od chłodno uprzejmej, cichej wojny, jaką wiodła z Lucasem. Dotarła na wzgórze, skąd rozciągał się dość przygnębiający widok na pobliską wieś. Z tego miejsca można było zobaczyć walące się chałupy, wyboiste drogi i niemal puste pola. Gdzieś wśród nich znajdował się teraz Lucas. Tego popołudnia postanowił dokonać lustracji swych włości w towarzystwie rządcy.

Musiała przyznać, że było tu mnóstwo do zrobienia. Mogła wiele zarzucać Lucasowi, ale jej pieniądze zamierzał dobrze spożytkować. Nic nie wskazywało na to, że chce je utopić w winie, kobietach i rozrywkach. Pomimo reputacji hazardzisty. Nie był przecież lekkomyślnym paniczykiem.

Nie mogąc poradzić sobie z kłębiącymi się jej w głowie myślami, zaczęła się przyglądać otaczającej ją roślinności. Doświadczone oko natychmiast rozpoznało kilka znanych odmian. Po chwili dostrzegła interesującą kępkę grzybów i natychmiast zapomniała o dręczących ją problemach. Otworzyła szkicownik. Właśnie tego jej było trzeba. Ulubione zajęcie przynajmniej na chwilę ukoi jej nerwy.

Zajęła się szkicowaniem grzybów. Czas szybko mijał, a napięcie ostatnich dni powoli ustępowało.

Kiedy skończyła rysunek, jej uwagę przykuły spadłe z drzewa liście, które uformowały wdzięczny stosik. Po liściach przyszła kolej na ciekawy okaz purchawki. Stanowiła ona poważne wyzwanie dla rysownika. Niezwykle trudno było oddać jej eteryczny wygląd, nie zaniedbując przy tym drobnych szczegółów. Szkicowanie przyrody było cudowną kombinacją sztuki i wiedzy. Victoria to uwielbiała.

Wreszcie, po dwóch godzinach, zamknęła szkicownik i oparła się o pień drzewa. Doszła do wniosku, że jej samopoczucie znacznie się poprawiło. Odzyskała utraconą równowagę. Popołudniowe słońce przyjemnie grzało, a widoczne w dole pola i chaty nie wyglądały już tak ponuro. Dla Stonevale nadejdą jeszcze lepsze dni, pomyślała. Lucas uratuje te ziemie. Jeśli ktokolwiek mógł to zrobić, to jedynie on.

Oczywiście, dzięki jej pieniądzom.

Ze zdziwieniem stwierdziła, że ten fakt nie jest już dla niej tak irytujący. Może Lucas miał rację wczoraj przy obiedzie? Bo cóż naprawdę pożytecznego uczyniła ze swymi pieniędzmi?

Odepchnęła od siebie tę zdradziecką myśl. Tak czy owak, były to jej pieniądze. Zmarszczyła gniewnie brwi i wstała z ziemi, otrzepując suknię z liści. Nie wolno jej zapominać, że w całej tej sprawie jest tylko niewinną ofiarą.

Trzy dni później postanowiła złożyć swoją pierwszą wizytę we wsi. Miała zamiar pojechać tam konno, ale Lucas zdecydowanie się temu sprzeciwił.

– Nie pozwolę, aby hrabina Stonevale pojawiła się we wsi konno. Trzeba przestrzegać pewnych zasad przyzwoitości. Pojedziesz powozem w towarzystwie pokojówki i lokaja, albo nie pojedziesz wcale – oświadczył.

Ponieważ jej stosunki z Lucasem nie układały się najlepiej, postanowiła ustąpić.

Podejmując tę decyzję, doszła do wniosku, że staje się równie ostrożna jak reszta domowników. Przekonała się, że o wiele korzystniej jest nie prowokować męża na każdym kroku. Lepiej czasami ustąpić. Niezwykle trudno było walczyć z nim przez dwadzieścia cztery godziny na dobę. Do tej pory przecież nigdy się z nim nie kłóciła.

Musiała przyznać, że takie zawieszenie broni ma swoje dobre strony. Lucas w zamian starał się nie okazywać złego humoru. Ten człowiek nie uznawał innej władzy poza swoją i wymagał natychmiastowego posłuszeństwa.

Skłonność do przewodzenia i wydawania rozkazów była zapewne pozostałością wieloletniej służby w wojsku. Victoria przypuszczała jednak, że jest to również cecha jego charakteru. Lucas był urodzonym przywódcą. Arogancję i pewność siebie wyssał niewątpliwie z mlekiem matki. Bez obu tych przymiotów Lucas nie byłby w stanie uratować Stonevale.

Musiała przyznać, że żelazną wolę i upór dostrzegła w nim już wcześniej. Co zresztą uznała za pociągające. Do tej pory jednak nie miała okazji ich doświadczyć. Lucas przecież zalecał się do niej, toteż skrzętnie ukrywał niemiłe cechy swojej osobowości.

– Chyba jaśnie pani nie ma zamiaru robić w takim miejscu zakupów? – zapytała Nan, kiedy powóz zajechał do wsi. – Nie bardzo to przypomina Bond Street czy Oxford Street, prawda?

– Z pewnością nie. Ale nie przyjechałyśmy tu po to, by kupować suknię balową. Chcę rozejrzeć się po okolicy i poznać tutejszych ludzi. Przecież to nasi sąsiedzi, Nan. Nie możemy ich ignorować.

– Skoro tak jaśnie pani uważa. – Nan nie wyglądała na przekonaną.

Victoria uśmiechnęła się lekko i postanowiła jej przedstawić sprawę z bardziej praktycznej strony.

– Widziałaś, w jakim stanie jest Stonevale. Ten dom to godna pożałowania ruina. Jego lordowska mość jest zbyt zajęty sprawami dzierżawców, by troszczyć się o dwór. Poza tym, jako były żołnierz, nie ma pojęcia o zarządzaniu domem.

– To prawda. Zarządzanie takim dworem jak Stonevale to zajęcie wyłącznie dla kobiety. Proszę wybaczyć moją śmiałość, jaśnie pani.

– Obawiam się, że masz rację, Nan. I wygląda na to, że ja jestem ową kobietą, która powinna się tym zająć. Jeśli mamy tu mieszkać, powinnyśmy doprowadzić to miejsce do porządku. A skoro będziemy wydawać pieniądze na jego odnowienie, równie dobrze możemy to zrobić we wsi. Miejscowi ludzie na pewno liczą na pracę w Stonevale.

Nan nieco się rozjaśniła.

– Rozumiem, co jaśnie pani ma na myśli.

Ludzie zaczęli wychodzić ze sklepów i małych, walących się gospod. Przyglądali się ciekawie powozowi, który trząsł się na wyboistej drodze. Victoria pozdrawiała wszystkich uśmiechem. Na jej gest odpowiedziały jednak tylko nieliczne osoby. Rzucał się w oczy powszechny brak entuzjazmu dla nowej pani na Stonevale. Victoria zastanawiała się, czy to ona jest tego powodem, czy też wynika to z ogólnej niechęci do dworu. Trudno było ich za to winić, skoro poprzedni właściciel Stonevale nie okazywał żadnego zainteresowania ich losem.

Biedni ludzie, pomyślała, przygryzając wargę. Ileż oni wycierpieli. Pieniądze mogły tu zrobić wiele dobrego.

W środku wsi Victoria dostrzegła mały sklep tekstylny.

– Myślę, że możemy tu zacząć nasze zakupy.

Nan nie odezwała się ani słowem, chociaż wyraz jej twarzy był bardzo wymowny. Victoria uśmiechnęła się na widok wyniosłej postawy swej pokojówki i z pomocą lokaja wysiadła z powozu.

Ciepłe wiosenne słońce oświetliło jej bursztynowożółtą suknię i rozbłysło we włosach barwy miodu. Bursztynowe pióro w małym żółtym kapeluszu zakołysało się lekko, a medalion na szyi zajaśniał słonecznym blaskiem. Wszyscy patrzyli na nią jak urzeczeni.

Wtem, ukryta dotąd za spódnicą matki, mała dziewczynka pisnęła z zachwytu i rzuciła się w stronę Victorii.

– Bursztynowa pani, bursztynowa pani! – krzyknęła radośnie. – Piękna bursztynowa pani. Wróciłaś. Babcia mówiła, że wrócisz. Mówiła, że będziesz miała włosy w kolorze złota i miodu i będziesz nosiła złotą suknię.

– No, dość tego – zaprotestowała Nan, starając się nie dopuścić małej do Victorii. – Chyba nie chcesz pobrudzić jaśnie pani sukni. Uciekaj, dziecko. Wracaj do mamy.

Ale dziewczynka nawet na nią nie spojrzała. Wyminęła ją zręcznie i chwyciła suknię Victorii brudnymi paluszkami.

– Dzień dobry. – Victoria uśmiechnęła się do dziewczynki. – Jak się nazywasz?

– Lucy Hawkins – odpowiedziało dziecko rezolutnie, spoglądając na nią z zachwytem. – A to jest moja mamusia, a tam dalej moja starsza siostra.

Kobieta, którą wskazała Lucy, już biegła w ich stronę. Na jej zmęczonej twarzy malowało się przerażenie. Musiała być starsza od Victorii najwyżej o jakieś pięć lat, ale wyglądała, jakby miała co najmniej dwadzieścia lat więcej.

– Proszę o wybaczenie, wasza wielmożność. To jeszcze dziecko. Ona nie chciała zrobić nic złego. Nie wie, jak się zachowywać w obecności państwa. Rzadko ich tu widujemy.

– Nic się nie stało. Przecież nie wyrządziła żadnej szkody.

– Nie? – Na twarzy kobiety malowało się zdumienie. – Przecież pobrudziła suknię waszej wielmożności. – Wskazała palcem ciemne ślady na bursztynowym muślinie.

Victoria nawet na nie nie spojrzała.

– Cieszy mnie jej gorące powitanie. Lucy jest pierwszą osobą ze wsi, którą miałam okazję poznać, jeśli nie liczyć naszej ochmistrzyni, pani Sneath. Skoro o tym mówimy, to czy wasza starsza córka lub któraś z jej przyjaciółek nie miałaby ochoty pracować w kuchni? Bardzo potrzebujemy pomocników. Nie pojmuję, jak Stonevale mogło funkcjonować przy tak nielicznej służbie.

– Praca? – Twarz kobiety wyrażała zaskoczenie. – Prawdziwa praca we dworze? Toż to dla nas wielkie szczęście. Mój mąż od dawna nie pracuje, tak jak i większość mężczyzn we wsi.

– To raczej lord Stonevale i ja powinniśmy być szczęśliwi. – Victoria popatrzyła po otaczających ją twarzach. – Potrzebujemy wielu ludzi. Jeżeli ktokolwiek chciałby pracować w ogrodzie, kuchni czy stajni, to proszę przyjść do dworu jutro rano. Natychmiast otrzyma zajęcie. A teraz, jeśli mi pozwolicie, to chciałabym wejść do sklepu.

Na te słowa tłum rozstąpił się jak za dotknięciem różdżki. Wchodząc do środka, słyszała jeszcze radosny głosik Lucy rozprawiający coś o bursztynowej pani.

Dwie godziny później Victoria weszła do pałacowego holu.

– Czy wiecie Griggs, gdzie jest teraz jego lordowska mość? Muszę się z nim natychmiast zobaczyć.

– Jest w bibliotece z panem Satherwaite'em, milady, ale wyraźnie przykazał, żeby mu nie przeszkadzano w naradzie z nowym rządcą.

– Jestem pewna, że dla mnie zrobi wyjątek. To dobrze, że jest tam również Satherwaite.

Victoria uśmiechnęła się i ruszyła żwawo w stronę bibliotecznych drzwi, zdejmując po drodze rękawiczkę z koźlej skóry.

Griggs zastąpił jej drogę.

– Proszę wybaczyć, jaśnie pani, ale jego lordowska mość wydał bardzo wyraźne polecenie.

– Proszę się nie niepokoić, Griggs. Poradzę sobie z nim.

– Błagam o wybaczenie, milady, ale mam zaszczyt służyć jego lordowskiej mości od kilku miesięcy i zdążyłem już poznać jego wymagania. Mogę jaśnie panią zapewnić, że bardzo nie lubi, kiedy się mu przeszkadza.

Victoria uśmiechnęła się gniewnie.

– Możecie mi wierzyć, że jak mało kto znam jego kaprysy. Bądźcie tak dobrzy, Griggs, i otwórzcie mi drzwi. Biorę na siebie odpowiedzialność za ewentualne następstwa tej niesubordynacji.

Z wyrazem niepewności na twarzy, nie mogąc jednak odmówić swej pani, majordomus otworzył drzwi.

– Dziękuję, Griggs.

Weszła do biblioteki, ściągając drugą rękawiczkę. Zobaczyła, że Lucas unosi głowę, marszcząc gniewnie czoło. Ale gniew natychmiast ustąpił miejsca zdziwieniu, kiedy spostrzegł, kto odważył mu się przeszkodzić.

– Dzień dobry. – Natychmiast podniósł się z krzesła. – Sądziłem, że pojechałaś do wsi.

– Bo tak było. Ale, jak widzisz, już wróciłam. Dobrze się składa, że zastaję tu obu panów.

Uśmiechnęła się do Satherwaite'a, poważnego młodego człowieka, siedzącego po drugiej stronie biurka. Zarządca natychmiast odłożył rejestr, który trzymał w ręku, zerwał się z krzesła i skłonił głęboko.

– Uniżony sługa jaśnie pani.

Lucas spojrzał pytająco na Victorię.

– Czym mogę służyć, moja droga?

– Chciałabym cię poinformować o kilku sprawach. Rozgłosiłam we wsi, że będziemy potrzebować służby. Ci, którzy będą tym zainteresowani, a sądzę, że zbierze się ich spora grupa, mają przyjść jutro rano do dworu. Myślę, że pan Satherwaite da sobie z nimi radę. Rozmówię się z Griggsem i panią Sneath co do dokładnej liczby służby. Ponieważ, jak mniemam, jesteś zbyt zajęty problemami dzierżawców, zajmę się również ludźmi potrzebnymi do pracy w ogrodach.

– Rozumiem – powiedział Lucas.

– Powinieneś także wiedzieć, że dokonałam kilku sprawunków. Zostaną one dostarczone jutro rano. Dopilnuj, proszę, aby dostawcy natychmiast otrzymali pieniądze. Nie można kazać im czekać, jak to jest w zwyczaju.

– Czy coś jeszcze? – zapytał oschle Lucas.

– Tak. Spotkałam we wsi żonę pastora, panią Worth, i zaprosiłam ją i jej męża na herbatę jutro po południu. Będziemy omawiać sprawy najbiedniejszych. Proszę, byś tak ułożył swój plan dnia, aby móc uczestniczyć w tej rozmowie.

Lucas skłonił się nisko.

– Sprawdzę mój jutrzejszy rozkład dnia. Czy to już wszystko?

– Niezupełnie. Musimy coś zrobić z tą okropną drogą we wsi. Jest w opłakanym stanie.

Lucas kiwnął głową.

– Dopiszę to do listy spraw wymagających naprawy.

– Zrób to, jeśli łaska. To już chyba wszystko. – Uśmiechnęła się ciepło do rządcy, który patrzył na nią z osłupieniem, po czym odwróciła się i ruszyła w stronę drzwi. W progu zatrzymała się jednak i obejrzała przez ramię. – Ach, jeszcze jedna sprawa.

– Jakoś mnie to nie dziwi – stwierdził Lucas. – Zamieniam się w słuch.

– Co to za historia z bursztynową panią?

Wzrok Lucasa na moment spoczął na medalionie połyskującym na jej szyi.

– Gdzie usłyszałaś to określenie?

– Jedno z dzieci we wsi tak mnie nazwało. Ciekawa byłam, czy o tym wiesz. Najwidoczniej wiąże się to z jakąś miejscową legendą.

Lucas popatrzył na Satherwaite'a.

– Później opowiem ci o tym.

Wzruszyła ramionami.

– Jak sobie życzysz.

Z tymi słowy wyszła z biblioteki, a Griggs pospiesznie zamknął za nią drzwi. Popatrzył na nią z niepokojem.

– Nie obawiajcie się, Griggs. – Victoria uśmiechnęła się z triumfem, że oto udało jej się sforsować tę męską fortecę. – Jego lordowska mość ma zęby, lecz potrzeba czegoś więcej niż drobne wtargnięcie jego żony, by zaczął gryźć.

– Będę o tym pamiętał, jaśnie pani.

Tymczasem w bibliotece Lucas usiadł ponownie za biurkiem i sięgnął po księgę rachunkową. Zauważył, że Satherwaite przygląda mu się z wyrazem wielkiego zaciekawienia na twarzy.

– Moja żona, jak pan widzi, bierze czynny udział w zarządzaniu majątkiem – zauważył Lucas.

– Tak, milordzie. Wygląda na to, że żywo ją interesują lokalne problemy.

Lucas uśmiechnął się z zadowoleniem.

– Lady Stonevale jest kobietą o wielkiej energii. Potrzebne jej było interesujące wyzwanie, z którym mogłaby się zmierzyć.

– Robienie zakupów w naszej biednej wsi to doprawdy akt wielkiej łaski z jej strony. Trudno mi sobie wyobrazić, by dama o tak wytwornym guście znalazła tu coś naprawdę godnego uwagi.

– Myślę, że chciała coś zrobić dla rozwoju miejscowego handlu – mruknął Lucas. – I jestem jej za to wdzięczny. Obojgu nam leży na sercu dobro Stonevale. Jak już powiedziałem, podjęliśmy wyzwanie.

Satherwaite spojrzał na piętrzącą się na biurku stertę rejestrów i ksiąg rachunkowych.

– Proszę wybaczyć, milordzie, ale ratowanie tych ziem to zadanie dla całego regimentu. – Popatrzył na swojego chlebodawcę z czymś na kształt nabożnego zachwytu, z jakim młody człowiek spogląda na starszego od siebie mężczyznę, który uczestniczył w niejednym boju. – Oczywiście, pan ma wielkie doświadczenie w sprawach militarnych.

– Niech to pozostanie między nami, Satherwaite, ale uczynienie z tych ziem żyznych pól uważam za zdecydowanie bardziej interesujące od wojaczki.

Satherwaite, który nie rozumiał, jak może być coś bardziej fascynującego od wojny, mądrze powstrzymał się od jakichkolwiek uwag i otworzył kolejny rejestr.

Tego dnia wieczorem siedzący w fotelu Lucas wyciągnął nogi w stronę ognia płonącego na kominku i przyglądał się z uczuciem głębokiego zadowolenia, jak jego żona nalewa herbatę do filiżanek. Taka drobna czynność, ale jakże wymowna. Doskonale wiedział, że Victoria nie złożyła broni, ale uznał to czysto kobiece zajęcie za poważny krok w tym kierunku.

Nagle przyszło mu do głowy, że, podobnie jak większość przedstawicieli jego płci, nie poświęcał zbyt wiele uwagi wszystkim tym codziennym czynnościom, które zmieniają dwór w ciepłe domowe ognisko. Właściwie nie zdawał sobie z nich sprawy, dopóki się nie ożenił i nie odkrył, że tych wszystkich codziennych drobiazgów nie dostaje się automatycznie wraz z żoną.

Ostatnie trzy dni były jak cisza przed burzą, która w każdej chwili mogła zaowocować nawałnicą. We dworze nie robiono nic, z wyjątkiem tak podstawowych spraw, jak przygotowywanie posiłków czy opróżnianie nocników. Griggs rwał sobie włosy z głowy, a pani Sneath groziła odejściem.

Jednak wszystko się zmieniło od czasu wizyty Victorii we wsi. Lucas zdał sobie sprawę, jak rozpaczliwie jest spragniony bodaj łyku domowej harmonii. Podanie mu herbaty przez Victorię było taką miodopłynną kroplą, pierwszą od dnia ślubu.

– Wracając do legendy o bursztynowej pani – odezwała się Victoria chłodno, podając mu filiżankę z herbatą. – Jeśli pozwolisz, to chciałabym się czegoś więcej na ten temat dowiedzieć.

– Wyznam szczerze, że nie znam całej legendy. – Mieszał herbatę, zastanawiając się nad sposobem przedłużenia rozmowy. Victoria ostatnio nabrała zwyczaju chodzenia wcześnie spać. – Mój wuj wspomniał o niej na krótko przed śmiercią. Ma to związek z medalionem, który mi podarował. – Zmarszczył brwi, bojąc się, że Victoria natychmiast przypomni sobie o medalionie. Ku jego zaskoczeniu nosiła go przez dwadzieścia cztery godziny na dobę. – Poprosiłem wuja o opowiedzenie tej historii, lecz trzeba ci wiedzieć, że był on zgorzkniałym, łatwo wpadającym w gniew człowiekiem. Na dodatek, kiedy się z nim widziałem, był o krok od śmierci i nie bardzo miał ochotę rozweselać mnie opowieściami.

– Co ci powiedział?

– Jedynie to, że ów medalion jest w rodzinie od wielu pokoleń. Najprawdopodobniej należał do pierwszego lorda Stonevale. Wuj twierdził, że więcej mogę się dowiedzieć od miejscowych. Zapytałem więc o to panią Sneath. Jak wiesz, była jedyną osobą ze służby, której ten stary drań nie wyrzucił. Pozostałych zwolnił.

– No więc, co ci powiedziała pani Sneath?

Lucas spojrzał na nią i dostrzegł ciekawość w jej pięknych oczach.

– Chyba wiesz, że pani Sneath nie należy do rozmownych. Ale dowiedziałem się, że wśród miejscowych krąży stara legenda o pierwszym lordzie Stonevale i jego żonie. Zyskał on przydomek bursztynowego rycerza z powodu barw, jakie nosił w czasie bitwy.

– A więc był rycerzem – mruknęła Victoria, wpatrując się w ogień.

– Większość mężczyzn z takimi majątkami jak Stonevale była rycerzami – zauważył sucho Lucas.

– A jego żonę nazywali bursztynową panią?

Lucas kiwnął głową.

– Jak głosi legenda, ów rycerz i jego żona darzyli się wielką miłością i troszczyli o ziemie i ludzi. Za ich życia Stonevale kwitło i prosperowało. Kilka pokoleń szczęśliwych par kontynuowało to, co rozpoczęli ich przodkowie. Wówczas powstało przekonanie, że dobrobyt tych ziem zależy od szczęścia ich właścicieli.

Victoria zmarszczyła brwi.

– To raczej dość ryzykowne stwierdzenie.

– To tylko przesąd, Vicky.

– Wiem, ale…

– Według słów pani Sneath – przerwał jej szybko Lucas – miejscowi wierzą, że jeśli dziedzic tych ziem nie ożeni się z miłości, majątek podupadnie. Sądzę, że panom na Stonevale opłacało się iść za głosem serca, a nie rozsądku, bo zapewniali w ten sposób dobrobyt ziemiom.

– Istotnie. Dzięki temu aż do dziś nie musieli się żenić dla pieniędzy, prawda?

Wyczuwając niebezpieczeństwo, pospieszył z dalszym ciągiem opowieści.

– Trzy pokolenia wstecz ówczesny lord Stonevale zakochał się w młodej dziewczynie, która, niestety, oddała serce innemu. I zdaje się, nie tylko serce. Rodzina zmusiła dziewczynę, by przyjęła oświadczyny hrabiego, wiedząc, że nosi w swym łonie dziecko innego. Kiedy ojciec dziecka, syn dzierżawcy, dowiedział się, że ukochana wychodzi za mąż za Stonevale'a, wyjechał do Ameryki.

– Biedna dziewczyna. Jakież to smutne być zmuszoną do poślubienia człowieka, którego się nie kocha. A jej rodzinie zapewne bardzo zależało na tym, by córka została hrabiną – stwierdziła Victoria z goryczą.

– Zapewne – przytaknął Lucas. – Obdarzając jednak całą sympatią biedną dziewczynę, mogłabyś choć cząstkę ofiarować również mojemu przodkowi, który w noc poślubną przekonał się, że ukochana kobieta nie jest dziewicą.

Wzrok Victorii stwardniał.

– I co z tego? Jeśli sobie przypominasz, ja też nie weszłam w to małżeństwo jako dziewica.

– To zupełnie co innego, biorąc pod uwagę fakt, że byłem pierwszym i jedynym mężczyzną, z którym spałaś przed ślubem. Zresztą – dodał, czując, że stąpa po niepewnym gruncie – nie mieliśmy przecież nocy poślubnej, tak więc twoja uwaga jest zupełnie nie à propos.

– Właściwie, jakim prawem twój przodek, ty, czy jakikolwiek inny mężczyzna domagacie się, abyśmy przed ślubem były dziewicami? Sami natomiast nie pozostajecie w cnocie.

– Bo dzięki temu mężczyzna może być pewny ojcostwa swych dzieci.

Wzruszyła ramionami.

– Ciocia Cleo mówiła, że kobiety od dawien dawna znają sposoby na symulowanie dziewictwa. Lecz nawet jeśli mężczyzna jest pewny czystości swej żony, nie znaczy to wcale, że jej dzieci nie zostały poczęte z lokajem.

– Victorio...

– Nie, milordzie, jedynym sposobem na to, by mężczyzna mógł być pewny ojcostwa dzieci, jest okazanie zaufania żonie.

– Ja tobie ufam, Victorio – powiedział Lucas cicho.

– No cóż, sam przecież powiedziałeś, że nas to nie dotyczy.

– Niezupełnie – mruknął. – Victorio, czy moglibyśmy wrócić do legendy?

Zatrzepotała rzęsami i zajęła się dzbankiem z herbatą.

– Tak, oczywiście. Proszę, kontynuuj opowieść, milordzie.

Lucas przełknął łyk herbaty, zastanawiając się jednocześnie, jak, do diabła, mógł dopuścić, by rozmowa tak dalece odbiegła od tematu.

– Hrabia coś podejrzewał, ale nie miał żadnych dowodów. Kochał jednak swoją młodą żonę, toteż uwierzył w to, w co pragnął wierzyć. Kiedy nadszedł czas rozwiązania, żona urodziła martwe dziecko. Powodowana rozpaczą, wyznała wszystko mężowi, obwiniając go za to nieszczęście i niemożność poślubienia tego, kogo kochała naprawdę. Oświadczyła, że nie ma po co żyć i pragnie umrzeć. I tak się stało.

Victoria spojrzała na niego podejrzliwie.

– To znaczy jak?

– Nie patrz tak na mnie. On jej nie zabił. Po prostu nie odzyskała sił po porodzie. Pani Sneath twierdzi, że umarła, bo chciała umrzeć.

– Cóż za tragiczna historia. A co się stało z hrabią?

– Stał się zgorzkniały i cyniczny w stosunku do kobiet. Rodzina nalegała, aby powtórnie się ożenił i zapewnił sobie następcę, co też w końcu uczynił. Tym razem jednak nie było to małżeństwo z miłości, a jedynie z rozsądku. Hrabia i jego druga żona nie stanowili dobranej pary, toteż kiedy nowy dziedzic Stonevale przyszedł na świat, przestali się widywać i rzadko bywali w Stonevale.

– I właśnie od tego czasu majątek zaczął podupadać?

– Tak, zgodnie z przepowiednią zawartą w legendzie. Mówią o tym również płyty nagrobne i kroniki rodzinne. Przyjrzałem się im dzisiaj z czystej ciekawości i widać z nich wyraźnie, że stopniowy upadek zaczął się od tego nieszczęśliwego związku.

– Naprawdę?

– Tak. Kolejny hrabia, ojciec mego wuja, był nie tylko pozbawionym uczuć, cynicznym człowiekiem, lecz także hulaką i hazardzistą. Większość czasu spędzał w kasynach gry, niewiele uwagi poświęcając majątkowi. On także się ożenił. Nie było to jednak małżeństwo z miłości. Kiedy urodził się mój wuj, każde z rodziców poszło swoją drogą.

– A majątek dalej popadał w ruinę. Trudno się dziwić, skoro jego właściciele się nim nie interesowali. A jak było z twoim wujem?

– Maitland Colebrook nie zaprzątał sobie głowy sprawą przedłużenia linii, czy ratowania majątku. Zajął się trwonieniem tego, co pozostało z rodzinnej fortuny. Kiedy przepuścił już wszystko, wycofał się na wieś i tam złorzeczył na swój los.

– A więc tak miejscowi tłumaczą obecną sytuację. – Victoria ponownie zapatrzyła się w ogień. – Interesujące.

Lucas przyglądał się jej profilowi, zastanawiając się, jak by zareagowała, gdyby posadził ją sobie na kolanach i pocałował. Czy zmiękłaby w jego ramionach, tak jak kiedyś, czy też użyłaby paznokci i ostrego języczka. Jedno jest pewne, że byłaby to prawdziwa przygoda dla nich obojga.

– Najdziwniejsze w tej sprawie jest to, że dziecko Hawkinsów nazwało cię bursztynową panią – odezwał się cicho Lucas.

– Dlaczego? Ktoś zapewne opowiedział jej legendę i kiedy zobaczyła mnie ubraną na żółto, przyszła jej na myśl ta opowieść.

Lucas przyglądał się Victorii; płonący na kominku ogień przydawał jej włosom bursztynowozłotego blasku.

– W jej skojarzeniu jest wiele trafności. Masz w sobie coś bursztynowego. Twoje oczy, włosy i te kolory, w które się stroisz.

Spojrzała na niego.

– Na litość boską, Lucas, toż to czysty nonsens.

Wyciągnął rękę z filiżanką z prośbą o herbatę.

– To taki mały cud, w który to dziecko uwierzyło. Nie opowiedziałem ci jeszcze końca tej legendy.

Spojrzała na niego nieufnie.

– Jakiż więc jest koniec?

– Wieść głosi, że pewnego dnia bursztynowy rycerz i jego pani powrócą do dworu, a wraz z ich miłością powróci także dostatek.

– Cóż za piękne zakończenie – stwierdziła Victoria z szyderstwem w głosie. – Skoro jednak dobrobyt tych ziem zależy od szczęścia ich właścicieli, to mieszkańcy będą musieli jeszcze długo czekać. Nowy hrabia Stonevale ożenił się przecież dla pieniędzy, nie z miłości.

– Do diabła, Vicky…

Wstała z fotela.

– Wybacz, milordzie, ale poczułam się zmęczona. Życzę ci dobrej nocy.

Zaklął pod nosem i podniósł się także. Zaczekał, aż zamkną się za nią drzwi, po czym odstawił filiżankę i sięgnął po karafkę z brandy. Bezwiednie zaczął masować chorą nogę. Czekała go kolejna samotna noc.

Trzy godziny później leżał w łóżku, wsłuchując się w odgłosy dochodzące z sąsiedniego pokoju i zastanawiał, czy mądrze postąpił, hamując swoje pragnienia. Może to czekanie nie było słuszną taktyką?

Kolejny szmer z pokoju obok zabrzmiał tak, jakby Victoria wstała z łóżka. Najwidoczniej również nie mogła zasnąć. Może obawiała się nocnych koszmarów? Najlepszym lekarstwem na złe sny jest wspólnie spędzona noc, pomyślał. Jako troskliwy mąż powinien zadbać o jej spokój i bezpieczeństwo, bez względu na to, czy ona tego chce, czy nie.

Odrzucił energicznie kołdrę i sięgnął po szlafrok. Tak dłużej być nie może. Muszą zacząć żyć ze sobą jak mąż z żoną. Najwidoczniej ta narzucona sobie powściągliwość nie daje pożądanych efektów. Victoria po prostu go nie chce.

Kiedy kładł rękę na gałce, usłyszał, że drzwi prowadzące na korytarz otwierają się i cicho zamykają. Przekręcił gałkę i wszedł do pustego pokoju żony.

Ogarnęła go wściekłość i strach. Chyba nie będzie na tyle głupia, by uciekać w środku nocy. Zaraz jednak przypomniał sobie, że Victoria była przyzwyczajona do nocnych wycieczek. Sam przecież ją tego nauczył.

Pospiesznie wciągnął bryczesy, buty i koszulę. Po kilku minutach przeszedł cicho przez korytarz. Instynkt podpowiedział mu, że Victoria wybierze kuchenne wyjście. Sam wybrałby tę drogę, gdyby chciał się wymknąć z domu.

Po chwili był już na zewnątrz. Stała w ogrodzie, skąpana w księżycowym blasku. Miała na sobie długą pelerynę z kapturem bursztynowego koloru. Stanęły mu w pamięci ich nocne spotkania w ogrodzie ciotki. Poczuł wzbierające pożądanie.

Bezszelestnie wyszedł z cienia, lecz ona wyczuła jego obecność i odwróciła się. Wstrzymał oddech.

– Tęskniłem do naszych nocnych spotkań w ogrodzie – odezwał się cicho.

– Bardzo zręcznie mnie wówczas podszedłeś, obiecując przygody. Uległam tej pokusie, jak nie uległabym żadnej innej.

Usłyszał gorycz w jej głosie i poczuł gwałtowny skurcz żołądka.

– Czyżbyś i dziś szukała przygody, Vicky? Wątpię, żebyś znalazła tu szulernie, lupanary czy gospody z młodymi paniczykami, spędzającymi czas w towarzystwie operowych baletnic.

Zbliżył się do niej.

– Wyszłam po prostu na przechadzkę – powiedziała cicho.

– Czy pozwolisz sobie towarzyszyć?

– A czy mam inne wyjście?

– Nie. – Przecież nie mógł jej pozwolić na samotne spacery po nocy. – Dokąd chciałaś iść?

– Nie wiem. Nie zastanawiałam się nad tym.

– Niedaleko stąd jest pusty domek. Zdaje się, że należał do gajowego wtedy, gdy w Stonevale był jeszcze gajowy. Może tam pójdziemy?

– Dobrze.

Zapadło niezręczne milczenie.

– Cóż za piękna noc, nieprawdaż?

– Raczej dość chłodna – odpowiedziała wymijająco.

– W rzeczy samej. – Przypomniał sobie, że w pobliżu domku widział drewno na opał. Trzeba było kazać wysprzątać w środku, kiedy był tam wczoraj. Potknął się o wystający kamień i jęknął cicho.

– Co z tobą? – zapytała Victoria, gniewnie marszcząc brwi.

– Nic takiego. Noga mi dziś trochę doskwiera. – Usiłował mówić spokojnie.

– Powinieneś się nauczyć, że nie należy spacerować w chłodną noc, kiedy boli cię noga.

– Niewątpliwie masz rację. Lecz ty wydajesz się lubić nocne spacery, co zmusza mnie do dotrzymywania ci towarzystwa.

– Powinieneś wybrać sobie pannę, która nie lubi takich rozrywek – odparła. – Panna Pilkington doskonale by pasowała.

– Tak sądzisz? Muszę przyznać, że była na liście Jessiki Atherton, ale nie zrobiła na mnie wielkiego wrażenia. Perspektywa poślubienia panny Pilkington wydaje się raczej nudna. Jak ty i Annabella stwierdziłyście, za bardzo jest podobna do lady Atherton.

Victoria głębiej naciągnęła kaptur na głowę.

– Niewątpliwie masz rację. Jeśli uważasz, że lady Atherton w miarę upływu lat staje się coraz nudniejsza, to powinieneś posłuchać panny Pilkington. Nie zrozum mnie źle. Jest bardzo miła, ma dopiero dziewiętnaście lat i kiedyś mi się zwierzyła, że czuje religijne powołanie.

– Rozumiem. Nie pasowalibyśmy do siebie. Nie wyobrażam sobie, że mógłbym ją zabrać do jaskini hazardu czy do lupanaru, gdzie wyrżnęłaby laską odźwiernego.

– Z drugiej jednak strony, nie przysporzyłaby ci żadnych kłopotów. Na pewno byłaby doskonałą żoną. Mówiąc zaś o obowiązku…

Westchnął.

– Tak?

– Lady Atherton ostrzegła mnie, że powinnam być przygotowana na wypełnianie małżeńskich obowiązków, by zapewnić ci dziedzica.

– Z przyjemnością udusiłbym lady Atherton.

– Chciała jedynie pomóc. W końcu prosiłeś ją, by ci pomogła znaleźć dziedziczkę.

– Nie musisz mi o tym przypominać.

– Lucasie? – zapytała nagle z trwogą w głosie.

– Hmmm?

– Lady Atherton stwierdziła, że gdybym uznała wypełnianie moich obowiązków za zbyt trudne, powinnam pomyśleć, jak tobie jest ciężko udawać afekt w łożu.

– A niech to wszyscy diabli! – Lucas zatrzymał się, obrócił ją twarzą ku sobie i spojrzał w oczy z niedowierzaniem. – Chyba nie powiesz mi, że jej uwierzyłaś? Zwłaszcza po nocy spędzonej w gospodzie.

Spojrzała na niego błyszczącymi oczyma.

– Z doświadczenia mojej matki i ciotki wiem, że mężczyźni nie mają większego problemu z udawaniem uczucia.

– Nie tylko mężczyźni nie mają z tym problemów – mruknął Lucas i dodał bezlitośnie: – Miałbym wiele powodów, by wątpić w szczerość twoich uczuć tam, w zajeździe.

W jej oczach błysnął gniew.

– Jak śmiesz wątpić w moje uczucia? Nie było w nich nic z udawania.

Wzruszył ramionami.

– Skoro twoje uczucia były tak szczere, to jak mogłaś je tak szybko stłumić?

– Stłumiłam je, bo poczułam się wykorzystana. Do diabła, nie miałam innego wyboru, jak tylko ukryć głęboko mój głupi afekt. Czuję wstyd, kiedy przypominam sobie moje zachowanie tej przeklętej nocy.

– Muszę przyznać, że świetnie potrafiłaś nad sobą zapanować. Nikt by się nie domyślił, że kiedykolwiek czułaś do mnie coś więcej jak niechęć.

– Tak... to znaczy... – Przerwała, bo Lucas znowu się potknął i jęknął. – Cóż znowu? – rzuciła niecierpliwie.

– Mówiłem już, że boli mnie noga.

– Czasami okazujesz wyjątkowo mało zdrowego rozsądku. – Podtrzymała go za ramię. – Myślę, że powinniśmy wrócić do domu, zanim na dobre upadniesz.

– Nie sądzę, bym mógł zajść tak daleko. Domek jest bliżej. Gdybym choć przez chwilę odpoczął, na pewno poczułbym się lepiej.

– Dobrze – mruknęła ze złością. – Wobec tego wesprzyj się na mnie.

– Dziękuję ci, Vicky. To miło z twojej strony.

Oparł się na niej ciężko i pozwolił, by go poprowadziła do domku gajowego.

12

Strategia przede wszystkim.

Lucas usadowił się na podłodze, z jednym ramieniem wspartym na zgiętym kolanie i chorą nogą wyciągniętą w przód. Obserwował z zadowoleniem, jak Victoria krząta się wokół ognia. Nie pozwoliła mu przynieść drewna, nalegając, by odpoczął.

– To niezwykle przytulne miejsce, prawda? – zapytała, rozglądając się po domku, kiedy na kominku zapłonął ogień i oświetlił wnętrze. – Wygląda, jakby ktoś tu niedawno mieszkał. Kominek jest czysty, a podłoga nie jest tak brudna, jak można by oczekiwać.

– Nie zdziwiłbym się, gdyby któryś z wyrzuconych dzierżawców wziął ten domek w posiadanie. Mój wuj miał skłonności do eksmitowania ludzi.

– Okropny człowiek.

– Zwracam ci uwagę, że ja pochodzę z bocznej linii – zauważył.

Zamiast się uśmiechnąć, potraktowała jego żart poważnie.

– Nie możemy odpowiadać za czyny członków rodziny. Pozwól, że rozmasuję ci nogę.

Nie zaprotestował. Ogarnęło go palące wspomnienie tego, co się stało, gdy zrobiła to po raz pierwszy.

– Dziękuję ci.

Rozłożyła pelerynę na podłodze i uklękła na niej, po czym z wielką ostrożnością zaczęła masować mu udo. Jęknął przy pierwszym dotyku jej ręki.

– Czyżbym cię uraziła?

– Nie. To cudowne uczucie. – Zamknął oczy i oparł głowę o ścianę. – Nawet sobie nie wyobrażasz.

– Musiało to być dla ciebie okropne.

Otworzył oczy i popatrzył na nią.

– Co musiało być okropne?

– Kiedy zostałeś ranny.

– Przyznaję, że nie była to najszczęśliwsza chwila w moim życiu. Trochę wyżej, jeśli łaska. Tak. O właśnie. Dziękuję. – Jej ręka znalazła się zaledwie o milimetr od pachwiny. Zastanawiał się, jak to możliwe, że ona nie widzi rosnącego wybrzuszenia w opiętych bryczesach. – Jak przyjemnie grzeje ten ogień.

– Lucasie?

Napotkał jej pełne wyrazu spojrzenie.

– Tak?

– Czy bardzo ją kochałeś?

Zamknął oczy, usiłując nadążyć za tokiem jej myśli.

– Kogo?

– Lady Atherton, oczywiście.

– Ach, ją. Musiało tak być, w przeciwnym razie nie poprosiłbym jej o rękę.

– Czyżby? – mruknęła Victoria.

– Kiedy teraz o tym myślę, trudno mi uwierzyć, że mogłem być aż takim głupcem.

– Ona nadal cię kocha.

– Ona bardziej kocha cierpienie z powodu niespełnionej miłości i pozę męczennicy. Nie zazdroszczę lordowi Athertonowi.

Jakże zimne musi być jego łoże, pomyślał.

– Muszę przyznać, milordzie, że jak na mężczyznę odznaczasz się wyjątkową spostrzegawczością – stwierdziła z kwaśną miną Victoria.

Otworzył jedno oko.

– Uważasz, że tylko kobiety są spostrzegawcze?

– No nie, ale…

Ponownie zamknął oko.

– Niektórzy mężczyźni potrafią wyciągać wnioski z popełnionych błędów, ucząc się przy tym spostrzegawczości.

– Doprawdy?

Wciągnął gwałtownie powietrze.

– Ach, Vicky, gdybyś mogła delikatnej obchodzić się z moją nogą. Przesuń ręce trochę wyżej, jeśli łaska.

– Czy tak?

Lucas nie ufał swemu głosowi. Jej dotyk był teraz tak intymny, że obawiał się, iż za chwilę straci panowanie nad sobą.

– Dobrze się czujesz, Lucasie? – zapytała z niepokojem.

– Po nocy spędzonej w zajeździe powinnaś wiedzieć, jak twój dotyk na mnie działa, moja słodka.

Jej ręka znieruchomiała na chwilę na jego biodrze.

– Czy chcesz, abym przestała? – zapytała niepewnie.

– Nigdy w życiu. Nawet za milion lat. Mężczyzna mógłby umrzeć szczęśliwy, doświadczając takiej tortury.

– Czyżbyś próbował mnie zmusić, abym cię uwiodła?

Otworzył oczy i spojrzał na nią.

– Oddałbym duszę, gdybym mógł cię do tego zmusić.

Zamrugała w odpowiedzi powiekami, po czym spojrzała na niego tęsknie.

– Nie sądzę, byś musiał płacić aż tak wysoką cenę, milordzie.

Dotknął jej twarzy, a następnie przesunął palcami wzdłuż łańcuszka medalionu.

– Twoja szczerość w tych sprawach jest wprost cudowna.

– Och, Lucasie! – Z cichym okrzykiem przytuliła się do niego, obejmując go rękoma w talii. – Tak często myślałam o tej nocy. Byłam wówczas taka szczęśliwa.

– Jedynie twoja duma nie pozwala ci ponownie doświadczyć tego szczęścia. – Przesunął palcami wzdłuż jej ramienia, rozkoszując się dotykiem jej ciała. – Czy twoja duma warta jest dysharmonii między nami? Jesteśmy ze sobą związani, Vicky. Czy zamierzasz co noc poddawać nas takim torturom?

Wtuliła głowę w jego ramię.

– Kiedy mówisz o tym w ten sposób, brzmi to zupełnie bezsensownie. Ciocia Cleo powiedziała, że jak sobie pościeliłam, to tak się wyśpię, i tylko ode mnie zależy, czy będzie mi wygodnie.

– Chociaż bardzo sobie cenię zdanie twojej ciotki, to wolałbym nie mieć w łożu męczennicy. Już raz uniknąłem takiego losu, pamiętasz?

Wybuchnęła cichym, nerwowym śmiechem.

– Tak, pamiętam. A więc dobrze, Lucasie, stanę się twoją prawdziwą żoną, bo tak nakazuje mi logika i zdrowy rozsądek. Jak powiedziałeś, nie ma sensu się nawzajem torturować.

– Wolę już raczej logiczną intelektualistkę niż pobożną męczennicę. – Przytrzymał ją za brodę i pocałował. – Kiedy intelektualistka postanawia ulec namiętności, przynajmniej nie musi udawać, że jej się to podoba. – Ponownie przykrył wargami jej usta.

Victoria wahała się chwilę, jakby niepewna, czy słusznie postępuje, po czym westchnęła cicho i poddała się jego pieszczocie z żarliwością i zapałem, które tak go zawsze czarowały. Wtuliła się w jego objęcia i rozchyliła wargi. Lucas wsunął język w jej usta tak, jak wkrótce miał wsunąć się w jej wnętrze. Wyczuł pod suknią nabrzmiałe piersi i ciało zadrżało mu z niecierpliwości.

– Najdroższa, tak długo czekałem na naszą noc poślubną.

Oderwał usta od jej warg i sięgnął po bursztynową pelerynę, na której klęczała. Jedną ręką zręcznie rozłożył ją na podłodze tak, by Victoria mogła się na niej położyć.

– Pobrudzi się – zaprotestowała automatycznie, lecz bez przekonania.

– Masz jeszcze inne.

Zaczął zmagać się z jej suknią. Przeraził go własny pośpiech i dziwna niezdarność. Rozsądek nakazywał rozwagę. Lecz jednocześnie czuł szalejący w swym wnętrzu pożar, który po tylu dniach wstrzemięźliwości nareszcie mógł ugasić.

Owej nocy w gospodzie trzymał na wodzy pożądanie, czekając, aż ona będzie gotowa. Nie chciał jej zranić, ani przestraszyć. Tak bardzo pragnął ją zadowolić. Tym razem jednak myślał tylko o tym, by ponownie ją posiąść. Musiał się upewnić, że naprawdę należy do niego. Tym razem nie był w stanie nad sobą zapanować.

Victorię zaskoczyła jego niecierpliwość, jednak nie protestowała, kiedy ułożył ją na plecach. Przestał walczyć z jej suknią i podciągnął ją aż do talii. Spojrzał na Victorię, by sprawdzić, czy nie czuje się urażona brakiem galanterii z jego strony. Kiedy zobaczył, że promiennie się uśmiecha, a oczy jej błyszczą namiętnością, zajął się własnym ubraniem.

– Do diabła!

– Co się stało? – zapytała cicho.

– Nic. Jestem po prostu niezdarny.

Wreszcie udało mu się rozluźnić bryczesy. Szkoda mu było czasu na ich zdejmowanie. Jego pożądanie domagało się spełnienia.

Porwał ją w objęcia rozpalony do białości. Położył dłonie na jej udach, a ona rozchyliła je, otwierając się przed nim. Ułożył się między jej nogami i wsunął w wilgotny, rozpalony tunel. Dotknął ustami nabrzmiałego sutka i chwycił go delikatnie zębami.

Krzyknęła i mocniej przywarła do niego. Wyczuwał lekki opór, kiedy powoli wnikał w nią głębiej. Przypomniał sobie, że to wszystko ciągle jest dla niej nowe.

– Unieś się, najsłodsza.

Chwycił jędrne pośladki i uniósł ją w górę, by móc głębiej zanurzyć się w rozpalonej wilgoci.

– Lucasie!

– Uraziłem cię? – Jego głos brzmiał ochryple.

– Nie. Lecz to, co odczuwam, jest niewiarygodne. Och, Lucasie!

– Wiem, kochanie, wiem. – Czuł drżenie jej ud. Ufność, z jaką mu się oddawała, przyprawiała go niemal o utratę zmysłów. – Obejmij mnie nogami. O, tak właśnie.

Z cichym okrzykiem wtuliła się w niego, szepcząc urywanie jego imię i błagając o spełnienie.

Oślepiające płomienie namiętności rozpaliły mu zmysły. Czuł szalejący w środku ogień, chłonął cudowny zapach ciała Victorii i rozkoszował się jedwabistą gładkością jej ud obejmujących mu plecy. Spojrzał na nią i zobaczył, że ma mocno zaciśnięte oczy. Oddychała urywanie, wyginając szyję w łuk. Jej namiętne zapamiętanie przyprawiło go o zawrót głowy. Widok był oszałamiający. Zaczął się poruszać, powoli i zdecydowanie, dając się przyciągać za każdym razem, kiedy wycofywał się ku wejściu.

– Lucasie!

– Tak. – Ponownie wniknął w nią głęboko. Czuł, że zbliża się spełnienie. Ciało Victorii gwałtownie się wyprężyło. Domyślił się, że i ona jest bliska ekstazy.

Zsunął rękę ku jej pośladkom, przesuwając palcem wzdłuż ciemnej szczeliny do miejsca, w którym stykały się ich ciała. Powieki Victorii uniosły się, a z ust wyrwał cichy, drżący, namiętny okrzyk rozkoszy.

– Lucasie! Dobry Boże, Lucasie!

Zaczęła drżeć konwulsyjnie, instynktownie przyciągając go do siebie. Poczuł eksplodujące w nim napięcie i usłyszał własny triumfalny okrzyk.

Dopiero po kilku minutach na tyle odzyskał siły, by zsunąć się z niej i przytulić do siebie. Ogień nadal wesoło buzował na kominku, rzucając cienie na ściany. Victoria leniwie poruszyła nogą i przewróciła się na bok.

– Musisz przyznać, pani, że małżeństwo ma swoje dobre strony. Przynajmniej nie musimy się obawiać odkrycia i utraty reputacji. – Ziewnął potężnie, czując ogarniające go uczucie odprężenia. – Lecz czy nie sądzisz, że byłoby nam wygodniej w moim lub twoim łożu? Materac w zajeździe był nierówny, a podłoga w domku twarda.

– Tak jest ciekawiej. Czy łoże nie wydaje ci się zbyt banalne, milordzie?

– Oto, czego muszę doświadczać, mając za żonę kobietę z zamiłowaniem do przygód. Uwielbia się kochać w oryginalnych miejscach i w niezwykłych okolicznościach. – Wzburzył z czułością jej loki. – Nie obawiaj się, pani, twój mąż dołoży wszelkich starań, abyś nie nudziła się w łożu.

– Wygląda na to, że czeka cię wielka praca – zauważyła.

– Zapewniam cię, że o wiele łatwiej będzie mi wymyślać interesujące rzeczy w zaciszu twej sypialni niż uganiać się za tobą po nocy, zastanawiając się, jakaż to psotę znowu wymyślisz.

W odpowiedzi przeciągnęła się rozkosznie. Nie próbowała wyswobodzić się z jego objęć, jednak nadal milczała. Lucas zaczął się niepokoić.

– Lucasie?

– Słucham, moja słodka?

– Czy możesz mi przysiąc, że to nie ty zawiadomiłeś ciotkę o naszej schadzce w zajeździe?

Poczuł rosnący gniew; niedawne uczucie zadowolenia rozwiało się jak mgła. Uniósł się na łokciu i spojrzał na nią gniewnie.

– Do diabła, Vicky, chciałem cię uwieść, nie upokorzyć. Jak możesz coś takiego przypuszczać?

– Sam przecież mówiłeś, że postanowiłeś zdobyć pannę z posagiem.

– Postanowiłem zdobyć ciebie – poprawił ją szorstko. – Nie jakąś inną pannę. Co więcej, jeśli mam być szczery, to nie musiałem uciekać się do tak ekstremalnych sposobów, jak zawiadamianie twojej ciotki o naszej kompromitującej schadzce.

Zmarszczyła brwi.

– Co chcesz przez to powiedzieć?

– Jedynie to, że uwiodłem cię sam, bez uciekania się do niczyjej pomocy. Zresztą i tak prędzej czy później zdecydowałabyś się wyjść za mnie.

– Ty arogancki draniu! – Próbowała go odepchnąć i usiąść.

Lucas uśmiechnął się, przerzucił nogę ponad jej udami i unieruchomił ją swoim ciałem, przygważdżając jej ręce do podłogi.

– To prawda i doskonale o tym wiesz, najdroższa. Przyznaj, że nie byłabyś w stanie zapanować nad swoją namiętnością.

Bezskutecznie próbowała się uwolnić.

– Właśnie że byłabym. Wystarczyłoby jedynie wszystko dobrze zaplanować.

– Zapewniam cię, że choć jestem bardzo dobry, jeśli chodzi o planowanie i strategię, to jednak nie byłbym w stanie uchronić cię przed kłopotami. Do diabła, nie potrafiłem zrobić tego nawet wtedy, próbując ukryć się w zajeździe. Ty zaś nie mogłabyś w nieskończoność wymykać się z balu niezauważona. Prędzej czy później ktoś by to odkrył.

– Byłabym bardziej dyskretna – upierała się Victoria.

– Czyżby? A co byśmy zrobili, kiedy sezon dobiegłby końca, a wraz z nim wielkie bale, z których mogłabyś wychodzić bez zwracania na siebie uwagi?

Zagryzła gniewnie wargę.

– Pomyślałabym o czymś innym.

– Nie, kochanie. Od samego początku igraliśmy z ogniem.

– I ty o tym wiedziałeś.

– Naturalnie, że wiedziałem. Jesteś rozsądną kobietą i wkrótce też zdałabyś sobie z tego sprawę. A wówczas, jestem o tym przekonany, zaczęłabyś myśleć o poślubieniu mnie. – Uśmiechnął się złośliwie. – Jeśli mam być szczery, biorąc pod uwagę twój apetyt na intelektualne eksperymenty, nie sądzę, bym musiał długo czekać.

Przyglądała mu się przez chwilę w milczeniu.

– Byłeś tak pewny siebie, że postarałeś się nawet o specjalne zezwolenie na ślub.

– Chciałem być przygotowany na taką ewentualność. Przecież igraliśmy z ogniem.

Victoria zamknęła oczy w odpowiedzi na jego pełen satysfakcji uśmiech.

– W końcu w nim spłonęłam.

– Czy było to aż tak straszne? – zapytał cicho, muskając wargami jej usta. Poczuł, że znowu wzbiera w nim pożądanie.

– Ostatnio wiele o nas myślałam – stwierdziła, poważniejąc nagle. – Gdyby ten świat był inny, nigdy nie zdecydowałabym się na małżeństwo.

Jej upór zaczął go irytować. Spojrzał na nią gniewnie.

– Gdyby ten świat był inny, nie musiałbym się uganiać za dziedziczką.

– W rzeczy samej. Jak już mówiłam, wiele o nas myślałam. Oboje zrobiliśmy to, co nakazywał nam honor i teraz musimy przypieczętować nasz związek. Byłby to rodzaj układu interesów. Właśnie tak postanowiłam traktować nasze małżeństwo. Widzę nas jako wspólników, którzy zainwestowali pieniądze w pewne przedsięwzięcie.

Lucas zmarszczył brwi.

– Nie podoba mi się to handlowe porównanie.

– Nazywaj to, jak chcesz, ale pamiętaj o jednym: oboje zainwestowaliśmy w przyszłość i tylko od nas zależy, czy potrafimy ze sobą współpracować. Sądzę jednak, że uda nam się osiągnąć względne zadowolenie.

– Względne zadowolenie – powtórzył zastanawiając się, czy nie przerzucić jej przez kolano. – Czy to właśnie czułaś, kiedy parę minut temu drżałaś w moich ramionach? Względne zadowolenie?

Takiego rumieńca na twarzy nie wywołałoby ciepło promieniujące z kominka.

– Doprawdy, Lucasie. Dżentelmen nie zadaje tak intymnych pytań.

– Skąd o tym wiesz? Nie miałaś okazji znaleźć się w takiej sytuacji z innym dżentelmenem.

– Mogę się domyślać – odparowała. – Poza tym, nie o tym mówimy.

– A o czym? Chcesz traktować nasze małżeństwo jak spółkę? Jak inwestycję? Jak umowę handlową między dwojgiem partnerów, którzy od czasu do czasu dzielą ze sobą łoże? – Patrzył na nią płonącymi oczyma.

– Ale czy tak nie jest? Czy nie tego właśnie chciałeś?

– Nie, do diabła! Nie tego chciałem.

– Rozumiem. Nie możesz znieść myśli, że mogę być równorzędnym partnerem. Potrzebowałeś jedynie moich pieniędzy i teraz chciałbyś odsunąć mnie od wszystkiego. Moja rola zaś ma się ograniczyć do urodzenia ci dziedzica.

– Vicky, Vicky, uspokój się. Przeinaczasz moje słowa i opacznie je sobie tłumaczysz.

– Staram się robić tylko to, co muszę. Próbuję znaleźć rozsądne wyjście z tej sytuacji. Sądziłam, że usatysfakcjonuje cię fakt, że w końcu zaczęłam podchodzić do wszystkiego z rozsądkiem.

Lucas usiłował zdusić wzbierający gniew.

– Nie pragnę wspólnika, pragnę żony.

– Jedyna różnica w tym, że od czasu do czasu będę dzielić z tobą łoże.

– Będzie to częściej niż od czasu do czasu, a różnica jest taka, że mnie kochasz, pani. Sama mi to powiedziałaś.

Jej oczy zrobiły się okrągłe.

– Nie powiedziałam.

– Owszem, powiedziałaś. Wtedy w zajeździe.

– Powiedziałam jedynie, że zdaje mi się, że się w tobie zakochałam. Oczywiście po tym, co zaszło, wszystko uległo zmianie.

– Do diabła! – Zacisnął palce na jej nadgarstkach. – Vicky, przestań powtarzać te bzdury o układzie interesów. Jesteśmy mężem i żoną.

– Czy chcesz przez to powiedzieć, że łączy nas coś więcej?

– Oczywiście, że tak.

Zmrużyła oczy.

– Czyżbyś dawał mi do zrozumienia, że jesteś we mnie zakochany, milordzie?

– Nie uwierzyłabyś, gdybym ci powiedział, że tak.

Puścił ją i usiadł, poprawiając na sobie ubranie.

– Kto wie? Spróbuj, a się przekonasz.

Spojrzał na nią i nie bardzo wiedział, jak ma rozumieć jej spojrzenie. Co do jednego był pewny: prowokowała go.

– Właściwie czego ode mnie oczekujesz, Vicky?

– Tego co, jak sądzę, pragnęłaby usłyszeć każda panna młoda – powiedziała chłodno. – Zapewnienia o dozgonnej miłości i wieczystym oddaniu. Lecz nie sądzę, bym mogła to usłyszeć, prawda?

– Niech to wszyscy diabli! – Wstał, wyczuwając zbliżające się niebezpieczeństwo. Kobiety były mistrzyniami w słownych potyczkach, a ta tutaj wiedziałaby, jak wykorzystać najmniejszą nawet słabość z jego strony. Zdążył już się przekonać, jak umiejętnie potrafiła nim manipulować. Już samo wspomnienie tych okropnych nocy, kiedy musiał się wspinać po ogrodowym murze, wystarczyło, by noga znów zaczęła go boleć. – Nie przeciągaj struny.

– Czy to oznacza, że nie dasz mi tego, czego pragnę?

– Nie ufam ci, Vicky, ani temu, co kryje się za twoją prośbą. Podejrzewam, że szukasz sposobu, by mną manipulować. Gdybym zapewnił cię o dozgonnej miłości i wieczystym oddaniu, wypominałabyś mi je za każdym razem, kiedy sprzeciwiłbym się twoim zachciankom. Oświadczyłabyś, że kłamałem twierdząc, że cię kocham.

– Czy to oznacza, że mnie nie kochasz?

– To oznacza, że popełniłem cholerny błąd, ulegając w Londynie wszystkim twoim kaprysom, bo teraz sądzisz, że z łatwością możesz mnie wodzić na smyczy – rzucił przez zaciśnięte zęby.

– Rozumiem.

Powoli wstała z podłogi i zajęła się doprowadzaniem sukni do porządku.

Lucas popatrzył na jej szczupłe, teraz dziwnie skurczone ramiona i poczuł się jak w pułapce. Przed kilkoma zaledwie minutami oddawali się namiętności, jakiej jeszcze nigdy dotąd nie doświadczył. Teraz ta krucha nić porozumienia została zerwana. Ale kiedy, na Boga, to się mogło stać?

– Vicky, daj spokój. – Obrócił ją i przyciągnął do siebie. Wydawało mu się, że słyszy ciche pociągnięcia nosem i nagle poczuł się bezradny. Nie lubił tego uczucia. – Do diabła, nie jesteś przecież naiwną gąską.

Kiwnęła niechętnie głową, kryjąc twarz na jego piersi.

– Masz rację. Zachowuję się jak naiwna panienka, która nie potrafi zaakceptować świata takim, jakim jest. – Uniosła głowę i spojrzała na niego z nagłą determinacją. – Jak już mówiłam, Lucasie, naprawdę wierzę, że nam się uda, jeśli tylko będziemy postępować logicznie i rozsądnie. Przyrzekam, że dotrzymam mojej części umowy.

Spojrzał jej w oczy, w których nadal błyszczały łzy i nie wiedział, co na to odpowiedzieć. Nagle zapragnął usłyszeć te słodkie, nieśmiałe słowa miłości, ale wiedział, że nie czas o nie prosić.

– Vicky?

– Tak, milordzie?

– Dziękuję, że postanowiłaś zrobić wszystko, co w twojej mocy, by nam było razem dobrze – posłyszał swój cichy głos. – Jestem ci za to wdzięczny.

– Nie ma za co, milordzie.

Skrzywił się na tę ironiczną odpowiedź, lecz zmusił się do ciepłego uśmiechu. Spojrzał jej w oczy i w tym momencie bursztynowy medalion rozjarzył się blaskiem. Odetchnął z ulgą. Wszystko będzie dobrze, pomyślał. Jeszcze usłyszę z jej ust słodkie słowa miłości.

– Nie zadręczaj się analizowaniem swoich uczuć, Vicky. Lub moich. – Dotknął medalionu i uśmiechnął się. – Wszystko przyjdzie w swoim czasie. Wracajmy do domu.

Kiwnęła głową i cofnęła się, by mógł strzepnąć jej pelerynę. Zakurzyła się, ale poza tym była cała. Okrył jej ramiona i pomyślał, że pomimo słusznego wzrostu jest znacznie niższa od niego. Nagle uczuł gwałtowną potrzebę opiekowania się nią i chronienia przed niebezpieczeństwami.

– Lucasie – powiedziała w zamyśleniu, kiedy gasił ogień – jeśli to nie ty powiadomiłeś ciotkę o naszej schadzce, to kto?

Wzruszył ramionami.

– Któż to może wiedzieć?

– Może lady Atherton wiedziona świętym zapałem niesienia ci pomocy w poszukiwaniach dziedziczki?

Uśmiechnął się z ulgą, słysząc, że wraca jej dawna złośliwość.

– Myślę, że to możliwe. Zresztą, czy to ważne? Co się stało, to się nie odstanie. – Wziął ją pod rękę i poprowadził w stronę drzwi.

– Masz rację – powiedziała wolno. – Co się stało, to się nie odstanie. Ale ostatnio w Londynie miały miejsce dziwne zdarzenia i kiedy połączę je z tą sprawą w zajeździe, zaczynam się zastanawiać.

– Nad czym?

– Nieważne. To tylko moje przypuszczenia.

Lucas poczuł, że robi mu się zimno. Zatrzymał ją gwałtownie tuż przy drzwiach domku.

– O czym ty, u diabła, mówisz, Victorio? Cóż to za dziwne zdarzenia?

– Och, nic takiego, zapewniam cię.

– Chciałbym, abyś mi o nich opowiedziała.

– Czy wiesz, Lucasie, że kiedy używasz tego szczególnego tonu, mam wielką ochotę skoczyć w ogień. Czy tego cię uczyli w wojsku?

Z trudem się opanował.

– Dość tego, Victorio. Powiedz mi, co wywołało twoje zainteresowanie tą sprawą? Odpowiesz mi albo nie ruszymy się stąd na krok.

– Zauważyłam, że kiedy kończymy nasz intelektualny eksperyment, zapominasz o okazaniu mi czułości. Przyznaję, że za pierwszym razem stanęły temu na przeszkodzie pewne okoliczności, tym razem jednak ich nie znajduję. Czy wszyscy mężczyźni zachowują się w ten sposób?

– Musisz mnie ciągle prowokować? Któregoś dnia posuniesz się za daleko. Odpowiedz mi albo za chwilę się okaże, że to właśnie ten dzień.

Wzruszyła ramionami.

– Proszę bardzo, ale niewiele jest do opowiadania. Dwukrotnie znalazłam przedmioty, które do mnie nie należały. Oba oznaczone były literą „W". Pierwszym był szalik pozostawiony na klamce u drzwi do oranżerii. Znalazłam go tej nocy, kiedy byliśmy w jaskini hazardu.

– Właśnie wtedy o mało nie wpadłaś pod koła powozu. – Lucas zmarszczył czoło. – A ten drugi przedmiot?

– Tabakierka. Znalazłam ją w pudle z farbami.

– I nikt się po nie nie zgłosił?

– Nikt.

Ruszyła wolno w stronę dworu. Podążył za nią, myśląc intensywnie.

– Kiedy znalazłaś tę tabakierkę?

Mruknęła coś w odpowiedzi, czego nie zrozumiał. Spojrzał na nią niecierpliwie i zauważył, że unika jego wzroku.

– Co powiedziałaś?

– Mówiłam, że znalazłam ją następnego ranka po naszej niefortunnej rozmowie w ogrodzie. Chyba przypominasz sobie ten wieczór? Wtedy właśnie poprosiłam cię, byś zajął się... hmmm...

– Ach tak, pamiętam. Rzeczywiście, niefortunna rozmowa. – Zastanawiał się przez chwilę. – To dziwne.

– Tak sądzisz?

– Kiedy wracałem do powozu, napadł na mnie jakiś zbir – wyjaśnił szorstko. – Odniosłem wrażenie, jakby ten człowiek czekał na mnie, ale uznałem to za nieprawdopodobne.

Victoria zatrzymała się i spojrzała na niego z przerażeniem.

– Zostałeś napadnięty? Dlaczego mi o tym nie powiedziałeś? Na litość boską, Lucasie, powinieneś był mi powiedzieć.

– Co, na przykład, miałem ci powiedzieć?

Jej troska o niego uradowała go i uspokoiła.

– Jak możesz podchodzić do tego tak lekceważąco? Przecież to bardzo poważna sprawa. Mogłeś zostać ranny. Czy zabrał ci pieniądze albo zegarek?

– Nie.

– Oczywiście, że nie – powiedziała prędko. – Byłeś, naturalnie, szybszy od niego.

– Pochlebiasz mi, Vicky, lecz obawiam się, że po prostu miałem szczęście. – Wziął ją pod ramię i ponownie ruszyli w stronę dworu. – Nie ma sensu tak się tym przejmować. Ten incydent kosztował mnie jedynie surdut. Jednak to doprawdy dziwny zbieg okoliczności.

– Co masz na myśli? I w ogóle jak można się tym nie przejmować? Przecież to się mogło dla ciebie źle skończyć.

– Tak, ale co powiesz na to, że te przedmioty z literą „W" znajdowałaś tuż po tych dwóch wypadkach, które mogły nas kosztować życie?

Zaległa cisza. Lucas niemal czuł, że Victoria myśli gorączkowo.

– I jaki z tego płynie wniosek?

– Prawdę powiedziawszy, nie wiem. Może zresztą nie należy się w tym niczego doszukiwać. Ale przyszło mi do głowy, że tego zbira mógł wynająć Edgeworth.

– Edgeworth? Ach, z zemsty za przegraną w karty? Sądzisz, że posunąłby się aż do takich metod?

Lucas przypomniał sobie ostatnią rozmowę z Edgeworthem.

– Mamy ze sobą jeszcze inne porachunki niż to zdarzenie przy karcianym stoliku. Ale nawet gdyby uciekł się do takich metod, to i tak nie wyjaśnia sprawy przedmiotu, który znalazłaś w oranżerii.

Zmarszczyła brwi.

– Rzeczywiście. Ani tego, czy ma to jakiś związek z tym pędzącym powozem. Chociaż, gdyby potraktować to jako umyślną napaść, może jej celem nie byłam ja?

– Sądzisz, że to o mnie chodziło? – Spojrzał na nią zaskoczony. – Nie wiem. Możliwe. Staliśmy dość blisko siebie, kiedy to się zdarzyło.

– Czyżby znowu Edgeworth?

Wypadek z powozem miał miejsce jeszcze przed słowną utarczką w klubie, w której poszło o honor Vicky. Ale pozostawała sprawa przegranej. Edgeworth mógł się zorientować, że wkrótce nie będzie miał wstępu do żadnego z klubów. No i oczywiście jeszcze ta sprawa z przeszłości, która zawsze będzie stać między nimi.

– Możliwe – stwierdził po namyśle.

– Ale co te napaści mają wspólnego ze znalezionymi przeze mnie przedmiotami?

– Znasz kogoś, kogo nazwisko zaczyna się na literę „W"?

– Nie. To znaczy, tak. Kilka osób. Ale żadna nie przyznaje się do zguby.

Pospiesznie opowiedziała mu o osobach, których nazwiska zaczynały się na „W", i o tym, jak jej ciotka rozmawiała z nimi o owych przedmiotach, ale Lucas jej nie słuchał. Jego uwagę przykuła dziwna nuta w głosie Victorii. Już raz słyszał to wahanie, wyczuł tę lekką rezerwę, jakby nie chciała o czymś mówić. Usiłował sobie przypomnieć, kiedy to było. Tak, owej nocy, kiedy opowiedziała mu swój senny koszmar.

– ...pytała również lady Wibberly, która ma ogromną kolekcję tabakierek. A także lorda Wilkinsa, bo nosi szaliki. Następnie pytałyśmy Watersona, na próżno.

– Vicky?

– Nie można jednak ufać pamięci lorda Watersona. Bardzo możliwe, że zgubił obie te rzeczy i zapomniał o nich. Jego umysł zaprzątnięty jest ważniejszymi sprawami, takimi jak meteorologia. Zbudował nadzwyczajny przyrząd do mierzenia opadów.

– Victorio!

– Przy tak długiej liście znajomych mojej ciotki mogłyśmy kogoś pominąć.

– Vicky, kochanie, zamilcz na chwilę. Pragnąłbym zadać ci jedno pytanie i byłbym wdzięczny, gdybyś szczerze mi na nie odpowiedziała.

Zatrzymał się i spojrzał jej w oczy.

– Słucham cię.

– Czy jest ktoś, czyje nazwisko zaczyna się na literę „W", kogo nie lubisz? Ktoś, kogo się boisz lub mu nie ufasz? Ktoś, kto być może cię przeraża?

– Nie – odpowiedziała bez chwili namysłu.

Uśmiechnął się lekko na to oczywiste kłamstwo.

– Zastanów się nad odpowiedzią, moja słodka. Nie obawiaj się wyjawić mi prawdy. Jestem przecież twoim towarzyszem nocnych przygód, nie pamiętasz? Możesz zwierzyć mi się ze spraw, których nie wyjawiłabyś nikomu innemu.

– Lucasie, proszę, nie zmuszaj mnie do odpowiedzi.

Przyciągnął ją do siebie, tuląc jej głowę do piersi. Bursztynowa peleryna owinęła mu się wokół nóg.

– Odpowiedz mi, Vicky.

Zesztywniała w jego ramionach.

– Nie zrozumiesz tego.

– Skąd wiesz?

– Lucasie, on nie żyje.

Zmarszczył brwi, słysząc rozpacz w jej głosie. Przypomniał sobie, co Jessica Atherton mówiła mu o Victorii, zanim jeszcze zaczął się do niej zalecać. Po kilku sekundach miał już nazwisko: Samuel Whitlock.

– Czyżby chodziło o twego ojczyma?

Szarpnęła głową, najwidoczniej usiłując się opanować.

– Mówiłam już, że to niemożliwe. On nie żyje.

– Nie bardzo go lubiłaś, prawda?

Jej oczy błyszczały w świetle księżyca.

– Nienawidziłam go za to, co uczynił mojej matce i co uczyniłby mnie, gdyby miał po temu sposobność. Matka ocaliła mnie przed tym lubieżnym draniem, odsyłając do ciotki. Ale nie zdołała ocalić siebie. W końcu ją zabił.

13

Sądzisz, że ojczym zabił twoją matkę? – zapytał, otaczając ją ramieniem i prowadząc w stronę dworu.

Jego głos brzmi zadziwiająco spokojnie, pomyślała Victoria. Równie dobrze mógłby mnie zapytać, czy nie miałabym ochoty na kieliszek sherry przed obiadem.

– Tak. Tak właśnie sądzę, choć nigdy jeszcze nikomu o tym nie mówiłam, z wyjątkiem mojej ciotki.

Nagle zdała sobie sprawę z siły otaczającego ją ramienia i poczuła się dziwnie bezpieczna. Jakiż on silny, pomyślała. Uspokajająco silny.

Właściwie nie wiedziała dlaczego Lucas działa na nią tak kojąco, ale nie zaprzątała sobie tym głowy. Teraz najważniejsze było to, co powie Lucasowi. Już i tak zdradziła mu więcej, niż zamierzała.

– A co o tym sądzi twoja ciotka?

Victoria szczelniej otuliła się peleryną.

– Że to bardzo prawdopodobne. Wiedziała, jakim człowiekiem był ojczym. Okrutnym, lubieżnym pijakiem. Dziwiło ją tylko, dlaczego tak długo zwlekał z zamordowaniem mojej matki. Dlaczego nie zrobił tego zaraz po ślubie, kiedy uzyskał dostęp do jej pieniędzy.

– Może początkowo nie miał zamiaru tego robić – powiedział Lucas w zamyśleniu, jakby usiłował rozwiązać interesującą łamigłówkę. – W końcu przecież mógł dysponować jej majątkiem. Dlaczego miałby ściągać sobie kłopoty na głowę?

Victoria westchnęła.

– To samo powiedziała ciocia Cleo. Odkąd zamieszkałam u niej, matka często nas odwiedzała i spędzała z nami kilka tygodni, czasami nawet miesięcy. Kiedy zrozumiała, jakiego człowieka poślubiła, starała się widywać go jak najrzadziej. Po pijanemu stawał się gwałtowny.

– Słowem, nie dość, że oddała mu majątek, to jeszcze grzecznie usuwała mu się z drogi. Po co więc miałby ją zabijać? – zapytał Lucas.

– Może po prostu miał jej dość? Może któregoś dnia stracił panowanie nad sobą i wpadł we wściekłość? Jego wybuchy gniewu były przerażające. Zachowywał się wówczas jak szaleniec. – W przeciwieństwie do ciebie, dodała w myślach. Ty zawsze potrafisz trzymać nerwy na wodzy, nawet gdy jesteś zły.

– Twoja matka, zdaje się, spadła z konia?

– Tak. W pobliżu ich wiejskiej posiadłości. Miała w niej podejmować jego przyjaciół. Przedtem bawiła kilka tygodni u mojej ciotki, ale Whitlock kazał jej wrócić na parę dni, by wypełniła swoje małżeńskie powinności, jak się wyraził. Moja matka odznaczała się wyjątkową urodą. Była również wzorową panią domu i Whitlock lubił się nią popisywać przed swymi znajomymi.

– Wypadek z koniem to raczej zaplanowane morderstwo, a nie czyn dokonany w gniewie.

Wzruszyła ramionami.

– Być może masz rację, ale ja wiem, że on to zrobił.

– Skąd wiesz?

Bo sam mi to wyznał, pomyślała. Tuż przed tym, jak spadł ze schodów.

Nie mogła jednak powiedzieć Lucasowi, dlaczego jest przekonana o winie ojczyma. Lucas był zbyt bystry. Gdyby mu o tym powiedziała, drążyłby dalej, a zdążyła się już przekonać, że w jego ramionach staje się zbyt ufna i słaba. Poza tym, pomyślała niechętnie, choć Lucas jest niezwykły pod wieloma względami, to nie będzie taki tolerancyjny i wyrozumiały, kiedy się dowie, że poślubił morderczynię.

– Nie mam oczywiście na to dowodu – powiedziała ostrożnie – ale w głębi serca jestem przekonana o jego winie.

Przystał na takie wytłumaczenie.

– Konne wypadki często się zdarzają, Vicky.

– Moja matka była wyborną amazonką.

Miała nadzieję, że na tym poprzestanie, ale Lucas jak zwykle indagował dalej.

– Powiedziałaś o tym Whitlockowi?

To już stawało się zbyt niebezpieczne.

– Wiedział, że nie mam dowodu. Wyśmiał mnie.

Palce Lucasa zacisnęły się na jej ramieniu.

– Co wówczas zrobiłaś?

– Niczego nie zrobiłam. Umarł niecałe dwa miesiące później, co uznałyśmy z ciocią Cleo za opatrzność losu.

– Został, zdaje się, znaleziony u stóp schodów, prawda?

Rzuciła mu szybkie spojrzenie.

– Skąd o tym wiesz?

Uśmiechnął się krzywo.

– Od Jessiki Atherton.

– Sporo informacji uzyskałeś od lady Atherton.

– Nie zaczynajmy znowu kłótni na ten temat. Czy twój ojczym zmarł właśnie w ten sposób?

– Tak. – Victoria ostrożnie dobierała słowa. – Najwidoczniej dużo wypił tego wieczoru. Zresztą, nie pierwszy raz. Potknął się i spadł ze schodów. I to był koniec wszystkiego.

– Niezupełnie.

– Co chcesz przez to powiedzieć?

– Jedynie to, że nadal odczuwasz niepokój na widok jego inicjału wyhaftowanego na czyimś szaliku czy wygrawerowanego na dziwnej tabakierce. Co z tobą, Vicky? Czyżbyś zaczęła wierzyć w duchy? Myślisz, że Whitlock wrócił, by cię straszyć?

– Nie opowiadaj takich rzeczy! – Natychmiast odzyskała panowanie nad sobą. – Oczywiście, że nie wierzę w duchy. W tej sprawie z szalikiem i tabakierką najbardziej niepokoi mnie fakt, że pozostawiono je w takich miejscach, w których łatwo mogłam je znaleźć.

– Szczególnie intrygujące jest miejsce, w którym pozostawiono szalik, nieprawdaż? Nasuwa się przypuszczenie, że ktoś wiedział, że będziesz późno wracać do domu, i to od strony oranżerii.

– Właśnie. Najwidoczniej ktoś musiał nas przez cały czas śledzić. Zauważył, jak opuszczam przyjęcie tej nocy i wsiadam do powozu, który wynająłeś – stwierdziła Victoria.

– I podążył za nami do gospody? Możliwe.

– To musiała być Jessica Atherton.

Lucas uśmiechnął się lekko.

– Trudno mi sobie wyobrazić lady Atherton wspinającą się o północy po ogrodowym murze.

– Masz rację. Wobec tego szalik i tabakierkę musiał podłożyć ktoś inny. Chyba że...

– Chyba że co?

– Nie sądzisz, że mogła wynająć detektywa z Bow Street?

– Sama najlepiej wiesz, że to nic trudnego.

W tej chwili przyszło Victorii do głowy, że gdyby kierowała się rozsądkiem, zamiast słuchać głosu serca, to wynajęłaby detektywa, by zdobył parę informacji o tajemniczym lordzie Stonevale.

– Zastanawiałem się, kiedy ci to przyjdzie do głowy – powiedział Lucas.

Zmarszczyła brwi, zaniepokojona, że odkrył jej myśli.

– Cóż takiego?

Uśmiechnął się złośliwie.

– By wynająć detektywa w celu zasięgnięcia o mnie informacji. Właśnie z tego powodu chciałem jak najszybciej zakończyć zaloty.

– Jesteś najnikczemniejszym z ludzi, Stonevale.

– A poza tym, jestem również zadowolony z tego małżeństwa. – Zatrzymał się przy kuchennym wejściu i musnął ustami jej wargi. Oczy mu błyszczały. – A ponieważ nie chciałem, byś znalazła się w tak niefortunnej sytuacji jak ta w gospodzie, nie mogę powiedzieć, bym żałował, że sprawy tak się potoczyły. Biorąc pod uwagę ryzyko, na jakie się narażaliśmy, wyszliśmy z tego obronną ręką.

– Doprawdy, trudno mi sobie wyobrazić, że mogło nas spotkać coś gorszego.

– Wobec tego nie staje ci wyobraźni. Te nasze nocne wycieczki spędzały mi sen z powiek. Przecież wszystko się mogło wówczas wydarzyć. – Ujął ją za podbródek. – Czy bardzo jesteś ze mną nieszczęśliwa, Vicky?

Chciała wykrzyczeć mu w twarz, że nie kocha jej tak jak ona jego, że wciągnął ją w to małżeństwo w chwili jej słabości i wybuchu uczuć, podczas gdy on całkowicie nad swoimi panował. Pragnęła zmusić go, by przyznał się do winy i błagał ją o przebaczenie, zapewniając o dozgonnej miłości i oddaniu. Jednym słowem, pragnęła się zemścić za to, że znalazła się w takiej sytuacji. Wiedziała jednak, że prawdopodobnie nigdy jej się to nie uda.

Jednego była pewna, że powinna głęboko skrywać swoje uczucia, tak jak skryła ten najczarniejszy sekret. Skoro lord Stonevale był kontent z tego małżeństwa, ona również postara się o to. Ale pozostanie dla niego jedynie dziedziczką, która została zmuszona do pogodzenia się z faktem, że poślubiono ją dla pieniędzy.

– Wydaje mi się – powiedziała ostrożnie – że jak na męża nie jesteś jeszcze taki zły.

– Cóż za oziębła pochwała – zauważył cicho. – Czy doprawdy nie mogłabyś się postarać o coś więcej?

Zagryzła wargę i spojrzała na niego. Wyglądał groźnie w świetle księżyca. Wysoka silna postać o surowych rysach, jakby wyrytych w srebrze i granicie. W jego oczach czaiła się erotyczna groźba, która pobudzała do życia niedawno zaspokojone zmysły. Powinna się go obawiać, a jednak czuła się dziwnie bezpieczna. Niech to wszyscy diabli!

Miała wielką ochotę rzucić mu się w ramiona i wyznać swą miłość. Ale instynkt samozachowawczy i wrodzona duma powstrzymały ją przed czymś tak nieroztropnym i niepotrzebnym. Nie pozwoli sobie po raz drugi na okazanie takiej słabości, jak owej pamiętnej nocy w gospodzie.

– Już ci mówiłam, milordzie, że uczynię wszystko, co w mojej mocy, by wywiązać się z mej części umowy.

Lucas pokręcił głową i pocałował ją w czubek nosa.

– Ileż w tobie dumy i determinacji, by nie dać więcej, niż musisz. Jak możesz być tak okrutna, Vicky?

– Czyż okrucieństwem jest stwierdzenie, że skłonna jestem pogodzić się z sytuacją, w której się znalazłam? Czegóż jeszcze żądasz ode mnie, Lucasie?

– Wszystkiego.

– Zabrzmiało to tak, jakbyś oczekiwał ode mnie całkowitej kapitulacji.

– Być może tak jest.

– Wobec tego oświadczam ci, że nastąpi to wtedy, kiedy kobietom wolno będzie publicznie nosić spodnie – odparowała ostro. – Innymi słowy, nigdy.

– Nastąpi to wcześniej, niż przypuszczasz. Wrócimy jeszcze do tej sprawy. Teraz wystarczy mi to, co już osiągnęliśmy.

Wziął ją za rękę i wprowadził do ciemnego, pogrążonego we śnie dworu.

Pastor i jego żona byli zdenerwowani. Najwyraźniej nie przywykli do składania wizyt we dworze. Victoria podejrzewała nawet, że nigdy tu nie byli. Wprawiło ją to w irytację. Jeszcze jeden dowód na to, jak poprzedni hrabia traktował swoich najbliższych sąsiadów.

– Trudno nam wprost wyrazić, jak się cieszymy, że pan i pańska urocza małżonka zamieszkaliście we dworze, lordzie Stonevale – powiedział z powagą wielebny Worth, zażywny mężczyzna po pięćdziesiątce, o rumianej twarzy.

– Tak. Jesteśmy zachwyceni, mogąc tu państwa powitać – dodała nieśmiało jego żona, drobna mała kobietka z łagodną ptasią twarzą, siedząca sztywno obok męża. Filiżanka zadrżała w jej dłoni, kiedy podnosiła ją do ust. Od czasu do czasu rzucała szybkie, bojaźliwe spojrzenia na salon, jak gdyby ciągle nie mogła uwierzyć, że tu jest.

– Dziękujemy. – Victoria uśmiechnęła się ciepło do wystraszonej kobiety. – To niezwykle uprzejme z państwa strony, że zechcieliście przyjąć tak nagłe zaproszenie.

– Ależ to nic takiego – powiedziała jeszcze bardziej zawstydzona pastorowa, omal nie rozlewając herbaty. – Jesteśmy tym bardziej wdzięczni, że okazała pani zainteresowanie lokalnymi sprawami.

Pastor zmusił się, by bez strachu spojrzeć w oczy gospodarzowi domu.

– Ufam, że nie poczytasz mi tego, panie, za obrazę, jeśli powiem, że te ziemie zbyt długo pozostawały bez gospodarza. Cieszą mnie niezmiernie wiadomości o ulepszeniach, które zdążyłeś poczynić, milordzie.

– Miło mi to słyszeć, pastorze. Nie mogę się nie zgodzić z pańską opinią na temat posiadłości i okolic.

Lucas z lekkim zniecierpliwieniem odstawił filiżankę, co nie uszło uwagi Victorii. Wiedziała, że wolałby uniknąć tego towarzyskiego obowiązku.

Dziś rano dał jej niedwuznacznie do zrozumienia, że jest zajęty i nie ma czasu na picie herbaty z pastorem. Na to mu oświadczyła, że tak łatwo się nie wymiga, i w końcu Lucas ustąpił, ku wielkiemu zaskoczeniu dwojga służących, którzy byli świadkami ich dyskusji w holu. Nie uszło ich uwagi, że nowy hrabia Stonevale ma skłonność do ustępowania młodej żonie.

– Jest wiele do zrobienia – zauważył wielebny Worth. – Sytuacja stała się rozpaczliwa.

– Jej lordowska mość zrobiła wielkie wrażenie na tutejszych mieszkańcach – powiedziała nieśmiało pastorowa. – Kiedy poszłam odwiedzić Betsy Hawkins dziś rano i zanieść spódnicę dla jej córki, oświadczyła mi z dumą, że nie potrzebuje już pomocy, bo córka dostała pracę w dworskiej kuchni, a mąż wkrótce zacznie pracować w stajniach. Była taka szczęśliwa! Ta biedna kobieta dużo przecierpiała, podobnie jak wielu innych.

– Jesteśmy wdzięczni za tylu chętnych do pracy. Będziemy potrzebować wielu ludzi, by nadać dworowi właściwy wygląd – powiedziała Victoria i wcale nie przesadziła. Doprowadzenie salonu do jakiego takiego porządku na dzisiejszą wizytę wymagało katorżniczej niemal pracy. Służba zabrała się do sprzątania już o świcie.

– Pozwolę sobie zauważyć, że dzięki opowieści pewnego kłusownika zdobyłaś, pani, sympatię całej miejscowej ludności. – Pastor zachichotał, po czym zakrztusił się, kiedy jego żona rzuciła mu przerażone spojrzenie. Pospiesznie upił łyk herbaty i odchrząknął. – Zechciejcie mi państwo wybaczyć.

Lucas nie dał się zwieść.

– Cóż to za opowieść i o jakim kłusowniku wielebny mówi?

Pastor wyraźnie się zaniepokoił. Widać było, że zdaje sobie sprawę, że za dużo powiedział. Odchrząknął lekko.

– Obawiam się, milordzie, że kilku tutejszych mężczyzn nie stroni od kłusowania w dworskich lasach. Było to bardzo niebezpieczne zajęcie, bo pański poprzednik kazał zastawiać na nich sidła.

– Proszę się tym nie niepokoić, pastorze. Jako były żołnierz, zmuszony przez jakiś czas żyć poza krajem, doskonale to rozumiem i zapewniam pana, że skłonny jestem patrzeć przez palce na drobne kłusownictwo. Wydałem już polecenia, by zniszczono wszystkie sidła.

Uśmiech wielebnego zajaśniał jak słońce na pochmurnym niebie.

– Z radością tego słucham. Pański wuj, jak zapewne pan wie, milordzie, miał do tego zupełnie inny stosunek.

– A teraz proszę mi wyjaśnić sprawę tej tajemniczej opowieści kłusownika – poprosił cicho Lucas.

Pastor wymienił szybkie spojrzenia ze swoją żoną, po czym ciężko westchnął.

– Tak, no więc jest to opowieść, którą usłyszałem dziś rano. Wiesz, panie, jak ludzie gadają. Podobno jakiś nieustraszony myśliwy, który wracał nocą na skróty do domu, ujrzał bursztynowego rycerza i jego panią. Zna pan tę legendę, prawda?

– Mniej więcej.

Victoria z zainteresowaniem pochyliła się do przodu.

– Widziano tu bursztynowego rycerza i jego panią?

Pastorowa zaśmiała się nerwowo.

– Właśnie tu, w pobliżu dworu. W każdym razie, tak nam mówiono. Podobno widziano ich, jak szli przez ogród w stronę dworu. Czyż to nie czarująca historia?

– Fascynująca – powiedziała Victoria, kiedy dotarła do niej prawda. Wyobraziła sobie, jakie ona i Lucas musieli zrobić wrażenie na zaskoczonym kłusowniku. Ona w bursztynowej pelerynie owijającej się wokół nóg. – Szli w stronę dworu, mówi pani? – Wyczuła ostrzegawczy wzrok Lucasa, ale go zignorowała. Nie chciała psuć sobie zabawy. – A jak pani myśli, cóż mogli robić o tak późnej porze?

Lucas odchrząknął.

– Czy mógłbym cię prosić o jeszcze jedną filiżankę herbaty, moja droga? Poczułem nagłe pragnienie.

– Ależ oczywiście. – Uśmiechnęła się do niego promiennie i nalała mu herbaty. W odpowiedzi rzucił jej gniewne spojrzenie, co tylko zachęciło ją do dalszej zabawy. – Jak pani sądzi, pastorowo?

– Sądzę? Ach, co mogli robić o północy? O Boże! – Poczciwa kobieta uśmiechnęła się nieśmiało. – No cóż, są przecież duchami. Przypuszczam, że tylko wtedy mogą odbywać spacery. Legenda głosi, że ta para bardzo lubiła nocne spotkania. Podobno mieli zwyczaj objeżdżać nocą swoje dobra i powracać do dworu tuż przez świtem.

Pastor odchrząknął.

– Daj pokój tym opowieściom o duchach, moja droga. Lord Stonevale i jego żona gotowi pomyśleć, że nie zajmujemy się niczym innym.

– Ależ skądże – zaprotestowała Victoria. – To niezwykle interesujące, nie sądzisz, kochanie?

– Nie ma w tym za grosz sensu – rzucił gniewnie Lucas.

– Proszę zrozumieć, milordzie – powiedziała pospiesznie pastorowa – ta historia wstrząsnęła miejscowymi ludźmi. Uwierzyli w nią, tak jak uwierzyli, że sytuacja nareszcie poprawi się na lepsze. Legenda głosi, że Stonevale zacznie znów kwitnąć, kiedy powróci tu bursztynowy rycerz i jego pani. Proszę nie pozbawiać ludzi nadziei, milordzie.

– Tak. – Victoria uśmiechnęła się słodko do męża. – Proszę, nie bądź takim ponurakiem, mój mężu.

Pastor i jego żona spojrzeli na nią zaskoczeni. Lucas obrzucił ją jeszcze jednym surowym spojrzeniem i podniósł filiżankę do ust.

Pastor domyślił się, że on i jego żona stali się mimowolnymi świadkami małżeńskiej scysji, bo zaczerwienił się i próbował zmienić temat.

– Lepiej spotkać na swojej drodze parę nieszkodliwych duchów niż rozbójnika, który od dwóch miesięcy grasuje na tych terenach.

– Rozbójnik? – natychmiast zainteresowała się Victoria. – A cóż to za historia? Czyżby wielebnego obrabowano?

– Nie mnie. I nikogo z miejscowych. Zresztą, z czego mieliby ich rabować. Ale doszły do mnie wieści o dwóch zatrzymanych powozach. Obawiam się, że ten łajdak nie grzeszy sprytem. Za pierwszym razem woźnica powozu wyciągnął pistolet, na widok którego rozbójnik czmychnął do lasu. Za drugim razem pasażerowie dyliżansu oszukali go oddając kilka monet i bezwartościowy pierścionek.

– Zazwyczaj rozbójnicy ukrywają się tam, gdzie grasują – zauważył Lucas. – Czy sądzi pan, że to ktoś z miejscowych?

Pastor gwałtownie zaprzeczył i wyglądał na dziwnie zaniepokojonego.

– Przypuszczam, że nie, sir. Prawdopodobnie to jakiś przybysz. Nie zdziwiłbym się, gdyby już zniknął z okolicy. W jego zawodzie bezpieczniej jest zmieniać miejsce pobytu. – Zadowolony, że ocalił dobre imię miejscowych, dodał pospiesznie: – Proszę nie poczytać tego za impertynencję, milordzie, ale czy zastanawiałeś się już, panie, czym obsiejesz pola? Przeżyłem tu spory szmat życia i wiem, co w tej glebie najlepiej się przyjmuje.

Pastorowa spojrzała na męża z przerażeniem.

– Daj spokój, kochanie, jestem pewna, że jego lordowska mość sam poprosiłby o radę, gdyby jej potrzebował.

– Naturalnie, naturalnie. – Pastor zrobił się czerwony jak burak. – Proszę mi wybaczyć, milordzie. Ogrodnictwo i rolnictwo to moja pasja. Można powiedzieć, że zajmuję się tym w pewnym sensie naukowo.

Lucas spojrzał na niego z nagłą uwagą.

– Naprawdę?

Pastor odkaszlnął nerwowo, jednak tym razem wydawał się bardziej pewny siebie.

– Pozwolę się pochwalić, że dwie moje rozprawy zostały opublikowane w „Przeglądzie Botanicznym". Teraz pracuję nad książką o kwiatach ogrodowych.

– Co wielebny wie na temat gryki? – zapytał Lucas bez dalszych wstępów. Wszelkie oznaki zniecierpliwienia zniknęły bez śladu.

– Doskonała pasza dla bydła. Dobra na nieurodzajną glebę, lecz ja zdecydowanie preferuję owies, pszenicę, i tam gdzie to możliwe, kukurydzę.

– Słyszałem, że grykę mogą również jeść ludzie.

– Tylko mieszkańcy kontynentu. Wątpię, by znalazł pan Anglika, który zechciałby ją jeść, chyba żeby zmusił go do tego głód.

– Rozumiem. A jakie jest pańskie zdanie na temat marglu, jako jednej z form nawożenia? – zapytał Lucas.

– Tak się składa, że przeprowadziłem swojego czasu doświadczenia z różnymi nawozami – powiedział pastor z entuzjazmem. – Wypróbowałem margiel na krzewach różanych mojej żony, a potem również torf, zmielone kości i ryby. Wszystkie swoje obserwacje szczegółowo opisałem. Czy chciałby pan poznać ich wyniki?

– Z ochotą. – Lucas wstał ze swego miejsca. – Może przeszlibyśmy do biblioteki? Mam tam plany całej posiadłości. – Obrócił się w stronę Victorii. – Zechcesz nam wybaczyć, moja droga?

– Naturalnie.

– Proszę za mną, pastorze. Będę miał do pana kilka pytań. A jeśli chodzi o nawóz zwierzęcy, to ma on tę zaletę, że jest łatwo dostępny.

– To prawda. A kiedy go zabraknie, można zawsze sprowadzić z Londynu. Przecież tam jest kilka tysięcy koni. Coś trzeba robić z taką ilością nawozu. Czytał pan może *Elementy chemii w rolnictwie* Humphreya Davy'ego?

– Nie – odpowiedział Lucas. – Ale za to udało mi się zdobyć egzemplarz *Ekonomii agrarnej w Yorkshire* Marshalla, który jest entuzjastą marglu.

– Przyznaję, że ma swoje zalety. Chętnie pożyczę panu rozprawę Davy'ego. Autor w sposób naukowy podchodzi do tematu nawożenia. Sądzę, że może to pana zainteresować.

– Byłbym zobowiązany – odpowiedział Lucas.

Obaj panowie opuścili pokój.

Victoria popatrzyła na swego gościa.

– Może jeszcze herbaty, pastorowo?

– Dziękuję, milady. – Spojrzała na nią przepraszająco. – Proszę wybaczyć mojemu mężowi. Ogrodnictwo i rolnictwo to jego pasja.

– Proszę mi wierzyć, że znajduje się w dobrym towarzystwie – odpowiedziała z uśmiechem Victoria. – Zainteresowanie mego męża tymi dziedzinami ostatnio bardzo wzrosło. Zapewne zauważyła to pani.

Żona pastora wesoło zachichotała.

– W istocie. Żeby rozmawiać o nawożeniu w salonie! Ale niestety, takie już jest życie na wsi.

– Nie różni się wiele od życia w Londynie. Moja ciotka, z którą dotąd mieszkałam, jest entuzjastką wszelkich naukowych eksperymentów i obawiam się, że ja również poszłam w jej ślady.

Pastorowa kiwnęła głową z entuzjazmem.

– Może jej lordowska mość wraz z małżonkiem zechciałaby zaszczycić swoją obecnością zebranie naszego małego kółka naukowego? Spotykamy się co tydzień, w poniedziałkowe popołudnia, u nas w domu. Muszę przyznać, że przychodzi na nie spora grupa osób. – Poczciwa kobieta nagle spłonęła rumieńcem i wyjąkała spłoszona: – Oczywiście, nasze spotkania wydadzą się zapewne pani mało interesujące. Twoja wiedza jest daleko większa od naszej. Wszak mieszkałaś, pani, w Londynie.

– Z przyjemnością przyjdę na to spotkanie. Będę go oczekiwać z niecierpliwością.

Uśmiech powrócił na twarz pastorowej.

– Jakże się cieszę. Natychmiast powiadomię o tym moich przyjaciół.

– Mówiła pani, że hoduje róże, prawda?

Żona pastora zaczerwieniła się i powiedziała nieśmiało:

– Są moją pasją.

– Chciałabym zasięgnąć pani rady w tej kwestii. Poczyniłam pewne plany odnośnie ogrodu w Stonevale. Nie wyobrażam sobie życia bez niego, a mąż zajęty jest gospodarką i nie może mi pomóc. Czy zechce pani obejrzeć ze mną ten teren?

– Będę zaszczycona.

– Doskonale. A kiedy już o tym mówimy, może porozmawiamy o pomocy dla biednych. Prawdę powiedziawszy, uważam tę sprawę za daleko pilniejszą od ogrodu.

Pastorowa uśmiechnęła się z aprobatą.

– Nietrudno zrozumieć, dlaczego wszyscy we wsi uwierzyli, że wróciła ich bursztynowa pani.

Victoria wybuchnęła śmiechem.

– Zapewne ma pani na myśli moje zamiłowanie do żółtego koloru. To doprawdy czysty zbieg okoliczności.

Tu spojrzała z kwaśną miną na swoją żółto-białą popołudniową suknię.

Pastorową przeraziła i wprawiła w zakłopotanie myśl, że Victoria odebrała jej uwagę jako osobisty przytyk.

– Och nie, milady, ja nie mówiłam o pani uroczej sukni, choć pozwolę sobie zauważyć, że jest pani w niej do twarzy. Ten kolor sprawia wrażenie bursztynowego. Nie, myślałam o legendzie, która głosi, że żona rycerza odznaczała się wielką dobrocią i łagodnością.

Victoria zmarszczyła nos i uśmiechnęła się.

– A więc nie można jej porównywać ze mną. Daleko mi do ideału. Proszę spytać mego męża.

Victoria siedziała przed toaletką w swojej sypialni, a Nan kończyła przygotowania do snu. Pokojówka podawała jej właśnie peniuar, kiedy rozległo się niedbałe pukanie do drzwi i stanął w nich Lucas. Victoria popatrzyła na niego w lustrze i kiwnęła na Nan, która dygnęła przed Lucasem.

– Możesz odejść, Nan, dziękuję.

– Tak, jaśnie pani. Czy mam podać herbatę?

Victoria napotkała podejrzanie rozbawiony wzrok męża i pokręciła głową.

– Nie, dziękuję, Nan. Nie będę dziś wieczór piła herbaty.

– Tak, jaśnie pani. Dobranoc, waszym lordowskim mościom. – I Nan pospieszyła w stronę drzwi.

Lucas zaczekał, aż za pokojówką zamkną się drzwi, po czym podszedł wolno do Victorii i stanął tuż za nią. Pochylił się do przodu i oparł obie ręce na blacie toaletki. Nie spuszczał przy tym wzroku z jej twarzy.

Victoria zadrżała lekko w oczekiwaniu tego, co miało nastąpić. Ten człowiek w zniewalający sposób oddziaływał na jej zmysły. Wiedziała, że ona również wywołuje w nim podobną reakcję. Zastanawiała się, czy zawsze tak między nimi będzie.

– Widziałem, że dostałaś dziś list od ciotki. – Lucas pochylił się i dotknął ustami jej karku. – Cóż tam lady Nettleship pisze ciekawego?

– Że udało nam się wyjść ze skandalu obronną ręką. – Victoria uśmiechnęła się ponuro, przypominając sobie słowa listu. – Dzięki Jessice Atherton, która oświadczyła, że nasze pospieszne małżeństwo to największy romans tego sezonu.

– Dobra stara Jessica. – Lucas musnął językiem wrażliwy koniuszek jej ucha.

Victoria zadrżała.

– Nie chcę niczego zawdzięczać tej kobiecie.

– Ani ja, lecz jako żołnierz nauczyłem się przyjmować każdą pomoc.

– Oczywiście, inaczej nie bylibyśmy w obecnej sytuacji.

– Jędza. Nie możesz się powstrzymać przed złośliwościami, prawda?

– Przychodzi mi to z trudnością – przyznała. Wzrok Lucasa i jego bliskość rozpalały jej krew w żyłach. Przyszło jej do głowy, że gdyby nagle ktoś machnął różdżką i unieważnił to małżeństwo, to i tak naprawdę nigdy by się nie uwolniła od tego człowieka.

– Co jeszcze pisze ciotka?

Dojrzała błysk w jego oczach i domyśliła się, że nie ma on nic wspólnego ze zmysłowym atakiem, który mąż na nią przypuścił.

– Masz na myśli to, czy odkryła jakieś inne przedmioty oznaczone literą „W"? Odpowiedź brzmi: nie. Pisze także, że nadal nie znalazła właścicieli szalika i tabakierki.

– Czy przypadkiem pisze coś o Edgeworcie?

– Nie.

– To dobrze. A o czym ty jej napisałaś, Vicky? – zapytał.

– Opowiedziałam o moich planach związanych z ogrodem i zaprosiłam do odwiedzenia nas przy pierwszej sposobności. Napisałam również, że ty i pastor znaleźliście wspólne zainteresowania, takie jak metody uprawy pól, ogrodnictwo i nawożenie. I to wszystko, jak sądzę. Ach, poprosiłam ją także o przysłanie mi sadzonek i nasion.

– Co słyszę, ani słowa o tym, jak wspaniale pogodziłaś się z nową sytuacją i jak ślubowałaś, że będziesz sumienną żoną? – Dotknął delikatnie wargami jej szyi. – Ani słowa o tym, jak doszłaś do przekonania, że twój kobiecy honor domaga się, byś podporządkowała się mężowi, choć nie jest ci to miłe i wymaga ofiar? – Delikatnie skubnął płatek ucha. – Ani słowa o tym, jak dzielnie znosisz wypełnianie obowiązków w małżeńskim łożu? – Zanurzył usta w zagłębieniu jej szyi. – Żadnego wzniosłego komentarza na temat tego, jak musiałaś płacić za swój kaprys i jaką to dla ciebie było lekcją?

Zerwała się na równe nogi, obróciła i zaczęła go bezlitośnie okładać pięściami.

– Stonevale, jesteś nędznym, złośliwym draniem i zasługujesz na najgorszy los!

– Aj, moja noga! Natychmiast przestań, pani, albo zginę marnie. – Lucas ze śmiechem zaczął się cofać w stronę łoża.

– Do diabła z twoją nogą!

Okładała go pięściami, zmuszając do cofania się, aż w końcu runął na wznak. Wówczas skoczyła na niego. Uniósł ręce w geście poddania.

– Błagam o litość, pani. Czy nadal będziesz się znęcać nad bezbronnym leżącym człowiekiem?

– Może i leżysz, lecz wcale nie jesteś bezbronny, Stonevale. Nadal możesz robić użytek ze swych ust i zdaje się, że to właśnie one wpędziły cię w obecne kłopoty. Czy musisz się ze mnie naśmiewać i to w najohydniejszy sposób?

Uśmiechnął się zmysłowo.

– Pozwól, pani, że zrobię lepszy użytek z moich ust – powiedział, po czym chwycił ją za kark, przyciągnął do siebie i zamknął jej usta namiętnym pocałunkiem. Z cichym westchnieniem poddała się magii jego uścisku.

14

Lucas wiedział, że tylko on jest winien temu, że misterna sieć domowej harmonii, którą właśnie zaczął snuć, została w poniedziałkowy ranek rozerwana na strzępy. Powinien był to przewidzieć. On, dla którego strategia nie miała tajemnic, tak się dał zaskoczyć. Jego żona wykazała talent godny marszałka.

Wbiegła do biblioteki, wymachując najświeższym listem od ciotki, w chwili gdy Lucas przeglądał z uwagą jej wydatki z ostatnich trzech lat.

– Tu jesteś, Lucasie. Szukałam cię wszędzie. Nie, nie wstawaj. Chciałam ci tylko powiedzieć, że mam zamiar wystawić spory czek, by opłacić pewne przedsięwzięcie. Mam nadzieję, że weźmiesz to pod uwagę, kiedy będziesz planował swoje wydatki w tym miesiącu.

Lucas usiadł i spojrzał na nią zszokowany, mając jeszcze w pamięci to, czego się przed chwilą dowiedział o sposobach lokowania przez nią pieniędzy. Uśmiechnęła się do niego promiennie, wyglądając jak zwykle zachwycająco w sukni koloru słońca.

– Jak dużej sumy będziesz potrzebować i jakiego rodzaju ma to być przedsięwzięcie? – zapytał ostrożnie.

– Och, myślę, że kilka tysięcy funtów wystarczy.

– Kilka tysięcy?

– Dziesięć, może piętnaście. – Zajrzała do listu, który trzymała w dłoni. – Ciocia Cleo pisze, że chodzi o zainwestowanie w kilka nowych kopalń węgla w Lancashire.

– Dziesięć, może piętnaście tysięcy funtów? Na kopalnie węgla w Lancashire? – Nie wierzył własnym uszom. – Chyba nie myślisz poważnie o czymś tak nierozsądnym. Nie pozwolę ci tego zrobić.

Błysk w jej oczach uświadomił mu, że właśnie popełnił ważny błąd taktyczny.

– Nasz doradca finansowy, pan Beckford, gorąco nam to przedsięwzięcie rekomenduje – powiedziała Victoria. – Ciocia Cleo pisze, że ma zamiar w nie zainwestować.

– Twoja ciotka może robić, co jej się podoba, ale tobie nie wolno wyrzucać takiej sumy pieniędzy na drążenie dziur w ziemi. Można w ten sposób stracić cały majątek.

– Jeśli sobie przypominasz, to jest mój majątek – powiedziała podejrzanie słodkim głosem. – Przecież z tego powodu się ze mną ożeniłeś.

Lucas usiłował znaleźć jakieś wyjście z pułapki, w której się znalazł.

– Twój majątek jest znaczny, moja droga, lecz nie bez dna. Jesteś wystarczająco inteligentna, by zdawać sobie z tego sprawę. Nie masz aż tyle pieniędzy, by wyrzucać w błoto dziesięć czy piętnaście tysięcy funtów. Takie sumy powinno się przeznaczać na kupno ziemi, a nie na kosztowne kopanie dziur.

– Ale ja już mam kilka nieruchomości w Londynie, które przynoszą całkiem niezły dochód. Poza tym – uśmiechnęła się do niego wyzywająco – jestem już współwłaścicielką sporego kawałka ziemi w Yorkshire. Po co mi więc następny?

Spojrzał na leżącą przed nim księgę rachunkową i powiedział:

– Wobec tego możesz wykorzystać te pieniądze tu, w Stonevale.

– Wystarczy, że ty to robisz. Ten projekt wydobywczy to moja własna decyzja i podjęłam ją na własny rachunek.

– Vicky, zaufaj mi. Kopalnie to ryzykowne inwestycje, zwłaszcza kiedy kieruje nimi ktoś obcy. Jeśli tak bardzo interesuje cię kopalnictwo, możemy rozpocząć badania tu, w Stonevale. W Yorkshire też jest węgiel i inne minerały. Może i na terenie naszej posiadłości znajdzie się coś wartościowego. Nie pozwolę jednak, byś wyrzucała pieniądze na niewiadome przedsięwzięcie, którego nie będziemy mogli nawet kontrolować.

Victoria podeszła do biurka i cisnęła na nie list.

– A więc zabraniasz mi wydawać moje własne pieniądze?

Lucas miał nadzieję, że niebiosa go wesprą, lecz okazała się płonna. Będzie musiał sam się uporać z tym przeklętym pytaniem i już wiedział, że tak czy owak, obróci się to przeciwko niemu. Dobierał słowa z wielką starannością.

– Wniosłaś w to małżeństwo majątek, który trzeba chronić dla naszych dzieci, wnuków i ich dzieci. Moim obowiązkiem jako twojego męża jest kierować twymi wydatkami.

– Tak myślałam – oświadczyła Victoria ponuro. – Zwykle tak to się zaczyna. Najpierw mąż oświadcza żonie, że nie jest zdolna pokierować własnymi sprawami i musi mu pozwolić robić to za nią. Potem przejmuje całkowitą kontrolę nad jej majątkiem i zabrania o czymkolwiek decydować.

Poczuł, że ogarnia go gniew. Machnął niecierpliwie ręką w stronę leżącej na biurku księgi rachunkowej.

– Szczerze mówiąc, moja droga, nie jestem pewien, czy powinnaś podejmować samodzielne decyzje. Masz skłonność do wielkiego ryzykanctwa w sprawach finansowych. Wiele razy byłaś o krok od katastrofy.

– Ale wychodziłam z tego cało – odparowała. – Jak widać z rachunków.

– Tak, ale tylko dzięki twoim nieruchomościom w Londynie. Widzisz więc, że najpewniej jest inwestować w ziemię. To najlepsze zabezpieczenie dla takiego jak twój majątku. Nie powinnaś ryzykować, kupując papiery wartościowe, statki czy nieznane projekty wydobywcze.

– Nie powinnam ryzykować? Cóż za dziwne stwierdzenie w twoich ustach. Zanim się ze mną ożeniłeś, żyłeś wyłącznie z ryzyka. Co może być bardziej ryzykownego od pól bitewnych, czy karcianego stolika?

Świadomość, że ma rację, jeszcze bardziej go rozgniewała.

– Do diabła, Vicky, nie miałem innego wyboru. Robiłem to, co musiałem. Lecz sytuacja się zmieniła. Oboje jesteśmy teraz odpowiedzialni za Stonevale i za majątek, który wniosłaś w posagu. Dni wielkiego ryzyka się skończyły.

Położyła z impetem obie dłonie na biurku. W jej oczach zapłonął gniew.

– Powiedz to wyraźnie, Stonevale. Chcę to usłyszeć.

– Wyraziłem się chyba dość jasno.

– Powiedz, że zabraniasz mi wydawania moich pieniędzy. Wyjaśnijmy to sobie raz na zawsze.

Był równie wściekły jak ona.

– Usiłujesz mnie zwabić w pułapkę, Vicky. Chcesz, bym wybierał między oświadczeniem, które da ci pełną wolność, a takim, które skarze mnie na potępienie jako kolejnego męża tyrana, podobnego do tego, którego poślubiła twoja matka. Czy sądzisz, że możesz mną w ten sposób manipulować?

– Nie usiłuję tobą manipulować. To ty mną manipulujesz.

– Usiłuję jedynie bronić cię przed twoją własną brawurową naturą.

– Brawurową? Ty nazywasz mnie brawurową? Ty, który wpierw byłeś żołnierzem, a potem hazardzistą? Ha! To jedynie wymówka i dobrze o tym wiesz. Chcesz przejąć całkowitą kontrolę nad moim majątkiem i usiłujesz mi powiedzieć, że odtąd nie wolno mi będzie samodzielnie rozporządzać własnymi pieniędzmi. Jaki będzie następny krok? Wyznaczysz mi skromną kwartalną pensję? Czy będę zmuszona kupować toalety, farby, książki i od czasu do czasu konia z pieniędzy, które mi wyznaczysz?

W tym momencie stracił panowanie nad sobą.

– Dlaczegóżby nie? Skoro masz zamiar grać rolę lekkomyślnej, rozrzutnej kobiety, której obce są zasady ekonomii, nie będę miał wyboru. Ale oboje wiemy, że jesteś zbyt sprytna, by w ten sposób postępować tylko dlatego, by mi dokuczyć.

– Czy zabraniasz mi wydawania moich pieniaczy zgodnie z moją wolą?

– Zabraniam ci wyrzucać tak wielkie sumy na przedsięwzięcie, o którym nic nie wiesz, z wyjątkiem tego, że polecił je doradca twojej ciotki.

– Zarobiłam sporo pieniędzy dzięki panu Beckfordowi.

– Sporo też straciłaś. Widziałem twoje rachunki. Pan Beckford jest daleki od nieomylności – stwierdził Lucas, stukając w księgę rachunkową Victorii.

– Trzeba się liczyć ze stratami, kiedy gra idzie o wysokie stawki.

– Wielu ludzi dużo bogatszych od ciebie zrujnowało swoje rodziny, kierując się tą zasadą.

– Powiedz to, do diabła! Powiedz mi prosto w twarz, że nie mogę dysponować moim majątkiem.

Lucas dał wreszcie za wygraną.

– Vicky, chyba dostatecznie jasno ci wyjaśniłem, że choć spełniłem kilka twoich szalonych kaprysów, nie pozwolę ci mną manipulować. W końcu musisz to zrozumieć.

– Chcę to usłyszeć, Lucasie.

Jej wzrok go prowokował, a na ustach błąkał się drwiący uśmieszek.

– A więc dobrze, pani, skoro jesteś zdecydowana rozpocząć otwartą wojnę, dam ci to, czego najwidoczniej poszukujesz: przeciwnika. Niniejszym zabraniam ci inwestować w kopalnie węgla. Poinformuję twoich bankierów, że odtąd będziesz otrzymywać niewielką kwartalną pensję i nic poza tym, chyba żebym wydał inne dyspozycje.

Patrzyła na niego w niemym zdumieniu, zaskoczona takim obrotem sprawy.

– Nie wierzę własnym uszom. Chyba nie mówisz tego poważnie? Zakaz inwestowania w ten kopalniany projekt to jedna sprawa, ale żeby zabronić mi jakiegokolwiek dostępu do moich pieniędzy to… to niewiarygodne.

Lucas odchylił się na oparcie fotela i przyglądał jej się z nieprzeniknionym wyrazem twarzy. Wyglądała na szczerze zaskoczoną. Najwidoczniej nie takiego wyniku się spodziewała, kiedy rozpoczynała tę potyczkę.

– Rozumiem twoje zaskoczenie – powiedział łagodnie. – Jestem pewien, że kiedy wchodziłaś tu przed paroma minutami, byłaś święcie przekonana, że wyjdziesz stąd jako zwycięzca. Jesteś zbyt sprytna na to, by rzucać rękawicę, nie mając pewności, że zwyciężysz. Ale nie doceniłaś mnie, moja droga, i obawiam się, że będziesz ciągle przegrywać, jeśli dalej będziesz tak postępować. Doświadczony marszałek nigdy nie lekceważy swego przeciwnika.

– Mówisz tak, jakbyśmy znajdowali się w stanie wojny.

Lucas ponuro pokiwał głową.

– Obawiam się, że sama do tego doprowadziłaś.

– A ja sądziłam, że masz zamiar być wyrozumiałym mężem.

Obróciła się na pięcie i podążyła w stronę drzwi. Nie czekając na niego, otworzyła je z rozmachem.

– Dokąd to się wybierasz, Vicky?

– Byle jak najdalej stąd.

Gdyby mogła, obdarłaby go ze skóry.

– Jeśli sądzisz, że możesz wyjść w takim nastroju i planować spłatanie mi jakiegoś figla, to się grubo mylisz.

– Nie obawiaj się, milordzie, będę w zupełnie wyjątkowym towarzystwie. Wybieram się na spotkanie do domu pastora. Założę się, że nawet ty ze swoimi obrzydliwie przyzwoitymi, konserwatywnymi i filisterskimi zasadami nie znajdziesz nic niewłaściwego w tym, abym spędziła popołudnie w takim gronie.

– Kto będzie uczestniczyć w tym spotkaniu?

– Miłośnicy wiedzy i ciekawych zjawisk – odparła wyniośle.

– Może mógłbym ci towarzyszyć – powiedział ostrożnie.

– Wielkie nieba, to już przechodzi wszelkie pojęcie! Jestem pewna, że nawał prac ci na to nie pozwala. Masz przecież do podjęcia tyle ważkich decyzji!

Wyszła z biblioteki, trzaskając drzwiami.

Lucas skrzywił się, kiedy zadźwięczały lampy w bibliotece. Przez chwilę siedział bez ruchu, po czym wstał i nalał sobie kieliszek brandy. Stanął przy oknie i pomyślał ponuro, że czeka go długa batalia. Łudził się sądząc, że najgorsze ma już za sobą. Najwidoczniej wszystko było jeszcze przed nim.

Dobry Boże! Czyżby naprawdę stał się filistrem?

Dojeżdżając do domu pastorostwa, wciąż nie mogła ochłonąć z gniewu. Ale zmusiła się do miłego uśmiechu, kiedy wprowadzono ją do przyjemnego, słonecznego pokoju, w którym zgromadzili się przedstawiciele miejscowej szlachty z żonami. Powitanie było tak gorące, że zły humor natychmiast prysnął.

– Witamy w naszym małym kółku, lady Stonevale. Pracowaliśmy ostatnio nad nowym udoskonalonym lekiem na podagrę i bóle reumatyczne – wyjaśniła pastorowa po dokonaniu prezentacji. Wskazała na stół wypełniony kieliszkami. W każdym znajdował się jakiś płyn. – Lecznicze zioła interesują wielu z obecnych. Na przykład sir Alfred ma wielką szansę otrzymać nagrodę Towarzystwa Naukowego za wynalezienie środka na zwiększenie produkcji maku lekarskiego. Udało mu się wyhodować odmianę wysokiej jakości.

– Fascynujące – powiedziała Victoria. – Powinien być pan z siebie dumny, sir Alfredzie.

Sir Alfred zaczerwienił się z dumy.

– A doktor Thornby eksperymentuje z różnymi nalewkami i wywarami, które zawierają alkohol i inne składniki, takie jak lukrecja, rabarbar i rumianek.

Z kolei doktor Thornby zaczerwienił się z dumy.

– Fascynujące – mruknęła Victoria, przyglądając się licznym kieliszkom. – Ciotka i ja uczęszczałyśmy na wiele wykładów z dziedziny medycznej. Czy ma pan już jakieś osiągnięcia?

– Jak wiesz, pani – zaczął doktor Thornby, z trudem skrywając entuzjazm – mieszanka alkoholu i opium, jaką jest laudanum, doskonale uśmierza ból, ale wywołuje senność. To dobry środek na pewne dolegliwości, jednak nie skutkuje przy chronicznych bólach, takich jak podagra, reumatyzm, czy hm... kobiece dolegliwości. Potrzebny jest nowy lek, który przynosiłby ulgę bez wywoływania senności.

– Chciałby pan otrzymać miksturę, która uśmierzałaby ból i pozwalała cierpiącemu wypełniać codzienne obowiązki – powiedziała Victoria, kiwając głową ze zrozumieniem. – To niezwykle zajmujące, niezwykle.

– Chłopi z mojej wsi wynaleźli już kilka takich środków – odezwał się siedzący w rogu zażywny jegomość.

– Problem tkwi w tym, że takich środków są tysiące i należałoby je ujednolicić i przebadać – dodał inny. – W każdej rodzinie istnieją receptury przekazywane z pokolenia na pokolenie, ale nikt ich jeszcze nie zbadał. Każda gospodyni domowa ma przepis na syrop od kaszlu, lecz ile gospodyń, tyle przepisów.

– Naturalnie, że ta sprawa wymaga studiów – przyznała Victoria.

– Święta prawda. – Doktor Thornby podszedł do stołu. – Dlatego też musimy przeprowadzić eksperyment i zanotować nasze spostrzeżenia. Każdy z tych kieliszków zawiera jeden środek. Naszym celem jest sprawdzenie, który z nich wywołuje natychmiastowy efekt łagodzący bez powodowania uczucia senności.

– A jak pan sprawdzi, czy mikstura poskutkowała? – zapytała z zainteresowaniem Victoria. – Osobiście nie cierpię w tej chwili nawet na ból głowy.

– Tym zajmiemy się w drugiej fazie eksperymentu – wyjaśnił pastor. – Trudno bowiem znaleźć pięć lub dziesięć osób cierpiących w tym samym czasie na ból głowy czy podagrę.

– Tak się składa – wtrąciła pastorowa – że cierpię dziś na atak reumatyzmu.

– A mnie doskwiera podagra – odezwał się inny uczestnik spotkania.

– Mnie zaś cały dzień boli ząb – oświadczył starszawy jegomość.

– A ja mam migrenę – powiedziała lady Alice.

Pastor, doktor Thornby i sir Alfred nie ukrywali zadowolenia.

– Wybornie, wybornie. Będziemy więc mogli przeprowadzić obie fazy eksperymentu. – Spojrzenie sir Alfreda skierowane na Victorię było jednocześnie nieśmiałe i pełne nadziei. – Jak rozumiem, zainteresowała panią ta kwestia, lady Stonevale. Czy zechce pani wspólnie z nami testować próbki, czy też woli się przyglądać?

– Na Boga, zawsze ciekawiej jest uczestniczyć w eksperymencie, niźli jedynie go obserwować. Z przyjemnością pomogę panu wypróbować te mikstury. W ten sposób przekonamy się o ich skuteczności.

Sir Alfredowi bardzo pochlebiła ta uwaga, podobnie jak wszystkim zgromadzonym w pokoju. Doktor Thornby wystąpił naprzód, by pokierować przebiegiem doświadczenia.

– Położę notatnik tu, na stole, by każde z nas mogło dokładnie opisać swoje reakcje. Proponuję, byśmy zaczęli od zwykłej brandy, zanim przejdziemy do różnych mieszanek.

– Wyborny pomysł! – wykrzyknął z entuzjazmem pastor. – Musimy ustalić różnice między działaniem samych alkoholi a alkoholi zmieszanych z innymi składnikami. Bardzo mądrze, Thornby.

Victoria zmarszczyła brwi.

– Może byłoby lepiej, gdyby przynajmniej jedno z nas pozostało przy samych alkoholach? W ten sposób można będzie porównać reakcje osób próbujących różnych mieszanek z reakcjami pijących sam alkohol – zaproponowała.

Spotkało się to z powszechną aprobatą.

– Doskonały pomysł, milady – powiedział sir Alfred. – Jak widzę, jesteś, pani, obeznana z naukowymi technikami eksperymentowania.

– Mam w tych sprawach pewne doświadczenie – przyznała skromnie Victoria. – Skoro podsunęłam ten pomysł, a w dodatku nic mi dziś nie dolega, pozostanę więc przy samym alkoholu.

– To niezwykle uprzejmie z pani strony, lady Stonevale – powiedział doktor Thornby. – Zaczynajmy więc. – I z ukłonem podał jej kieliszek brandy.

Lucasa przeraził widok, który ukazał się jego oczom, kiedy po południu wrócił z wizyty u jednego z dzierżawców. Pokojówka i dwaj wystraszeni lokaje wprowadzali właśnie po schodach słaniającą się Victorię. Lucas rzucił wodze stajennemu i podbiegł do nich.

– Mój Boże, co się stało? Źle się czujesz, Vicky? – Spojrzał na nią z troską w oczach.

– Och, jak się masz, Lucasie. – Odwróciła się do niego z uśmiechem i omal nie straciła równowagi. – Dobrze się bawiłeś, grając przez cały dzień rolę pedantycznego, konserwatywnego filistra? Co do mnie, to spędziłam popołudnie w sposób bardziej użyteczny. Przeprowadzałam mały… – Urwała i czknęła dyskretnie. – Mały eksperyment.

W tym momencie Lucas poczuł ostrą woń brandy. Spojrzał szybko na zaniepokojoną pokojówkę.

– Zajmę się jaśnie panią – oświadczył głosem nieznoszącym sprzeciwu.

– Tak jest, jaśnie panie. Polecę, aby kucharz zaparzył jaśnie pani herbatę.

– Nie ma potrzeby – warknął Lucas, obejmując Victorię w talii.

Ominął zaniepokojonego majordomusa, dwóch lokai oraz pokojówki i wprowadził ją po schodach do sypialni. Opadła bezwładnie na łóżko i uśmiechnęła się sennie do niego.

– Lucas, kochanie, przestań rzucać te groźne spojrzenia. Masz obrzydliwy zwyczaj wlepiania we mnie wzroku.

– Cóż ty, u diabła, piłaś?

Zmarszczyła brwi.

– Zastanówmy się. Chyba głównie brandy. Czy już ci opowiadałam o tym eksperymencie?

– Nie, ale o szczegółach pomówimy później.

– O Boże, czy ma to oznaczać kolejne kazanie?

– Obawiam się, że tak, Vicky – powiedział gniewnie. – Potrafię znieść wiele rzeczy, ale nie pozwolę, byś w biały dzień wracała do domu w stanie zamroczenia alkoholowego.

– Chyba będziesz musiał odłożyć to kazanie na później, Lucasie. Nie czuję się dobrze w tej chwili.

Victoria obróciła się na bok i szybko wyciągnęła nocnik spod łóżka.

Westchnął i przytrzymał jej głowę. Miała rację. Kazanie będzie musiało poczekać.

Okazało się, że trzeba było je odłożyć do następnego ranka. Victoria próbowała uniknąć rozmowy, wstając późno i pijąc poranną herbatę w swoim pokoju. Ale krótko po dziewiątej zjawiła się pokojówka z informacją, że Lucas oczekuje żony o dziesiątej w bibliotece.

Zastanawiała się przez chwilę, czyby się nie wykręcić od tego przykrego obowiązku niedyspozycją żołądkową spowodowaną skutkami wczorajszego eksperymentu, jednak rozsądek wziął górę.

Przynajmniej będę to już miała za sobą, pomyślała i powoli wstała z łóżka. Skrzywiła się, czując lekki ból w skroniach. Przynajmniej żołądek się uspokoił. Kiedy pokojówka podała jej herbatę, wypiła cały dzbanek i poczuła się znacznie lepiej. Wyjęła z szafy żółto-białą przedpołudniową suknię i ubrała się z wielką starannością, jakby szykowała się na oficjalną wizytę.

Kiedy zjawiła się w bibliotece, Lucas wstał zza biurka i spojrzał na nią z uwagą.

– Usiądź proszę, Vicky. Muszę przyznać, że świetnie wyglądasz. Gratuluję ci kondycji. Znam kilku mężczyzn, którzy wyglądaliby znacznie gorzej po takim eksperymencie, w jakim wczoraj uczestniczyłaś.

– Nauka wymaga poświęceń – oświadczyła z godnością i usiadła. – Jestem dumna z tego, że mogłam wnieść niewielki wkład w szczęście ludzkości.

– Wkład w szczęście ludzkości? – skrzywił się Lucas. – Tak to nazywasz? Wróciłaś do domu zupełnie pijana i masz czelność mi wmawiać, że zrobiłaś to w celach naukowych?

– Dokonywałam daleko bardziej ryzykownych czynów w celach naukowych – powiedziała znacząco. – Choćby poślubiając człowieka, który nie pozwala mi wydawać własnych pieniędzy. A to z kolei jest wynikiem jeszcze innego eksperymentu.

Zacisnął usta.

– Nie próbuj zmieniać tematu. Mówimy teraz o twoim wczorajszym zachowaniu. Co właściwie robiłaś u pastora?

– Testowałam próbki leków – poinformowała Victoria wyniośle. Niech tylko ośmieli się zakwestionować ten ze wszech miar naukowy eksperyment, pomyślała wściekle.

– I wszystkie te próbki zawierały brandy?

– Oczywiście, że nie. Niektóre z ziół zostały rozpuszczone w piwie, a kilka w sherry i clarecie. Pojmujesz, nie mieliśmy pewności, które alkohole najlepiej mieszać z tymi ziołami.

– Dobry Boże! Ile kieliszków tych próbek wypiłaś?

Victoria przytknęła dłonie do skroni. Ból głowy się nasilał.

– Nie pamiętam dokładnie, ale jestem pewna, że wszystko zostało dokładnie zapisane w notatniku doktora Thornby'ego.

– Czy pastor i jego żona również w tym uczestniczyli?

– Niestety, pastorowa dość szybko zasnęła – powiedziała Victoria łagodząco. – A pastor wypił dość dużą dawkę jednej z mikstur i przesiedział w kącie twarzą do ściany przez cały czas trwania eksperymentu.

– Aż się boję zapytać, jakich mikstur ty kosztowałaś.

Victoria się rozjaśniła.

– Och, ja pozostałam przy samych alkoholach, Lucasie. Pełniłam rolę wzorca, z którym porównywano efekty działania innych mieszanek. Była to bardzo ważna część eksperymentu.

Zaklął cicho. Tykanie ściennego zegara stawało się coraz głośniejsze. Victoria zaczęła się niecierpliwić.

– Niestety, będę musiał ustalić dla ciebie jeszcze jedną regułę – odezwał się wreszcie.

– Tego się właśnie obawiałam. – Próbowała się bronić, ale zbyt dokuczał jej ból głowy. Nie miała zresztą ochoty na walkę. Pragnęła wrócić do siebie i położyć się.

Lucas udał, że nie dostrzega jej markotnego spojrzenia, ale ton jego głosu był wyjątkowo łagodny.

– Od tej chwili nie będziesz uczestniczyć w żadnych naukowych eksperymentach bez mojej zgody. Czy to jasne?

– Jak zwykle wyraziłeś się przerażająco jasno, milordzie. – Wstała z dumnie uniesioną głową. – Małżeństwo to dość nudne zajęcie dla kobiety, nie sądzisz? Żadnych przygód, żadnych naukowych eksperymentów, żadnych własnych pieniędzy. Zastanawiam się, jak kobiety wytrzymują to przez całe życie i nie umierają z nudów.

Odwróciła się i wyszła z biblioteki.

Tej samej nocy Lucas leżał w łożu i obserwował zaglądający przez okno księżyc. Z pokoju Victorii nie dochodził żaden dźwięk od chwili, kiedy godzinę temu coś dużego i ciężkiego przyciągnięto pod drzwi łączące ich sypialnie.

Przysłuchiwał się temu z pewną irytacją. Nie podobało mu się, że Victoria pcha sama ciężkie przedmioty. Powinien ją w tym wyręczyć służący. Pewnie nawet jej nie przyszło do głowy angażować w to lokaja czy pokojówkę.

Z drugiej jednak, strony to dobry znak, pomyślał. Najwidoczniej już czuje się lepiej. Właściwie wszystko wróciło do normy, jeśli życie z Victorią w ogóle można było określić tym terminem.

Odrzucił kołdrę i wstał.

Jako doświadczony strateg wiedział, że nie można było uniknąć ostatnich konfrontacji. Pewnych bitew nie da się ominąć. Trzeba po prostu zacisnąć pięści i stawić im czoło.

Victoria jeszcze się nie pogodziła z małżeństwem. Była niezależną, upartą istotą, która zbyt długo przebywała na wolności. Od popełniania szaleństw powstrzymywała ją własna inteligencja i wzgląd na pozycję towarzyską ciotki.

Jego zaś traktowała jak kogoś, kto stanął jej na drodze do niezależności. Była rozdarta między uczuciem do niego a gniewem z powodu wciągnięcia jej w małżeńską pułapkę. Przypomniał sobie wszystkich tych mężczyzn, z którymi tańczyła w Londynie, i westchnął. Była przyzwyczajona trzymać płeć męską na dystans i sama o wszystkim decydować.

Czuł, że dlatego ją zafascynował, bo nie była do końca pewna, czy może go sobie podporządkować. Była silną osobowością, której potrzebny był mężczyzna znacznie od niej silniejszy. Kiedy go poznała, nie mogła się oprzeć, by nie wypróbować na nim swej siły.

Żałował, że doszło między nimi do otwartej wojny. Ale skoro teren bitwy został już wyznaczony, nie powinien ustąpić nawet na krok, bo później drogo za to będzie płacił.

W ich życiu zaszły poważne zmiany. Powinien jej to uświadomić. Teraz muszą myśleć o przyszłych pokoleniach, nie tylko o własnym życiu. Taką posiadłością jak Stonevale powinno się zarządzać z myślą o przyszłych spadkobiercach. Jest to inwestycja w przyszłość, nie w teraźniejszość. W żyłach spadkobierców będzie płynęła krew Victorii i jego. Oboje są w równym stopniu zaangażowani w tę posiadłość. Żadne z nich nie może już żyć tak lekkomyślnie jak przed ślubem.

Dobry Boże! Uświadomił sobie, że zaczyna rezonować jak ograniczony filister.

A może następne pokolenie Colebrooków jest już w drodze? Obraz Victorii nabierającej ciała i noszącej w swym łonie jego dziecko wywołał w nim dreszcz zadowolenia.

Zmarszczył gniewnie brwi, przypominając sobie, jak pchała ciężki przedmiot pod drzwi. Nie powinien jej pozwalać na robienie takich rzeczy teraz, kiedy mogła być brzemienna. Jest jego żoną, a on musi się nią opiekować, czy będzie tego chciała, czy nie.

Najpierw jednak trzeba znaleźć sposób na pokonanie tych najeżonych murów obronnych. Uśmiechnął się, bo przyszedł mu na myśl kaktus z ogrodu lady Nettleship. Podszedł do szafy i wyjął z niej koszulę i parę bryczesów.

Victoria dostrzegła go w chwili, kiedy stanął na parapecie okiennym – ciemna, groźna, męska sylwetka na tle rozgwieżdżonego nieba. To nie był sen, to był jej Lucas. Teraz już wiedziała, że czekała na niego.

Jak mogła sądzić, że toaletka podsunięta pod drzwi sypialni będzie dla niego przeszkodą? Usiadła na łóżku i podciągnęła kolana pod brodę, obserwując, jak ciemna postać otwiera okno i wchodzi do sypialni. Spostrzegła, że jest całkowicie ubrany.

– Ach, więc to była toaletka – stwierdził spokojnie, spoglądając w stronę zatarasowanych drzwi. – Nie powinnaś przesuwać tak ciężkich przedmiotów, moja droga. Następnym razem poproś kogoś o pomoc.

– Czyżby miał być następny raz? – zapytała cicho, świadoma, że rzuca mu wyzwanie.

– Być może. – Stanął przy jej łóżku. – Obawiam się, moja słodka, że pisane są nam kłótnie. Przy twoim lekkomyślnym postępowaniu, a moim, godnym ubolewania, nudnym i ograniczonym charakterze, są nie do uniknięcia.

– Nie tak bym cię określiła, Lucasie. Bardziej pasują do ciebie takie przymiotniki, jak arogancki, despotyczny i uparty.

– I filisterski?

– Przykro mi to mówić, ale określenie „filisterski" zaczyna coraz bardziej do ciebie pasować.

Objął dłonią kolumienkę od baldachimu i uśmiechnął się smutno.

– Cóż za ulga dowiedzieć się, że nie myślisz o mnie źle.

– Lucasie, jeśli choć przez chwilę sądziłeś, że możesz zakradać się do mnie w środku nocy i domagać się swoich mężowskich praw, to się mylisz. Jeśli spróbujesz wejść do mego łoża, zacznę krzyczeć.

– Wątpię. Nie zechcesz poniżać ani mnie, ani siebie przed służbą. Źle mnie osądzasz, pani, skoro uważasz, że byłbym na tyle głupi, usiłując tym sposobem pokonać twój gniew. Już ci mówiłem, że mnie nie doceniasz.

Spojrzała na niego podejrzliwie.

– Co masz zamiar zrobić?

Odwrócił głowę i popatrzył w stronę okna, za którym czerniła się noc.

– Noc nas wzywa, pani, a ty zawsze odpowiadałaś na jej wołanie. Czy kiedykolwiek jeździłaś konno o północy?

Spojrzała na niego zaskoczona.

– Mówisz poważnie?

– Najpoważniej w świecie.

– Zabrałbyś mnie na przejażdżkę o północy?

– Tak.

– To podstęp, prawda? Usiłujesz mnie rozbroić w ten sposób, starasz się, bym zapomniała, że przyczyną mego gniewu było twoje despotyczne zachowanie.

– Tak.

– I przyznajesz się do tego?

Wzruszył wymownie ramionami.

– Dlaczego nie? Przecież to prawda.

– Wobec tego powinnam ci odmówić.

Uśmiechnął się szelmowsko.

– Problem nie w tym, czy powinnaś, ale czy jesteś w stanie.

Jak on dobrze mnie zna, pomyślała. Zagryzła w zamyśleniu wargę. Przystanie na jego propozycję wcale nie musiało oznaczać kapitulacji. Po prostu skorzystałaby ze sposobności przeżycia wspaniałej przygody. Przejażdżka w świetle księżyca! To brzmi wspaniale. Poza tym, chociaż ból głowy już minął, i tak nie mogła usnąć.

– Fałszywie byś mnie zrozumiał, gdybym przystała na twoją propozycję.

– Czyżby?

Ponuro kiwnęła głową.

– Powziąłbyś przekonanie, że wybaczyłam ci twoje karygodne zachowanie.

– Nie jestem głupcem, by sądzić, że tak łatwo byś mi wybaczyła.

– To dobrze, bo ci nie wybaczyłam.

– Rozumiem – powiedział z powagą.

– Nie traktuj tego jako ustępstwa z mojej strony.

– Nie pozostawiłaś mi w tym względzie żadnych wątpliwości – zapewnił ją.

Wahała się jeszcze przez sekundę, po czym wyskoczyła z łóżka i zaczęła szukać w szafie bryczesów, które wkładała na nocne wyprawy po Londynie.

– Odwróć się – poleciła.

– Dlaczego? Przecież tyle razy widziałem cię nagą. – Oparł się o kolumienkę od baldachimu i założył ręce na piersi. – Poza tym chętnie popatrzę, jak będziesz wdziewać parę męskich spodni.

Rzuciła mu gniewne spojrzenie i przeszła z ubraniem za parawan.

– Nie jesteś dżentelmenem, Lucasie – stwierdziła.

– Dżentelmen szybko by cię znudził. Przyznaj to, Vicky.

– Niczego nie przyznam.

Dziesięć minut później, okryta peleryną z kapturem, w bursztynowym szaliku wokół szyi, stała przy stajniach z uzdą w ręku i patrzyła, jak Lucas sprawnie siodła jej klacz i zaspanego George'a.

– Mam nadzieję, że nie będę tego później żałował – powiedział, pomagając jej wsiąść na konia.

– Za późno na wątpliwości. – Zebrała wodze, zadowolona, że może siedzieć po męsku. – I bardziej mi się podobasz, kiedy postępujesz wbrew rozsądkowi. Ruszajmy.

– Nie tak prędko! – zawołał, dosiadając George'a. – To środek nocy, Vicky. Uważaj na klacz. I trzymaj się drogi.

– Wolałabym jechać przez las – zaprotestowała.

– Nie mam pewności, czy wszystkie sidła zostały zdjęte – odpowiedział. – Lepiej trzymajmy się traktu.

Czuła się zbyt szczęśliwa, by dalej protestować. Już sama myśl o przejażdżce w świetle księżyca była czymś ekscytującym. Skierowała klacz na drogę, a George spokojnie podążył za nią.

Jechali w milczeniu aleją dojazdową, wysadzaną drzewami. Wreszcie Lucas odezwał się:

– Rozmawiałem z pastorem o zasadzeniu nowych drzew. Dębów lub wiązów. Drewno byłoby doskonałą lokatą na przyszłość dla naszych dzieci i wnuków.

– Nie życzę sobie rozmowy na ten temat dzisiejszej nocy, Lucasie – zaprotestowała żywo.

– To może miałabyś ochotę porozmawiać o przyszłości?

Zacisnęła palce na wodzach.

– Nieszczególnie.

– Nie pomyślałaś, że możesz nosić w łonie moje dziecko? – zapytał cicho.

– Nie chcę o tym myśleć.

– Czyżby tak cię to przerażało? Zadziwiasz mnie, Vicky. Nie jesteś przecież tchórzem.

– Czy po to mnie tu wyciągnąłeś, by dyskutować o dziedzicu? Jeśli tak, to możemy wracać.

Milczał przez chwilę.

– Czy aż tak bardzo mnie nienawidzisz, Vicky?

– Nie nienawidzę cię – wybuchnęła. – Nie o to chodzi.

– Z ulgą tego słucham.

Westchnęła.

– Po prostu nie chcę rozmawiać o twoim następcy, dopóki nie załatwimy sprawy, która stanęła między nami.

– Jedyną sprawą, która stoi między nami, jest twoja duma i obawa przed utratą niezależności. Czy poczujesz się lepiej, jeśli ci powiem, że nie ty jedna czujesz się spętana?

Rzuciła mu powłóczyste spojrzenie.

– Czyżbyś mówił o sobie?

– Tak.

– Nie wydaje mi się, abyś był spętany.

– Rozejrzyj się wokół siebie, Vicky. Straciłem całą swoją niezależność z chwilą, kiedy odziedziczyłem Stonevale. Jestem związany z tą ziemią do końca mych dni.

– A należysz do ludzi, którzy zawsze spełniają swoje obowiązki, bez względu na to, co się zdarzy.

Patrzyła na drogę przed sobą i myślała o tym, co przed chwilą powiedziała.

– Staram się, jak mogę, Vicky, nawet jeśli te obowiązki ci się nie podobają. Chciałbym jednak, byś pamiętała, że wszystko, co robię, robię dla naszego dobra i z myślą o naszej przyszłości. Nie występuję przeciw tobie. – Uśmiechnął się. – Wierz mi, że walka z tobą kosztuje mnie wiele wysiłku i czasu. Wolałbym raczej spełniać twoje życzenia, jeśli to możliwe.

– Spełniać moje życzenia?! – wykrzyknęła z oburzeniem. – Sądzisz, że spełniasz moje życzenia? Masz zbyt wygórowaną opinię o swoich dokonaniach.

Powiódł ręką po otaczającej ich okolicy.

– Rozejrzyj się wokół siebie, moja droga. Któryż z twych znajomych porzuciłby w środku nocy ciepłe łoże tylko po to, by ciebie zadowolić?

Nie mogła powstrzymać uśmiechu. Te nocne spotkania z Lucasem były czymś cudownym. W tej chwili zapomniała nawet o urazie, którą pielęgnowała w sobie przez cały dzień.

– No cóż, jeśli o to chodzi, milordzie, to nie wiem, czy któryś z moich znajomych potrafiłby mnie zadowolić. Nie miałam okazji tego sprawdzić. Może gdybym poszukała, znalazłoby się kilku szlachetnych dżentelmenów, którzy potrafiliby sprostać moim wymaganiom.

– Jeśli złapię cię na takich poszukiwaniach, dopilnuję, abyś przez tydzień nie mogła wsiąść na konia.

Momentalnie spoważniała.

– To tak spełniasz moje życzenia?

– Istnieją pewne granice, pani, i obawiam się, że będziesz musiała je zaakceptować.

– Mogę co noc zastawiać toaletką moje drzwi – ostrzegła.

Lucas uśmiechnął się złośliwie.

– Gzyms, który biegnie od mojego okna do twojego, jest wystarczająco szeroki, nawet w bezksiężycowe noce. Lecz ostrzegam cię, że jeśli zmusisz mnie do chodzenia po nim w niepogodę, nie mogę obiecać, że kiedy dotrę do twojego okna, będę w pobłażliwym nastroju.

– Ale tak czy inaczej do niego dotrzesz?

– Możesz być tego pewna, moja słodka.

Victoria obrzuciła go długim spojrzeniem i spostrzegła, że w jego oczach odbija się światło księżyca. Poczuła, że jej ciało poddaje się tej nieodpartej sile, która zawsze ją ku niemu przyciągała. Pragnął jej i nawet nie starał się tego ukryć. I to ona wyzwalała w nim tę siłę. Zakręciło jej się w głowie od nadmiaru uczuć. W tym momencie jej klacz cicho zarżała.

– Lucasie, ja…

– Ciii.

Ściągnął wodze George'owi, wstrzymując jednocześnie jej klacz. Niedawna zmysłowość ustąpiła miejsca czujności.

Instynktownie zniżyła głos.

– Co się stało?

– Wygląda na to, że nie jesteśmy sami – odpowiedział. – Prędko! Między te drzewa.

Nie protestowała. Posłusznie podążyła za nim w las. Skryli się w gęstwinie, obserwując ścieżkę, z której przed chwilą zjechali.

– Przed kim się ukrywamy? – zapytała cicho.

– Nie mam pewności, ale tylko jedna osoba może załatwiać interesy o tej porze.

– Rozbójnik! – Victorii nagle zabrakło tchu. – A więc nie opuścił tych okolic. Lucasie, to ekscytujące. Nigdy dotąd nie widziałam rozbójnika.

– A więc powinnaś się cieszyć, a ja winić siebie za to, że możesz go teraz zobaczyć.

Usłyszała stukot końskich kopyt. Po chwili zza zakrętu wyłoniła się ciemna postać na dużym pociągowym koniu. Okryta była nędzną peleryną. Dolną część twarzy zasłaniał szalik. Kiedy rozbójnik podjechał bliżej, Victoria zauważyła, że niecierpliwie popędza konia piętami. Naglący głos rozlegał się wyraźnie w nocnej ciszy.

– Szybciej, ty nędzna szkapo! Myślisz, że mamy przed sobą całą noc? Ten powóz będzie tu lada chwila. Dalej, ty krowiasta pokrako!

Koń nie przejmował się pokrzykiwaniami jeźdźca i stąpał swoim własnym tempem. Nieoczekiwanie rozbójnik skręcił w las po drugiej stronie drogi.

Victoria zdała sobie sprawę, że ona i Lucas zostali uwięzieni w kryjówce. Nie będą mogli powrócić na drogę, dopóki ten rozbójnik, czy ktokolwiek to jest, nie opuści swego ukrycia. Zdawało jej się, że słyszy ciche przekleństwa Lucasa. Zanim zdążyła coś powiedzieć, rozległ się turkot kół powozu. Wszystko wskazywało na to, że będą świadkami poczynań rozbójnika.

Po kilku sekundach solidny stary pojazd z równie starym stangretem na koźle pokonał zakręt i wyjechał na prosty odcinek drogi. Rozbójnik czekający na ten właśnie moment wyskoczył z lasu na środek drogi. W ręku trzymał wielki pistolet.

– Stać! – wrzasnął. – Pieniądze albo życie!

Woźnica powozu krzyknął przestraszony i zaczął ściągać lejce.

– Co to ma znaczyć?! – zawołał, kiedy zatrzymał rozpędzone konie. – Czego chcesz?

– Słyszałeś, człowieku. Powiedz swoim pasażerom, żeby oddali pieniądze albo źle będzie z nimi.

Lucas westchnął.

– Nie możemy pozwolić, żeby takie niedorzeczności działy się w okolicy. Zostań na miejscu, Vicky. Nie wychodź z ukrycia, dopóki cię nie zawołam. Czy to jasne?

Zrozumiała, że chce zapobiec napadowi.

– Mogę ci pomóc.

– Ani mi się waż! Nie ruszaj się stąd. To rozkaz, Vicky.

Nie czekając na odpowiedź, wyciągnął z kieszeni pistolet i wyjechał na drogę tuż za rozbójnikiem.

15

No, dość tego. Oddaj ten pistolet, zanim zdążysz nim kogoś zranić, chłopcze.

Głos Lucasa zabrzmiał spokojnie i władczo zarazem. Był to głos, który zmuszał do natychmiastowego posłuszeństwa. Zrobił na Victorii wielkie wrażenie.

Rozbójnik obrócił się w siodle.

– Co, do diabła?... Kim ty, u licha, jesteś? To mój powóz. Znajdź se inny. Nie mam zamiaru go z nikim dzielić.

– Nie zrozumiałeś mnie, chłopcze. Nie zależy mi na tym powozie. Zajmują mnie zupełnie inne sprawy. A teraz oddaj pistolet.

– Ktoś ty? – W głosie rozbójnika zabrzmiał strach. – Ktoś ty, panie? Chyba nie jesteś tym duchem, który podobno wrócił?

– Pistolet, jeśli łaska. – Lucas podniósł lekko głos i pistolet wylądował w jego wyciągniętej dłoni. – Mądry chłopak. A teraz zajmiemy się pasażerami.

Stangret sądząc, że ma już przed sobą dwóch rozbójników, zeskoczył z kozła i umknął w las. W tym momencie rozległ się rozdzierający krzyk jednej z pasażerek, która spostrzegła ucieczkę służącego. Spłoszone krzykiem konie zerwały się do biegu.

– Niech to diabli! – Lucas bezskutecznie usiłował chwycić jednego z koni za uzdę.

W tym momencie rozbójnik dostrzegł szansę ucieczki i dźgnął piętami swego spasionego wierzchowca. Przerażone zwierzę pocwałowało jak szalone w przeciwną stronę niż pojazd.

Kolejny krzyk dobiegł przez otwarte okno powozu. Victoria zobaczyła, że Lucas zawraca konia, by pędzić za powozem i wyskoczyła na drogę. Miała bliżej do powozu niż on, a tymczasem rozbójnik mógł im się wymknąć.

– Zatrzymam powóz, Lucasie! Pędź za chłopakiem! – krzyknęła.

Dogoniła powóz i chwyciła za zwisające luźno lejce. Zwierzęta czując silną rękę, natychmiast zaczęły zwalniać.

– Na litość boską, bądź ostrożna! – krzyknął jeszcze Lucas, ale powóz już zwalniał. Spiął więc konia i popędził w kierunku, skąd dochodził ciężki stukot końskich kopyt.

Victoria poklepała spocony kark jednego z koni i obejrzała się za siebie. Pełnokrwisty rumak Lucasa z pewnością nie będzie miał żadnych problemów z dogonieniem chłopskiego konia. Rozbójnik wkrótce zostanie ujęty.

Zebrała lejce i głębiej naciągnęła kaptur na twarz.

– Wszystko w porządku! – krzyknęła w stronę, gdzie zniknął stangret. – Możesz już wyjść! Nie musisz się niczego obawiać! Zajmij się lepiej końmi, dobry człowieku!

Starsza, drobna kobieta w turbanie na głowie wyjrzała przez okno powozu.

– Wielkie nieba! A więc jesteś kobietą. Do czego to doszło, żeby kobiety biegały po nocy w spodniach? Powinnaś się wstydzić, młoda damo.

Victoria uśmiechnęła się.

– Tak, proszę pani – powiedziała najpokorniej, jak umiała. – Mój mąż twierdzi to samo.

– A gdzie jest twój mąż, jeśli można spytać?

Victoria kiwnęła w stronę, z której nadjeżdżał Lucas, prowadząc rozbójnika.

– A, o tam, proszę pani. Złapał dla pani rozbójnika.

– A po cóż mi on potrzebny? – Kobieta cofnęła się w głąb powozu i zwróciła do swej towarzyszki, która najwidoczniej miała atak histerii: – Marto, przestań tak strasznie hałasować i zawołaj Johna. Chyba uciekł do lasu. W dzisiejszych czasach nie można polegać na służbie.

– Już jestem, jaśnie pani – odezwał się stangret, wybiegając pospiesznie z zarośli. – Czekałem tylko na sposobność, by dostać tego drania. – Przyjrzał się Victorii podejrzliwie. – Czy na pewno nie chcesz nas obrabować?

– Nie, nie mam takiego zamiaru.

– Na litość boską, czy ona wygląda na bandytę? – Starsza dama wychyliła się przez okno i groźnie spojrzała na stangreta. – To kobieta odziana w męskie spodnie, która powinna się wstydzić za siebie. To karygodne, aby dobrze wychowana dama jeździła konno w środku nocy. Na miejscu jej męża sprawiłabym jej solidne lanie.

Akurat w tym momencie podjechał do powozu Lucas, ciągnąc za sobą opierającego się rozbójnika.

– Obiecuję ci, pani, że rozważę twą radę.

Kobieta natychmiast zwróciła się w jego stronę.

– Jesteś, panie, jej mężem, jak sądzę? Cóż ty najlepszego robisz, pozwalając jej spacerować po nocy?

Lucas się uśmiechnął.

– Próbuję dotrzymać jej kroku i zapewniam cię, pani, że to niełatwe. Czy nic wam się nie stało?

– Absolutnie nic. Dziękuję ci za wybawienie z opresji. Wracałyśmy tak późno od przyjaciół. To błąd, którego nigdy więcej nie popełnię. Co masz zamiar z nim zrobić?

Kiwnęła głową w kierunku rozbójnika, który nadal skrywał twarz pod szalikiem.

– Myślę – powiedział Lucas powoli – że powinienem go oddać w ręce władz.

Rozbójnik na te słowa tylko jęknął.

– Tak, tak, w ręce władz – poparła go żywo starsza pani. – A kiedy załatwisz już tę sprawę, radzę ci się zająć żoną. Kobieta, która nocą spaceruje w spodniach, może źle skończyć, wierz mi. No, ale dość tych bzdur. Ruszajmy do domu, John.

– Tak jest, jaśnie pani.

Stangret wdrapał się na kozioł i chwycił lejce. Powóz ruszył i wkrótce zniknął za zakrętem.

Victoria z zaciekawieniem przyglądała się rozbójnikowi. Nie trzeba było dużego talentu dedukcyjnego, by stwierdzić, że koń musiał pochodzić z pobliskiej farmy.

– Zawodowy rozbójnik powinien się postarać o szybszego wierzchowca. Kim jesteś, chłopcze? Czy pochodzisz z tych okolic?

Rozległ się kolejny jęk i rozbójnik spojrzał z przerażeniem na Lucasa, jakby w nim szukał sojusznika.

– Odpowiedz pani – polecił cicho Lucas.

Młody człowiek niechętnie ściągnął z twarzy szalik. Victoria z przykrością stwierdziła, że nie ma więcej niż piętnaście lat. Chłopak spojrzał z przerażeniem najpierw na Lucasa, potem na Victorię.

– Nazywam się Billy.

– Billy jak? – ponaglił go Lucas.

– Billy Simms.

– No cóż, Billy, obawiam się, że wpadłeś w wielkie tarapaty – powiedział Lucas, chowając pistolet z powrotem do kieszeni. – Hrabia Stonevale nie toleruje rozbójników na swoim terenie.

– Nic mnie obchodzi, co jego nadęta lordowska mość toleruje, a czego nie! – wybuchnął Billy. – Nie imałbym się tej roboty, gdyby ostatni hrabia nie wyrzucił mamy, mnie i mojej siostry z naszego domu. Co niby miałem robić, gdy tatę gorączka zabrała? Mieszkamy teraz z ciotką i jej rodziną, a im też nie powodzi się najlepiej. Miałem patrzeć, jak moje kobiety zdychają z głodu? Zrobiłem, com musiał. Zabrałem pistolet taty i wyszedłem na drogę.

Lucas przyglądał mu się przez chwilę w milczeniu.

– Masz rację, Billy. Na twoim miejscu prawdopodobnie postąpiłbym tak samo.

Billy spojrzał na niego ze zmieszaniem.

– Wyglądasz, panie, na szlachcica. Czy naprawdę zająłbyś się taką robotą?

– Sam powiedziałeś, Billy, że człowiek robi to, co musi. Ale jak było, tak było, jednak z tego, co słyszałem, wiele się ostatnio w tych stronach zmieniło. W Stonevale nastał teraz nowy hrabia.

– Nie będzie lepszy od poprzedniego. Wielkie państwo jest zawsze takie same. Myślą tylko, jak wyssać ostatnią kroplę krwi z takich jak ja biedaków. Mama mówiła, że nowe porządki nastały we dworze i słyszałem, jak ludzie we wsi mówili, że duchy wróciły, ale ja w to nie wierzę.

– Czyżby? – George szarpnął głową, więc Lucas poklepał go po szyi. – Przecież w pierwszej chwili wziąłeś mnie za ducha.

Billy rzucił mu ponure spojrzenie.

– A to dlatego, żeś mnie zaskoczył. Przecież duchów nie ma – odparł hardo, lecz nie mógł oderwać oczu od bursztynowego szalika Victorii. Dostrzegł go już wcześniej w świetle umocowanych do powozu latarni.

– Z pewnością się nie mylisz, Billy. Ale nie to jest teraz ważne. Mamy przecież pewien problem do rozwiązania.

Billy otarł nos wierzchem dłoni.

– Jaki problem?

– Co z tobą zrobić.

– Czemu mnie po prostu nie zastrzelisz?

– To rzeczywiście byłoby najprostsze. I chyba odpowiednie dla rozbójnika. Co o tym sądzisz, pani? – zwrócił się Lucas do Victorii.

– Sądzę – powiedziała cicho – że Billy powinien zjawić się jutro z rana w stajniach hrabiego Stonevale'a i powiedzieć głównemu koniuszemu, że chce tam pracować. Tymczasem powinien wrócić do domu i uspokoić swoją matkę. Na pewno bardzo się o niego niepokoi.

Billy spojrzał na nią ostro.

– Skąd wiesz, że dostanę pracę we dworze?

– Dostaniesz, Billy – powiedział spokojnie Lucas. – I to pewniejszą od dotychczasowej. Nie będzie aż tak ekscytująca jak zajęcie rozbójnika, ale chyba zgodziliśmy się co do tego, że mężczyzna robi to, co musi. Masz kobiety na utrzymaniu i nie możesz trudnić się tak niebezpiecznym zajęciem jak rozbój.

Chłopak popatrzył na niego podejrzliwie.

– Czy to jakiś żart?

Victoria uśmiechnęła się pod kapturem.

– To nie żart, Billy. Wracaj teraz do domu, do matki, a rano zgłoś się do głównego koniuszego. Zarobki może nie będą tak wysokie, jak te, które miałeś z rozboju, ale przynajmniej będą stałe. A tego właśnie potrzebuje twoja rodzina. Co masz do stracenia? Jeśli ci się nie spodoba, zawsze możesz wrócić na drogę.

Billy patrzył na nią przez chwilę, starając się dostrzec jakiś szczegół twarzy w głębi kaptura. Wreszcie pokręcił głową, a w oczach błysnął strach.

– Jesteście duchami, prawda? Ty jesteś bursztynowym rycerzem, a ona twoją panią. Wystarczy spojrzeć na ten bursztynowy szalik. To prawda, co ludzie w wiosce gadali. Wróciliście, by objeżdżać ziemie Stonevale o północy.

– Wracaj do domu, Billy. Sądzę, że wszyscy mamy na dzisiaj dość wrażeń – powiedział Lucas.

– A jakże, panie. Nie musicie mi tego dwa razy powtarzać. Nie przyzwyczajonym do rozmawiania z duchami.

Strzelił wodzami i zmusił swego ociężałego wierzchowca do morderczego kłusa.

Victoria obserwowała znikającego za zakrętem chłopca, po czym zsunęła kaptur z głowy i cicho się roześmiała.

– Muszę przyznać, że zawsze, ilekroć wyruszamy na nocną przygodę, dzieje się coś ciekawego.

– Ani przez chwilę się nie nudziłaś?

– Ani przez chwilę. Co teraz?

– Moglibyśmy pójść za radą tej damy z powozu. Odprowadziłbym cię do domu i sprawił lanie za to, że byłaś na tyle bezwstydna, by spacerować po nocy w spodniach. Ale nie na wiele by się to zdało.

– Nie na wiele – przytaknęła Victoria wesoło. – Tak czy inaczej, dzisiejsza przygoda to był twój pomysł, więc postąpiłbyś nieszlachetnie, wymierzając mi karę.

– Ale ty przecież nie uważasz mnie za szlachetnego, prawda? Uważasz, że jestem despotyczny, władczy, bezwzględny i… ograniczony.

Spuściła wzrok.

– Lucas, ja…

– Nieważne, Vicky. Czas wracać do domu. Przeżyłaś już swoją przygodę.

Skierował George'a w stronę dworu i Victorii nie pozostało nic innego, jak podążyć za nim.

Pół godziny później leżała już bezpiecznie w łóżku i czuła się bardzo samotna. Sen nadal nie nadchodził.

Przewróciła się na bok i wcisnęła twarz w poduszkę, starając się wyrzucić z myśli słowa Lucasa: „Uważasz, że jestem despotyczny, władczy i bezwzględny". I właśnie taki jest, przekonywała siebie po raz setny. Udowodnił to przy porannej kłótni. Wiedziała, że prędzej czy później ukaże swoje prawdziwe oblicze i zacznie się zachowywać jak jeden z tych tak zwanych dżentelmenów, kiedy zdobędą już upragniony obiekt i przejmą kontrolę nad majątkiem.

Wiedziała również, że każdy z tych tak zwanych dżentelmenów oddałby biednego Billy'ego w ręce władz i przyglądał się bez skrupułów, jak chłopaka wieszają, albo też zastrzeliłby nieszczęśnika na drodze i uznał to za bohaterski wyczyn.

Kiedy zorientowała się, że to miejscowy chłopak, ani przez chwilę nie wątpiła, że Lucas właśnie tak postąpi. Wiedziała, że ani go nie zastrzeli, ani nie pośle na szubienicę.

Prawda była taka, że jej mąż zdecydowanie różnił się od większości znanych jej dżentelmenów. Właśnie z tego powodu znalazła się w obecnej sytuacji.

Nie zmieniało to jednak faktu, że jej mąż był czasami arogancki i despotyczny.

Obróciła się na drugi bok i spojrzała na drzwi łączące ich sypialnie. Toaletka nadal je tarasowała. Po odprowadzeniu Victorii pod drzwi sypialni Lucas poszedł prosto do swego pokoju. Sądziła, że po tej przygodzie będzie chciał spędzić z nią noc. Fakt, że tego nie zrobił, zaniepokoił ją. Czyżby posunęła się za daleko, barykadując przed nim drzwi? Może ten akt protestu zbyt mocno zranił jego dumę? W końcu jest przecież jej mężem i ma swoje prawa. Jako jego żona ona też miała pewne obowiązki do spełnienia. Powinni być partnerami w małżeństwie, tak jak w czasie ich nocnej przygody.

Teraz bardzo chciała z nim być.

Zrezygnowała z daremnych prób zaśnięcia, wstała z łóżka i podeszła do toaletki tarasującej drzwi. Usiłowała pochwycić jakieś dźwięki z pokoju obok, które wskazywałyby na to, że Lucas również ma kłopoty z zaśnięciem, lecz na próżno.

Pragnienie, by cichutko otworzyć drzwi i sprawdzić, czy on śpi, było trudne do opanowania. Ale ta barykada zdecydowanie jej w tym przeszkadzała. Mogła przesunąć ją z powrotem na miejsce, ale to by z pewnością obudziło Lucasa. Popatrzyła na okno i uśmiechnęła się. Skoro hrabia Stonevale mógł przejść po gzymsie, to ona też.

Podeszła do okna, otworzyła je i spojrzała w dół. Ziemia wydała jej się dziwnie daleko, a gzyms nie wyglądał na tak szeroki, jak przypuszczała. On jednak, mimo niesprawnej nogi, po nim przeszedł.

Odetchnęła głęboko i stanęła na parapecie. Zadrżała, bo chłodne powietrze przeniknęło przez cienki muślin koszuli. Przytrzymując się zimnej kamiennej ściany, powoli zaczęła się posuwać w stronę okna Lucasa. Okazało się to nie takie proste. W pewnej chwili stwierdziła z przerażeniem, że ma lęk wysokości. Za każdym razem, kiedy spoglądała w dół, kręciło jej się w głowie.

W połowie drogi poczuła, że nie da rady zrobić ani kroku dalej. Dla Lucasa przejście po tym gzymsie było proste jak przechadzka po parku. Nie miała pojęcia, jak mu się to udało, ale ona musiała się pogodzić z kompletną klęską.

Kiedy spróbowała wycofać się w stronę swego okna, stwierdziła, że nogi odmawiają jej posłuszeństwa. Powrót okazał się równie trudny, jak posuwanie się do przodu.

To było wprost absurdalne. Przerażenie całkowicie ją sparaliżowało. Trzęsąc się z zimna, przyciśnięta do kamiennej ściany, zamknęła oczy i spróbowała zmusić się do myślenia. Przecież nie może tak stać przez całą noc! Otworzyła oczy i spostrzegła, że okno Lucasa jest otwarte.

– Lucasie! Lucasie, słyszysz mnie?

Żadnej odpowiedzi. Serce w niej zamarło. Jednak nawet sama myśl o wołaniu kogoś na pomoc, była zbyt upokarzająca.

– Lucasie! – zawołała, tym razem nieco głośniej. – Lucasie, jesteś tam? Do diabła, Stonevale, to wszystko przez ciebie! Obudź się i zrób coś!

– Psiakrew! – powiedział Lucas, stając nagle w oknie. – Powinienem się domyślić, że spróbujesz to zrobić. Cóż ty najlepszego wyprawiasz?

Poczuła natychmiastową ulgę.

– Wyszłam po prostu na przechadzkę – mruknęła – i nagle okazało się, że mam pewien problem z wysokością.

– Nie ruszaj się. Zaraz do ciebie przyjdę.

– Nie mam zamiaru się ruszać. – Patrzyła, jak przerzuca gołą nogę przez parapet i staje na gzymsie. – Wielkie nieba, milordzie, przecież ty jesteś nagi!

– Wybacz, jeśli uraziłem twoje delikatne uczucia. Czy wolisz, abym najpierw wrócił do środka i się ubrał?

– Nie! Ani mi się waż. Zabierz mnie z tego potwornego gzymsu.

– Tak, milady. Do usług, milady. Jestem niezmiernie rad, że mogę się na coś przydać, milady. Mów ciszej, milady, w przeciwnym razie służba będzie miała o czym rano opowiadać.

Uspokoiła się nieco, kiedy poczuła jego silne palce wokół nadgarstka.

– Jak, na Boga, udało ci się przejść tędy do mojej sypialni?

– Zapewniam cię, że nie wybrałem tej drogi dlatego, że lubię spacery po gzymsach. Musiałem tędy przejść, bo podsunęłaś pod drzwi tę cholerną toaletkę, nie pamiętasz? Przypuszczam, że nadal tam stoi, skoro zdecydowałaś się na tę drogę?

– Niestety, tak. – Podążyła za nim w stronę otwartego okna. Chwilę później stała już w jego sypialni. Odetchnęła z ulgą i otrzepała ręce z kurzu. –

Dziękuję ci, Lucasie. Wyznam szczerze, że trochę się bałam tam, na zewnątrz.

– Ja również nie będę taił, że trochę się bałem, widząc cię tam, na zewnątrz. – Gwałtownie porwał ją w ramiona. – Jestem naturalnie niewymownie wdzięczny, że z takim zapałem dążyłaś do mojego łoża, ale następnym razem, kiedy będziesz chciała się w nim znaleźć, spróbuj zapukać.

Spojrzała na niego, marszcząc brwi.

– Czy nie za daleko posuwasz się w swoich przypuszczeniach?

– Mam rozumieć, że dlatego weszłaś na ten gzyms, bo się nudziłaś i żaden inny pomysł nie przyszedł ci do głowy?

To na nic się nie zda. Nie mogła przecież zaprzeczyć, że usiłowała się dostać do jego pokoju.

– Nie żartuj sobie ze mnie, Lucasie. To i tak jest wystarczająco upokarzające.

Uśmiechnął się powoli i zmysłowo.

– Cóż jest upokarzającego w przyznaniu, że odpowiada ci to, czego udało nam się wspólnie dokonać w małżeńskim łóżku, kochanie?

– Nie o to chodzi. Przecież cały dzień byłam na ciebie wściekła, a ty pewnie sobie pomyślałeś, że przyszłam tu po to, bo pragnę się z tobą kochać.

– Czyż nie dlatego jesteś tutaj?

– Dlatego, ale to nie znaczy, że zmieniłam zdanie, a ty zapewne sądzisz, że właśnie tak jest. A nawet gorzej: doszedłeś do przekonania, że zawsze możesz mnie rzucić na kolana, zabierając na nocną wyprawę. Spieszę cię zapewnić, że bynajmniej tak nie jest.

Zaśmiał się cicho.

– Nie ma w tym nic wstydliwego, Vicky. Ale jeśli ma ci to przynieść ulgę, to obiecuję, że nie potraktuję twojej wizyty w moim pokoju jako oznaki przebaczenia. Jutro znowu możemy się znaleźć w stanie wojny, jeśli tego właśnie chcesz.

– Jesteś niepoprawny, Lucasie. Doskonale wiesz, że jutro rano już nie będzie między nami tak samo. Jakże ja będę mogła traktować cię chłodno po nocy spędzonej w twoim łożu?

– Nie wiem – powiedział, biorąc ją na ręce i niosąc w stronę łoża. – A będziesz mogła?

Rzuciła mu spojrzenie spod rzęs.

– Może to ja zamiast Billy'ego Simmsa powinnam postarać się o pracę w twojej stajni? W ten sposób będę mogła uzupełnić tę skromną pensję, którą zamierzasz mi wyznaczyć.

Dotknął ustami jej szyi.

– Czy ryzykowałaś życie na tym przeklętym gzymsie tylko po to, by się ze mną sprzeczać, czy też dlatego, bym mógł się z tobą kochać?

Uśmiechnęła się i objęła go za szyję.

– Dlatego, byś mógł wypełnić małżeńskie powinności i kochać się ze mną.

– Właśnie tak myślałem.

Jego ręka powędrowała ku jej piersi, a usta ku jej wargom.

Jakiś czas później Victoria poruszyła się sennie w wielkim łożu. Otworzyła oczy i ujrzała Lucasa na parapecie. Jedną stopą był już na gzymsie.

– Dokąd to się wybierasz, na Boga?

– Odsunąć od drzwi toaletkę. Czy chcesz, aby twoja pokojówka się dowiedziała, że byłaś zmuszona dzisiejszej nocy zabarykadować się w sypialni?

– Oczywiście, że nie. Ale bądź ostrożny, Lucasie.

– Zaraz wracam.

Zniknął w ciemnościach, a po chwili usłyszała, jak ciężka toaletka wraca na swoje miejsce. Drzwi łączące ich sypialnie otworzyły się i Lucas wszedł do pokoju, otrzepując ręce z kurzu. Obrzuciła go gniewnym spojrzeniem.

– Cóż tym razem zrobiłem? – zapytał, kładąc się obok niej.

– Nie pojmuję, jak możesz tak spacerować nago po domu.

– A któż mnie zobaczy? Jedynie ty. – Uśmiechnął się, wsuwając nogę między jej uda. – Ty zaś również jesteś naga.

– Mniejsza o to. – Umilkła. – Lucasie, chciałabym z tobą porozmawiać.

– O czym, moja słodka?

Przez chwilę szukała odpowiednich słów.

– O naszej sprzeczce.

– Której?

– Tej dotyczącej moich pieniędzy.

– Czy nie moglibyśmy z tym zaczekać do śniadania? Jestem zmęczony. Konna przejażdżka w środku nocy, ściąganie dam z gzymsów i przesuwanie ciężkich mebli to dość jak na mężczyznę w moim wieku.

– Ale to ważne, Lucasie.

– Dobrze więc, słucham, bo w przeciwnym razie nie dasz mi usnąć.

– Chciałam ci powiedzieć, że przykro mi z powodu większości tych okropnych rzeczy, które ci nagadałam w czasie naszej rozmowy o pieniądzach – zaczęła odważnie.

– Większości tych okropnych rzeczy? Nie wszystkich?

– Nie, nie wszystkich, ponieważ nie uważam, bym tak zupełnie się myliła. Niemniej jednak, nie powinnam mówić, że zachowujesz się jak wszyscy mężowie, którzy przejmują kontrolę nad majątkiem żon. Prawdę mówiąc, jesteś zupełnie inny niż mężczyźni, których dotychczas znałam.

Dotknął bursztynowego medalionu połyskującego między jej piersiami.

– A ty jesteś zupełnie inna niż kobiety, które dotychczas znałem. Skoro przepraszasz za większość okropnych rzeczy, które mi nagadałaś, powinienem odwołać moją groźbę wypłacania ci kwartalnej pensji.

– Tego właśnie oczekiwałam. Nawet nie wiesz, Lucasie, jak arogancko zabrzmiała ta groźba.

Zaśmiał się i przyciągnął ją do siebie.

– Nawet nie wiesz, jak arogancko brzmiały twoje polecenia, bym wdrapywał się na mury i spełniał wszystkie twoje kaprysy.

– Nic takiego nie robiłam.

– Czyżby? – Przesunął palcami wzdłuż jej policzka. – Wciąż mnie obserwujesz, Vicky, wciąż próbujesz, jak daleko pozwolę ci się posunąć. A kiedy doprowadzony do ostateczności odmawiam spełnienia jakiejś twojej prośby, obrzucasz mnie różnymi epitetami, jak: niegodny zaufania, władczy mąż, któremu zależy jedynie na majątku żony.

Spostrzegła, że Lucas mówi zupełnie serio.

– To nieprawda, Lucasie.

– Wydaje mi się, że tak, kochanie. I szczerze ci powiem, że wcale się temu nie dziwię. Masz wiele powodów, by mi nie ufać. Ale nie podoba mi się, że próbujesz mną manipulować.

– Czy tak właśnie pojmujesz moje zachowanie? Jako próbę przejęcia nad tobą kontroli?

– Myślę, że w ten sposób starasz się sobie udowodnić, że nie jesteś na mojej łasce i panujesz nade mną i nad sytuacją. To naturalna reakcja z twojej strony, ale, niestety, powodująca kłótnie między nami.

– Przecież to ty od samego początku próbowałeś mną manipulować i kierować – powiedziała Victoria cicho. – Sam mi to powiedziałeś owej pierwszej nocy w ogrodzie mojej ciotki, twierdząc, że nie będę się mogła tobie oprzeć, bo dasz mi to, czego żaden inny mężczyzna nie byłby w stanie mi ofiarować.

– Owszem, tak było.

– No więc? Nie masz zamiaru mnie za to przeprosić?

– Nie widzę powodu, bo wcale tego nie żałuję. – Przysunął usta do jej warg. – Zrobiłbym wszystko, by cię zdobyć.

Zadrżała. Lucas chciał przez to powiedzieć, że za wszelką cenę pragnie mieć dziedzica. W tym związku nie może być mowy o miłości, przynajmniej nie z jego strony. Od samego początku zachowywał się bezwzględnie. Powinna o tym pamiętać, zwłaszcza leżąc w jego ramionach. Tak łatwo wówczas udawać, że wszystko dobrze się między nimi układa, i że on nie usiłuje jej sobie podporządkować.

– Isabel Rycott powiedziała mi kiedyś, że słabi mężczyźni są kobietom bardziej przydatni niż silni, bo łatwo nimi kierować – mruknęła Victoria tuż przy jego ustach.

– Spójrz na mnie, moja słodka. Jestem w twojej mocy. Bezbronny niewolnik gotów spełnić wszystkie twoje zmysłowe pragnienia. Czegóż więcej można żądać od mężczyzny?

– No tak. Muszę przyznać, że jeśli chodzi o tę stronę małżeństwa, dajesz z siebie wszystko.

Rozchyliła wargi i przesunęła językiem wzdłuż jego ust. Lucas jęknął i skwapliwie przystąpił do udowodnienia, z jakim oddaniem gotów jest służyć swojej pani.

Victoria obudziła się tuż po wschodzie słońca i zobaczyła, że Lucas kręci się niespokojnie na łóżku. Położyła rękę na poszarpanej bliźnie na jego udzie i zaczęła masować napięte mięśnie. Niemal natychmiast się uspokoił i zaczął miarowo oddychać.

Leżała chwilę, myśląc o tym, że z wyjątkiem pierwszej nocy nie dręczyły jej w Stonevale koszmary. Ale dziwne uczucie niepokoju pozostało. Nie mogła się oprzeć wrażeniu, że coś ciemnego i groźnego powoli zbliża się do niej.

Przysunęła się do gorącego, silnego ciała Lucasa i natychmiast otoczyło ją jego ramię. Bezwiednie dotknęła bursztynowego medalionu na szyi, jak to często czyniła ostatnio. Po chwili usnęła.

16

Jaśnie pani nie uwierzy, ale dziś w nocy znowu widziano duchy. Aż ciarki od tego przechodzą człowiekowi po plecach. A ci tutaj wcale nie wydają się tym przestraszeni. Zresztą, czego można się spodziewać po wieśniakach.

Nan skończyła sznurować żółtą muślinową suknię Victorii i wzięła do ręki srebrną szczotkę do włosów.

Victoria spojrzała na odbicie pokojówki w lustrze.

– Mówisz o tym bursztynowym rycerzu i jego pani, Nan?

– Tak, jaśnie pani. W każdym razie, tak mówili w kuchni.

– Czy mówili, gdzie widziano te duchy? – zapytała ostrożnie Victoria, bo w tej chwili drzwi łączące obie sypialnie otworzyły się i do pokoju wszedł Lucas. Z ulgą spostrzegła, że jest już ubrany i nie utyka zbyt mocno na nogę.

– Dzień dobry, waszej lordowskiej mości. – Nan wykonała przed nim krótki dyg i powróciła do układania loków Victorii w modną fryzurę.

– Dzień dobry – odpowiedział spokojnie Lucas. – Napotkał w lustrze wzrok Victorii i uśmiechnął się z satysfakcją. – Skończ swoją opowieść, Nan. Gdzie widziano te duchy?

Nan rozjaśniła się.

– Jechały sobie po prostu drogą. Widział kto coś podobnego? Po cóż para szanowanych duchów miałaby jeździć w środku nocy po drodze? Że też ludzie wygadują takie rzeczy.

– Masz zupełną słuszność – stwierdził Lucas, nie spuszczając płonącego wzroku z Victorii. – Doprawdy, trudno mi sobie wyobrazić, żeby para inteligentnych duchów jeździła konno o tej porze. Kto je widział?

– No, jeśli o to chodzi, to nie jestem pewna, jaśnie panie. Mówiła mi o tym jedna z dziewczyn kuchennych, a jej z kolei opowiadał nowy chłopak stajenny. Właśnie dziś rano przyjęto go do pracy. Nie mam pojęcia, skąd on to wie.

– Prawdopodobnie wszystko sobie wymyślił – skonstatowała Victoria. – To wszystko, Nan, dziękuję ci.

– Tak, jaśnie pani.

Nan dygnęła i wyszła z pokoju.

Kiedy drzwi się zamknęły za pokojówką, Lucas się uśmiechnął.

– Daję dziesięć do jednego, że Billy Simms sprokurował świetną bajkę o wydarzeniach ostatniej nocy.

– Bez wątpienia. – Victoria się zaśmiała. – Wyszedł z tego znakomity żart, nie sądzisz, Lucasie?

– Obawiam się, że nie będzie to takie zabawne, kiedy ktoś w końcu się zorientuje, że tymi duchami są obecny hrabia Stonevale i jego rozpuszczona żona. Ale poradzimy sobie z tym we właściwym czasie. Jesteś gotowa do zejścia na śniadanie?

– Tak. Prawdę powiedziawszy, mam dziś doskonały apetyt.

– Ciekawym dlaczego – mruknął Lucas, otwierając przed nią drzwi.

Wyszła na korytarz i wsunęła mu rękę pod ramię.

– Nic tak nie zaostrza apetytu jak spacer, prawda? Jakie masz plany na dziś?

– Mam się spotkać z pastorem, by omówić z nim kilka pomysłów dotyczących nowego systemu irygacyjnego. A co ty będziesz robić, moja droga?

Uśmiechnęła się promiennie, schodząc ze schodów.

– Och, myślę, że zajmę się dziś wyborem odpowiedniego lichwiarza na wypadek, gdyby okazało się, że wyznaczono mi kwartalną pensję.

– Daruj sobie ten trud. Dzień, w którym pozwolę ci pójść do lichwiarza, będzie dniem mojej klęski.

– Interesująca uwaga. Jakoś trudno mi sobie wyobrazić ciebie jako pokonanego.

– Zaczynasz mnie coraz lepiej poznawać, Vicky.

Właśnie kończyli śniadanie, kiedy przyniesiono pocztę. Na jednym z listów rozpoznała pieczęć ciotki, a na drugim Annabelli Lyndwood. Ten otworzyła najpierw.

Moja najdroższa Vicky!

Cóż za nadzwyczajne zamieszanie wywołałaś! Wszyscy doskonale się bawią, rozprawiając o tym, co nazwano największym romansem sezonu. Córka lady Hesterly twierdzi nawet, że Byron nagryzmolił wers lub dwa na cześć tego wydarzenia. Podobno Caro Lamb wpadła we wściekłość. Wszystkim wiadomo, że nie lubi być spychana w cień przez kogoś, kto mógłby się okazać bardziej romantyczny i szalony od niej. Jak było, tak było, ale i tak ta historia nie wytrzymuje porównania z twoim małżeństwem. Wracaj prędko, Vicky. Zapewniam cię, że zostaniesz przyjęta jak mityczna bogini miłości prosto z antycznego romansu. Muszę też przyznać, że życie bez ciebie stało się nudne. Jedynym ciekawszym wydarzeniem było doprowadzenie Bertiego do decyzji, aby odpowiedział odmownie na oświadczyny wicehrabiego Bartona. Jest teraz przygnębiony (oczywiście lord Barton, nie Bertie), ale powoli przychodzi do siebie i zaczyna kierować swoje zainteresowanie w inną stronę.

Twoja kochająca Annabella

– I tyle o Bartonie – mruknął Lucas – zniszczonym przez kobiety.

– I tyle – przyznała Victoria z zadowoleniem, sięgając po list od ciotki. Przebiegła go szybko oczami, po czym wykrzyknęła skonsternowana: – Wielkie nieba, przeklęty los!

Lucas uniósł głowę znad gazety, którą przyniesiono wraz z listami.

– Co się stało?

– Wszystko. To straszne. Katastrofa.

Złożył gazetę.

– Czy coś się stało z twoją ciotką? Jest chora?

– Nie, nie, nic z tych rzeczy. Chodzi o nas. Och, Lucasie, cóż my teraz poczniemy? Jak wybrniemy z tej sytuacji? To nie do zniesienia!

– Może mógłbym temu zaradzić, gdybyś powiedziała mi coś więcej o tej nie do zniesienia, potwornej katastrofie.

Uniosła głowę i zmarszczyła gniewnie brwi.

– To wcale nie jest zabawne, Lucasie. Ciocia Cleo pisze, że złożyła jej wizytę Jessica Atherton i zasugerowała, że byłoby dobrze, gdybyśmy ty i ja pojawili się w Londynie przed końcem sezonu. Z tej też okazji wydałaby bal na naszą cześć.

Lucas przyglądał jej się przez chwilę w zamyśleniu, po czym wzruszył ramionami.

– Może ona ma rację. To nie jest zła myśl. Dzięki temu przekonalibyśmy wszystkich, że nasz związek został zawarty z miłości.

Victoria spojrzała na niego z przerażeniem.

– Lucasie, nie rozumiesz? Nikt inny, tylko sama Jessica Atherton chce nas uhonorować balem.

– A któż jak nie ona lepiej się do tego nadaje? Oboje wiemy, że jej pozycja towarzyska jest bezsporna.

Victoria wstrząśnięta wpatrywała się w niego.

– Czyś ty postradał rozum? Naprawdę sądzisz, że pozwolę Jessice Atherton wstawiać się za nami? Nigdy w życiu! Nie mam zamiaru ponownie zostać dłużniczką tej kobiety.

Nastąpiła cisza, po czym Lucas zapytał:

– Ponownie? Czyżbyś sugerowała, że czujesz się jej dłużniczką, bo zainicjowała znajomość, która doprowadziła do naszego małżeństwa?

– Nie waż się ze mnie dworować, Lucasie. Nie jestem w nastroju do żartów. To straszne. Cóż, na Boga, mam odpowiedzieć cioci Cleo? Jak się z tego wykręcić?

– Moja rada – powiedział, wstając od stołu – to nic nie robić. Twoja ciotka ma rację. Byłoby mądrze pojawić się na balu u Jessiki Atherton przed końcem sezonu. W ten sposób nasze małżeństwo zostałoby publicznie przypieczętowane.

Victoria nie mogła uwierzyć własnym uszom.

– Za żadne skarby. Absolutnie się nie zgadzam. W tej jednej sprawie ani ciocia, ani ty nie jesteście w stanie mnie przekonać. Mam powyżej uszu Jessiki Atherton i jej łaskawej szczodrobliwości. Nie mam ochoty widzieć tej kobiety na oczy. Nie pojadę do Londynu, jeśli to oznacza uczestnictwo w balu wydanym przez nią na naszą cześć. To nie do pomyślenia.

Lucas podszedł do niej, pochylił się i ucałował ją we włosy.

– Przesadzasz, moja droga. Przyjęcie zaproszenia Jessiki na bal wydany na naszą cześć wydaje mi się rozsądnym posunięciem.

– To najbardziej nierozsądna rzecz, jaką kiedykolwiek słyszałam.

– Porozmawiamy o tym później, kiedy się uspokoisz. Teraz muszę już iść. Wkrótce zjawi się pastor.

– Nie zmienię zdania, Lucasie, ostrzegam cię. Obserwowała, jak opuszcza jadalnię, a kiedy minął jej gniew, sięgnęła po trzeci i ostatni list. Przyjrzała mu się ciekawie, ale nie rozpoznała ani charakteru pisma, ani pieczęci. Rozerwała niecierpliwie kopertę. Wypadła z niej ulotka, wycinek z gazety i krótki list. List składał się zaledwie z dwóch zdań.

Pani!

Pragnąc zadowolić twój dociekliwy umysł, załączam broszurkę, która powinna cię zainteresować. Wynika z niej, że zmarli nie zawsze pozostają zmarłymi

List podpisany był inicjałem „W".

Z rosnącym przerażeniem Victoria wzięła do ręki ulotkę i przeczytała tytuł: *O ożywianiu umarłych za pomocą elektryczności.*

Wycinek z gazety zawierał artykuł opisujący pewne wydarzenie z trumną, którą niedawno odkopano, a po otwarciu nie znaleziono w niej ciała. Sprawcami kradzieży miała być szajka, zajmująca się wykopywaniem ciał i dostarczaniem ich do szkół medycznych. Jednak pewne poszlaki wskazywały na to, że ciało nabyła grupa eksperymentatorów do doświadczeń z elektrycznością. Władze są tym zaniepokojone.

Po raz pierwszy w życiu Victoria poczuła, że robi jej się słabo. Poleciła lokajowi, aby dolał jej kawy i patrzyła w odrętwieniu, jak wlewa płyn do filiżanki. Ciemny napar spływał z dzbanka dziwnie powoli.

Ostrożnie, bo nie ufała swoim palcom, uniosła do ust delikatną filiżankę z chińskiej porcelany i jednym haustem wypiła całą jej zawartość. Zawrót głowy minął. Kiedy poczuła się na tyle dobrze, by wstać, zabrała listy i poszła na górę do swego pokoju.

Lucas był w świetnym nastroju, gdy szedł przez hol do biblioteki. Z zadowoleniem rozglądał się wokół.

Stonevale wyraźnie się zmieniło od czasu ich przyjazdu. Wnętrze dworu błyszczało świeżością. Wyblakłe draperie odnowiono lub zawieszono nowe. Stare dywany zostały oczyszczone tak, że odzyskały swoje delikatne, piękne wzory, a szyby okienne lśniły czystością w porannym słońcu.

Dwór był pełen służby i prace domowe szły swoim normalnym torem. Lokaje z wyraźną dumą nosili nowe liberie, a podawane do stołu dania były świeże i właściwie przyrządzone.

Przez okno biblioteki mógł dostrzec zmiany, jakie ogrodnicy pod kierunkiem Victorii poczynili wokół domu. Mała oranżeria, którą poleciła zbudować, będzie wkrótce gotowa. Kilka skrzynek z rzadkimi okazami roślin niedługo dotrze tu z Londynu.

Wiedział, że wszystkie ulepszenia w domu i wokół niego były wynikiem starań Victorii. Same pieniądze nie przemieniłyby Stonevale w dom. Potrzebna była jeszcze kobieca ręka.

Lucas doszedł do wniosku, że Victoria wniosła do ich małżeństwa coś bardziej wartościowego od swego dziedzictwa. Wniosła wrodzony entuzjazm, inteligencję i życzliwość. Służba i dzierżawcy uwielbiali ją. Mieszkańcy wsi byli dumni z tego, że opiekuje się miejscowymi sklepami. Fakt, że wszystkie rachunki płacono natychmiast, również nie był bez znaczenia. Jakość towarów znacznie się poprawiła.

Dokonałem dobrego wyboru, pomyślał, spoglądając przez okno na ogród. Victoria miała wszystkie cechy, jakie pragnął znaleźć w żonie: była inteligentną towarzyszką życia i zmysłową, pełną żaru kobietą. Czegóż jeszcze mógłby pragnąć mężczyzna?

Jednak czegoś mu brakowało. Ostatnio złapał się na tym, że tęskni do słodkich, drżących słów miłości, które ukrywała przed nim od dnia ich ślubu, i pragnął, aby Victoria bez reszty mu zaufała.

Zapewne nie zasłużył sobie na jej miłość i zaufanie, ale wiedział, że nie spocznie, dopóki obu nie zdobędzie. Nie przejął się tym, że ona traktuje ich związek jak układ interesów. Do diabła, przecież małżeństwo to nie jedna z finansowych inwestycji. Nie pozwoli jej, aby tak do tego podchodziła.

Spojrzał na obrazek ze *Strelitzia reginae*, który zabrał ze swej sypialni i postawił na biurku. Za każdym razem, kiedy na niego spoglądał, wspominał jej gorące wyznanie w ową pamiętną noc w gospodzie:

„Zdaje mi się, że się w tobie zakochałam, Lucasie".

Drzwi biblioteki otworzyły się w chwili, gdy tak ustawiał obrazek, by był również widoczny z drugiej strony biurka. Do pokoju wszedł wielebny Worth. Ukłonił się gospodarzowi i machnął pismem.

– Ostatni numer „Przeglądu Rolniczego" – oznajmił. – Sądziłem, że zechcesz go, panie, obejrzeć.

– Z ochotą. Dziękuję wielebnemu. Proszę spocząć.

– Ach, cóż to będzie za wspaniały widok z tych okien, kiedy lady Stonevale zakończy swoje prace. – Pastor spojrzał przez okno na powstający ogród i przysunął do biurka mahoniowe krzesło. – Proszę wybaczyć moją śmiałość, ale pańska żona to wspaniała kobieta. Trudno sobie wymarzyć lepszą towarzyszkę życia.

– Doszedłem właśnie do podobnego wniosku.

– Czy wie pan, że wszyscy we wsi zaczęli ją nazywać bursztynową panią?

Lucas uśmiechnął się.

– Mam nadzieję, że moi dzierżawcy nie zaczną nazywać mnie bursztynowym rycerzem. Nie chcę, aby uważali, że ich gospodarz jest duchem. Mogliby jeszcze sobie pomyśleć, że z opłatami za dzierżawę można poczekać do życia pozagrobowego.

– Zapewniam cię, panie, że jesteś dla nich najzupełniej realny – oświadczył pastor ze śmiechem. – Masz w sobie cechy urodzonego przywódcy. Właśnie kogoś takiego im potrzeba. Ach, à propos duchów.

– Tak?

Pastor znacząco uniósł brwi.

– We wsi mówią, że bursztynowy rycerz i jego pani znowu się pojawili tej nocy.

– Czyżby?

– Podobno widział ich jeden chłopak z wioski. Ciekaw tylko jestem, cóż on tam robił o tak późnej porze, choć mogę się tego domyślać. W każdym razie spotkanie z rycerzem i jego panią całkowicie go odmieniło. Dotychczas trudnił się rozbojem. A teraz postanowił rozpocząć pracę w pańskich stajniach, milordzie.

– Zdecydowanie bezpieczniejsza praca, choć nie tak ekscytująca.

– W rzeczy samej. – Pastor uśmiechnął się. – Chłopak jest z gruntu poczciwy, opiekuje się matką i siostrą, toteż jestem szczerze rad, że rycerz nie poczuł się w obowiązku dopilnować, by go zastrzelono lub powieszono.

Lucas wzruszył ramionami.

– Może ów rycerz widział zbyt wielu młodych ludzi, których zabrała bezsensowna śmierć. Myślę, że nawet duch może mieć dość takich rzeczy. A teraz, pastorze, chciałbym zapytać pana, jakie postępy poczyniłeś ze swą książką o ogrodnictwie?

Pastor patrzył chwilę na niego uważnie, po czym mrugnął i uśmiechnął się dobrotliwie.

– Stokrotne dzięki za zainteresowanie. Pracuję teraz nad rozdziałem o różach. – Spojrzał na obrazek stojący na biurku. – Muszę stwierdzić, że ta *Strelitzia reginae* jest nadzwyczajna. Absolutnie doskonała w każdym szczególe. Wygląda jak żywa. Jak pan wszedł w jej posiadanie, jeśli mogę spytać?

– To podarunek.

– Doprawdy? A ja właśnie szukam kogoś, kto sporządziłby kolorowe ryciny do mojej książki.

– Tak, pamiętam, mówił pan, że poszukuje zdolnego akwarelisty, który znałby się trochę na botanice.

Pastor nie mógł oczu oderwać od obrazka Victorii.

– Ten, kto to namalował, świetnie by się do tego nadawał. Nie zna pan przypadkiem tego artysty?

– Przypadkiem znam – powiedział Lucas gładko.

– Doskonale, doskonale. Czy byłaby możliwość skontaktowania się z nim?

– To kobieta i myślę, że takie spotkanie mógłbym zorganizować.

– Byłbym niewymownie wdzięczny – powiedział pastor z zachwytem. – Stokrotne dzięki.

– Ależ nie ma za co – odparł Lucas. – Jestem pewien, że pan się z nią spotka. A teraz chciałbym zasięgnąć pańskiej rady odnośnie nawadniania pól graniczących z lasami. – Rozłożył na biurku mapę i wskazał na interesujący go teren.

– O tak, trzeba coś z tym zrobić. Chętnie posłucham pańskich propozycji. – Pastor pochylił się nad mapą, po czym spojrzał ponownie na Lucasa. – Nie chcę nalegać, milordzie, ale czy możesz mi powiedzieć, kiedy będę mógł porozmawiać z tą akwarelistką?

– Wkrótce – przyrzekł Lucas. – Już wkrótce.

Dwie godziny później Lucas odprowadził swego gościa do drzwi, po czym zabrał swój cenny obrazek i poszedł w stronę schodów. Był bardzo z siebie zadowolony. Ktoś mógłby mnie nazwać filistrem, pomyślał wchodząc na piętro i idąc do swego pokoju.

Wybranie odpowiedniego prezentu dla żony, która wniosła w posagu większy majątek od męża, było nie lada zadaniem. Nie mógł przecież posłużyć się jej pieniędzmi i kupić za nie brylantowego naszyjnika.

Odwiesił z pietyzmem obrazek na miejsce i cofnął się o krok, by ocenić swoje dzieło, po czym podszedł do drzwi łączących ich sypialnie i zapukał. Kiedy nie usłyszał odpowiedzi, zmarszczył brwi i spróbował ponownie. Przecież Griggs powiedział, że Victoria jest w swoim pokoju.

– Vicky!

Kiedy nadal nie było odpowiedzi, przekręcił gałkę i zajrzał do pokoju. Siedziała przy sekretarzyku z drzewa różanego, a przed nią leżały owe trzy listy, które czytała przy śniadaniu. Odwróciła głowę w jego stronę i uśmiechnęła się blado.

– Wybacz, Lucasie, ale nie czuję się dobrze. Chciałabym odpocząć.

Poczuł dziwny ucisk w żołądku. Podobny odczuwał zwykle tuż przed bitwą.

– Podczas śniadania czułaś się dobrze.

– Wtedy jeszcze nie otworzyłam korespondencji.

Odetchnął z ulgą.

– A więc nadal gniewasz się z powodu tego balu Jessiki?

– Jessica Atherton nie ma z tym nic wspólnego.

– Z ulgą tego słucham. – Wszedł do pokoju i usiadł przy niej. Wyciągnął do przodu obie nogi i bezwiednie zaczął masować udo. – Co się stało, Vicky? Widziałem cię w różnych nastrojach, ale nigdy w takim. Przy tobie dostaję zadyszki, próbując dotrzymać ci kroku.

– Nigdy jeszcze nie byłam w takiej sytuacji i muszę przyznać, że nie wiem, jak sobie z nią poradzić. Ale jedno jest pewne, coś trzeba zrobić, w przeciwnym razie postradam rozum.

– Naprawdę źle się czujesz? – Uśmiechnął się. – A może jesteś w ciąży? Czy pomyślałaś o tym?

– Prawdę powiedziawszy, Lucasie, byłoby to o wiele prostsze.

A więc nie nosi w swym łonie jego dziecka. Poczuł głębokie rozczarowanie.

– Przykro mi to słyszeć. Może po prostu powiesz mi, co cię trapi, moja droga?

Spojrzała na listy leżące na sekretarzyku. Kiedy uniosła głowę, w jej oczach czaił się strach.

– Lucasie, czy sądzisz, że możliwe jest ożywienie zmarłego za pomocą maszyny elektrycznej?

– Ożywienie zmarłego? Nonsens. Obawiam się, że ostatnio zbyt długo bawiłaś się w ducha, Vicky. Jeszcze nie słyszałem, żeby taki eksperyment się powiódł.

– Ale my nie wiemy o wszystkich takich eksperymentach. Przecież ludzie w całej Anglii bawią się dziś elektrycznością.

Lucas spojrzał na nią z powątpiewaniem.

– Jestem pewny, że gdyby komuś się to udało, pisałyby o tym wszystkie gazety.

– A gdyby ktoś zapłacił eksperymentatorowi za milczenie?

Dopiero teraz zauważył, jak bardzo jest przestraszona i poczuł, że ogarnia go gniew. Bez słowa sięgnął po listy leżące na biurku. Odrzucił na bok ten od Annabelli i od lady Nettleship. Jeden rzut oka na ulotkę i wycinek z gazety wystarczył, by zorientować się, co zawierały.

– Interesujące, ale nie widzę informacji o udanych próbach. Skąd to masz? – Wskazał na ulotkę i gazetowy wycinek.

– Przysłano mi je. Były w tej trzeciej kopercie, którą otworzyłam przy śniadaniu. Razem z tym. – Podała mu krótki liścik.

Przebiegł go szybko wzrokiem i z trudem powstrzymał się, by nie wybuchnąć gniewem.

– „Pani. Pragnąc zadowolić twój dociekliwy umysł, załączam broszurkę, która powinna cię zainteresować. Wynika z niej, że zmarli nie zawsze pozostają zmarłymi". Podpisano: „W". – Z wściekłością cisnął liścik na biurko. – Przeklęty drań!

– Lucasie, to jest to samo „W", co na szaliku i na tabakierce. – Victoria ze wszystkich sił starała się nad sobą zapanować.

Lucas dostrzegł oznaki szoku i przerażenia. Zmusił się, by mówić spokojnie, tak jak to robił, gdy miał do czynienia z dzielnym lecz przestraszonym młodym oficerem w przededniu bitwy.

– Uspokój się, Vicky. To zaszło już za daleko. Postaram się dowiedzieć, kto za tym stoi, i położę temu kres.

Jej piękne usta zadrżały.

– Wiem, kto za tym stoi. Samuel Whitlock. Człowiek, który zabił moją matkę. On powrócił, Lucasie. W jakiś sposób zmartwychwstał i teraz chce mnie zabić albo doprowadzić do śmierci w sposób, jakim ja... – Urwała i zakryła twarz rękami. – O Boże! O mój Boże!

Lucas wstał i objął ją. Poczuł, jak drży. Chociaż gładził ją łagodnie i uspokajająco po plecach, w środku kipiał gniewem.

Drżenie powoli ustępowało i Victoria wysunęła się z jego objęć, podeszła do toaletki i sięgnęła po chusteczkę.

– Pewnie myślisz, że jestem nierozsądną idiotką, która wierzy w przywracanie do życia umarłych – szepnęła, odwrócona do niego tyłem.

– Myślę – powiedział Lucas – że bardzo się przestraszyłaś, a temu, kto to zrobił, właśnie o to chodziło. – Popatrzył na jej twarz widoczną w lustrze. – Kto mógłby coś takiego uczynić, Vicky?

– Już ci mówiłam: Samuel Whitlock.

– Nie, kochanie, nie Samuel Whitlock. On nie żyje. Tak cię przeraził ten inicjał, że przestałaś logicznie myśleć.

– To musiał być on. – Obróciła się w jego stronę. – Nie rozumiesz, Lucasie? On żyje. Albo nie umarł tej nocy u stóp schodów, albo ktoś przywrócił go do życia za pomocą maszyny elektrycznej. Tak czy inaczej, powrócił i ściga mnie. Whitlock jest jedyną osobą, która mogłaby mieć powód do zemsty.

Spojrzał na nią z uwagą.

– To intersująca konkluzja. A z jakiegoż to powodu pragnąłby się zemścić?

Popatrzyła na niego z głębokim smutkiem.

– Nie mogę ci powiedzieć, Lucasie. Gdybym to uczyniła, poczułbyś do mnie taką odrazę, że nie mógłbyś więcej znieść mego widoku.

Poczuł, że usta rozciągają mu się w lekkim uśmiechu.

– No, po takim oświadczeniu będziesz mi musiała wyznać całą prawdę. Jeśli tego nie zrobisz, spalę się z ciekawości.

– To wcale nie jest śmieszne, Lucasie. Nie masz pojęcia, co ja uczyniłam.

Podszedł do niej i przytulił do piersi.

– Nic na świecie nie jest w stanie sprawić, bym nie mógł znieść twego widoku. Wątpię zresztą, żebyś mogła mi wyznać coś, co równałoby się piekłu, przez które przeszedłem w czasie wojny. Opowiedz mi wszystko, najmilsza.

– A więc dobrze, Lucasie. – W jej głosie brzmiała rezygnacja. – Ale nie mów mi później, że cię nie ostrzegałam.

– Nigdy tego nie powiem.

– Zabiłam go. – Zesztywniała w jego ramionach, instynktownie oczekując potępiającej reakcji z jego strony. – Zamordowałam Samuela Whitlocka.

– Hmmm – mruknął Lucas. – Przypuszczałem coś takiego.

Uniosła gwałtownie głowę i spojrzała na niego zaskoczona.

– Przypuszczałeś? A to jakim sposobem? Przecież trzymałam to w sekrecie. Nawet moja ciotka o niczym nie wiedziała.

– Nie chodzi o to, że coś powiedziałaś, czy zrobiłaś. Po prostu parę drobnych faktów naprowadziło mnie na tę myśl.

– Jakich drobnych faktów, na litość boską?

– Po pierwsze, Whitlock zmarł w niedługi czas po śmierci twojej matki. Po drugie, twierdziłaś, że to on ją zabił i nie poniósł za to kary. A po trzecie, zdążyłem cię już dość dobrze poznać. Nie tak dobrze, jak bym chciał, ale wystarczająco, by wiedzieć, że nie pozwoliłabyś mordercy swej matki uniknąć sprawiedliwości.

Zapadła cisza, po czym Victoria wyszeptała:

– Nie wyglądasz na zaniepokojonego tym wszystkim.

Lucas starannie dobierał słowa.

– Jedyne, co mnie niepokoi, to myśl o ryzyku, które musiałaś podjąć, by tego dokonać.

– Właściwie nie zamierzałam go zabić. – Westchnęła. – Pragnęłam jedynie zmusić go do wyznania prawdy. Muszę jednak przyznać, że wcale się nie zmartwiłam, kiedy się okazało, że nie żyje. Prawdę mówiąc, doznałam niewypowiedzianej ulgi.

– Nie chcę być niedelikatny, ale czy byłaś przy jego śmierci?

Ukryła twarz na piersi Lucasa.

– O tak, byłam. I omal sama nie przypłaciłam tego życiem.

– Dobry Boże, dlaczego?

– To długa historia. Czy naprawdę chcesz ją usłyszeć?

– Zapewniam cię, że gotów jestem słuchać cały dzień i całą noc, jeśli zajdzie taka konieczność. – Posadził ją w fotelu, a sam usiadł na wprost niej. – Mów, Vicky.

Kręciła w palcach chusteczkę, ale spoglądała na niego śmiało.

– Musisz wiedzieć, że mój ojczym dużo pił. Pijany stawał się agresywny. Postanowiłam wykorzystać tę jego słabość.

– Strategia – powiedział Lucas z aprobatą w głosie.

Zmarszczyła brwi.

– Właściwie o niczym innym nie mogłam myśleć. Znałam ten dwór, bo mieszkałam w nim przez kilka lat, dopóki matka nie odesłała mnie do ciotki. Był to ogromny stary pałac z ukrytymi przejściami i długimi korytarzami. Wykorzystałam tę wiedzę, by straszyć mego ojczyma.

– I wystraszyłaś go?

Wydmuchała nos w chusteczkę.

– Tak.

– Zdumiewające.

– Doprawdy, Lucasie, nie powinno cię to tak fascynować. To, czego się dopuściłam, zasługuje raczej na potępienie.

– Powiedzmy, że mnie to ciekawi. Nie widzę w tym nic złego. Nie jest to gorsze od przywracania umarłych do życia. Mów dalej, moja słodka.

– Tak się złożyło, że niedaleko mieszkali moi przyjaciele, więc skorzystałam z okazji i zostałam u nich przez tydzień. Wszyscy wiedzieli, że nie czuję się najlepiej w towarzystwie ojczyma, a ci ludzie byli przyjaciółmi mojej matki, więc traktowali mnie z sympatią. Kilka razy w ciągu tego tygodnia wymykałam się z domu w środku nocy i szłam przez las do dworu ojczyma. Wkładałam na siebie suknię, w której matka brała ślub i straszyłam w ten sposób Samuela Whitlocka.

– Przypuszczałaś, że zamroczony alkoholem będzie sądził, że widzi ducha zmarłej żony?

Kiwnęła głową.

– Początkowo sądził, że to mu się śni. A potem zaczął do mnie mówić. To było niesamowite, Lucasie. Kazał mi odejść i zostawić go w spokoju. Potem powiedział, że wcale nie chciał się żenić, ale potrzebował pieniędzy. Błagał mnie, bym zostawiła go w spokoju. W końcu którejś nocy zawiodły go nerwy. Rzucił się na mnie z nożem, krzycząc, że jeszcze raz mnie zabije, ale tym razem na dobre.

Lucas przymknął na chwilę oczy, starając się nie myśleć o tym, jak bliska była Victoria swojej własnej śmierci.

– Wtedy zdarzył się ten wypadek na schodach?

– Tak. Uciekałam korytarzem. Był tuż za mną, trzymał nóż w dłoni i krzyczał, że mnie zabije. Stracił równowagę gdzieś na trzecim stopniu i spadł na sam dół.

– A co ze służącymi? – mruknął Lucas. – Gdzież oni byli?

– Było ich tylko dwoje, para staruszków, mieszkających daleko na tyłach domu. Kończyli służbę dość wcześnie i zjawiali się dopiero rano. Krzyki, które mogli słyszeć tej nocy, nie pierwszy raz rozbrzmiewały w tym domu. Nauczyli się nie reagować na nie.

– Rozumiem. Czy sprawdziłaś, że twój ojczym nie żyje?

– Nie. Byłam zbyt przerażona i uciekłam. Może nie zginął wtedy. – Spojrzała na wycinek z gazety. – Nie wiem, w co mam wierzyć, Lucasie. Czy sądzisz, że zaaranżował swój pogrzeb, by mnie straszyć tak, jak ja jego?

– Istnieje taka możliwość.

Zagryzła wargę.

– Cóż on mógł robić przez te wszystkie miesiące, gdyby żył?

– Może się ukrywał, chcąc sprawdzić, czy poinformujesz o wszystkim władze?

– On nie żył. Wiem, że tak było. To ja go zabiłam.

– Nie zabiłaś go, Vicky. Próbowałaś w bardzo sprytny sposób zmusić go do wyznania prawdy i udało ci się. Omal przy tym nie postradałaś życia i to wszystko – powiedział Lucas zdecydowanie. – Co zaś dotyczy jego aktualnego stanu, musimy to sprawdzić. Ta historia z ulotką i listem dowodzi, że pozostały jeszcze pewne sprawy do wyjaśnienia.

– Takie jak ta, kto przysłał mi to wszystko.

– Tak – kiwnął głową Lucas. – To jedno z kilku pytań, na które powinniśmy znaleźć odpowiedź tak szybko, jak to możliwe. Pozostaje jeszcze sprawa tego powozu, który omal cię nie przejechał i bandyty, który na mnie napadł.

– Od tego wszystkiego kręci mi się w głowie, Lucasie. Nie mogę tak dłużej żyć, muszę znaleźć odpowiedzi na te pytania.

– W zupełności się z tobą zgadzam. Jak powiedziałem, pewne sprawy wymagają wyjaśnienia. Sądzę, że najlepiej będzie pojechać do Londynu, gdzie wszystko się zaczęło. – Uśmiechnął się. – Teraz mamy doskonały powód, by tam pojechać, nie mówiąc już o zaproszeniu na bal u lady Atherton, prawda?

Uśmiechnęła się do niego blado.

– Jesteś niemożliwy, Lucasie. Nawet w takiej chwili usiłujesz nakłonić mnie, bym robiła dokładnie to, czego sobie życzysz.

– To strategia, moja droga. Jestem z niej znany. A teraz, skoro przebrnęliśmy przez najgorsze, mam dla ciebie małą niespodziankę. Pamiętasz obrazek ze *Stretitzia reginae*?

– Tak, oczywiście. A o co chodzi?

Lucas uśmiechnął się.

– Pastor chciałby mieć z pół tuzina akwarel o podobnej tematyce do swojej książki o kwiatach ogrodowych.

Wyraz zaskoczenia na twarzy Victorii był dla niego najlepszą nagrodą.

17

Rzecz jasna Lucas przyjął tę straszną nowinę z takim spokojem, jakby go poinformowała, co kucharz przygotował na obiad. A czegóż innego mogła się spodziewać? Victoria ciągle zadawała sobie to pytanie. Znajdowały się właśnie z Annabellą i ciotką Cleo w niezwykle sławnym londyńskim salonie mody.

Jak mogła nawet przez chwilę przypuszczać, że Lucas w obliczu tak szokujących wiadomości zachowa się jak każdy normalny mąż?

Jednej rzeczy zdążyła się już nauczyć: że jej małżonek zdecydowanie różnił się od wszystkich innych mężów. Bywał arogancki, despotyczny, uparty i nieco konserwatywny pod pewnymi względami, ale nigdy bezradny. Umiał troszczyć się o swoją własność. Dowodem na to było poświęcenie, z jakim zajmował się majątkiem i podległymi mu ludźmi.

Mimo wszystko nie spodziewała się tak spokojnej i pragmatycznej reakcji. Trochę ją przerażało to chłodne zaakceptowanie jej dość ponurej przeszłości. Z drugiej jednak strony był to przecież mężczyzna, który zabrał ją do jaskini hazardu i lupanaru, człowiek, który jeździł z nią konno o północy.

– Czyż to nie cudowny jedwab, kochanie? W dodatku w twoim ulubionym kolorze. – Ciotka Cleo wskazała na bursztynowożółtą sztukę materiału.

– Och tak, Vicky. Doskonale się nadaje na bal u Jessiki Atherton – poparła ją Annabella. – Musisz wszystkich olśnić. Twoja ciotka ma rację: ten odcień jest cudowny.

– Bardzo piękny. – Victoria dotknęła materiału.

– A co sądzisz o tym muślinie, Vicky? – zapytała ją Cleo.

– Bardzo gustowny. – Victoria zmusiła się do skoncentrowania uwagi na materiałach. Muślin miał odcień głębokiej żółci. Natychmiast się jej spodobał.

– Ale nie nadaje się na bal u lady Atherton – stwierdziła Annabella.

– To może uszyję sobie z niego suknię spacerową przybraną akwamaryną? – zaproponowała Victoria, nie chcąc wypuścić z rąk pięknego muślinu.

Właścicielka salonu mody, drobna kobietka z twardym francuskim akcentem, poparła jej wybór.

– To będzie czarująca suknia, milady.

– A więc dobrze, suknia balowa z jedwabiu i suknia spacerowa z żółtego muślinu – zdecydowała Victoria. – Teraz co do sukni: chciałabym, aby miała najmodniejszy krój.

– Musi przykuwać uwagę wszystkich – dodała Annabella. – Może coś w tym rodzaju? – Wskazała na model, który zauważyła już wcześniej.

– To piękny model, wielmożna pani – zapewniła ją kobieta.

Ciotka Cleo zmarszczyła brwi, kiedy zobaczyła, co proponuje Annabella. Ta suknia zbyt mocno odsłaniała piersi.

– Czy sądzisz, że Lucasowi się spodoba, kochanie? Pamiętasz, co powiedział wczoraj przy obiedzie? Że nie życzy sobie, aby suknia miała zbyt mocno wycięty dekolt.

– Lucas uwielbia mówić takie rzeczy – stwierdziła Victoria. – Ale tak naprawdę nie ma wielkiego pojęcia o modzie. Toaleta na bal u lady Atherton musi być efektowna.

– No cóż, to ty będziesz się tłumaczyła przed Lucasem – zauważyła Cleo. – Ostatecznie to twój mąż.

Annabella zachichotała.

– Jestem pewna, że Victoria zdążyła już wychować swego pana na zgodnego męża, który nie sprawia swej żonie kłopotów.

Victoria uśmiechnęła się pogodnie i postanowiła nie przyznawać, że pewne cechy charakteru Lucasa wymagają jeszcze szlifu.

– Będzie bardzo zadowolony z tej sukni.

– Vicky, jesteś dla nas wszystkich natchnieniem – oświadczyła wylewnie Annabella.

Cleo Nettleship uniosła brwi.

– Lub też nadzwyczaj niebezpiecznym wzorem. No dobrze, chodźmy już. Mamy jeszcze do załatwienia wiele sprawunków.

Jakiś czas później Victoria wyszła wraz ze swymi towarzyszkami na Bond Street. W eleganckiej dzielnicy handlowej było jak zwykle tłoczno. Roiło się tu od modnych powozów, dobrze ubranych kobiet i krzykliwie odzianych dandysów.

Powóz Cleo czekał przed sklepem. Kiedy do niego zmierzały, inny powóz zatrzymał się tuż za nim. Stangret zeskoczył z kozła, by otworzyć drzwi pasażerce.

Wysiadła z niego Isabel Rycott. Ubrana była w ciemnozieloną suknię, pięknie harmonizującą z kolorem jej oczu. Fikuśny mały kapelusik z piórami ozdabiał jej lśniące czarne włosy.

– Dzień dobry, lady Nettleship. Cóż za miłe spotkanie.

– Lady Isabel. – Cleo skinęła jej uprzejmie głową.

– I promieniejąca panna młoda. – Isabel uśmiechnęła się tajemniczo do Victorii. – Jakież zamieszanie wywołałaś swoim ślubem z lordem Stonevale'em. Jakie to romantyczne, choć zastanawiam się, co by twoi drodzy rodzice powiedzieli na tak pośpieszny ślub.

– Skoro ich nie ma, to chyba jest bez znaczenia, prawda? – zauważyła Victoria.

– Zapewne masz rację. Słyszałam, że ty i twój mąż przyjechaliście do Londynu na bal, który lady Atherton wydaje na waszą cześć.

– Owszem – przytaknęła Victoria. – Mam nadzieję, że czuje się pani dobrze, lady Rycott. – Zmusiła się do uśmiechu.

– Doskonale, dziękuję.

– A twój przyjaciel Edgeworth, pani? Czy również czuje się dobrze?

Przez twarz Isabel przemknął cień.

– Ostatnio niewiele go widywałam. Przypuszczam, że tak. Powiedz mi, Vicky, czy zobaczymy się dziś wieczorem u Foxtonów?

W tym momencie wtrąciła się Cleo.

– Sądzę, że wpadniemy tam, ale tylko na chwilę. Vicky i jej mąż przyjechali do Londynu jedynie na parę dni i dostali tyle zaproszeń, że nie sposób na wszystkie odpowiedzieć.

– Wyobrażam sobie – mruknęła Isabel. – Teraz kiedy lady Atherton oświadczyła, że jest to ślub sezonu, wszystkie domy chciałyby gościć u siebie sławną parę. Życzę dobrego dnia. Myślę, że spotkamy się dziś wieczorem, a jeśli nie, to zapewne na balu u Athertonów.

Victoria przyglądała się, jak Isabel wchodzi do salonu mody, po czym wsiadła do powozu za ciotką i Annabellą.

– Ta kobieta potrafi być tak strasznie irytująca. Nie umiem dokładnie określić dlaczego, ale nigdy jej nie lubiłam.

– Kogo? Isabel Rycott? Według mnie w tej kobiecie jest jakiś fałsz – stwierdziła Annabella.

– Nie dla mężczyzn – zauważyła oschle Cleo.

Victoria skrzywiła się i obejrzała jeszcze raz na sklep, kiedy powóz ruszył.

– To ciekawe, co powiedziała o Edgeworcie, nie sądzicie?

– Nie był jej pierwszym kochankiem i niewątpliwie nie będzie ostatnim – stwierdziła Cleo. – Przy Isabel zawsze kręcą się jacyś mężczyźni.

Annabella zmarszczyła czoło w zamyśleniu.

– To ciekawe, ale niewiele ostatnio widywano Edgewortha, ani z Isabel, ani z kimkolwiek innym.

– Doprawdy? – Victoria nie mogła się już doczekać, by przekazać tę wiadomość Lucasowi.

Niestety, miała okazję porozmawiać z nim dopiero wieczorem w holu jego londyńskiego domu. Ubrała się dziś wyjątkowo starannie, jako że tego dnia po raz pierwszy występowała publicznie w roli mężatki. Żółtokremowa suknia podkreślała jej szczupłą, pełną wdzięku sylwetkę. Nie miała na sobie żadnej biżuterii z wyjątkiem bursztynowego medalionu i szylkretowego grzebienia we włosach.

Lucas czekał na nią u stóp schodów. Wyglądał niezwykle elegancko w odcieniach czerni i bieli. Jego ciemne włosy połyskiwały w świetle żyrandola. Victoria spojrzała na niego, schodząc ze schodów i pomyślała, że on chyba nigdy nie będzie jej tak kochał jak ona jego. Być może wszystko, na co mogła liczyć z jego strony, to przywiązanie, przyjaźń i opieka, jaką otaczał każdego, za kogo czuł się odpowiedzialny. Nie powinna narzekać. I tak było to znacznie więcej, niż innym kobietom udało się uzyskać od swoich mężów, zwłaszcza tym, które poślubiono dla ich majątku.

Lucas pochylił szarmancko głowę nad jej ręką.

– Wyglądasz uroczo. Będę się dziś wieczór uważał za najszczęśliwszego z mężczyzn.

Uśmiechnęła się.

– Ja również czuję się raczej szczęśliwa.

– Idziemy odegrać przedstawienie dla tłumów? – zapytał sucho, prowadząc ją do drzwi.

– Zdaje się, że to właśnie nas czeka. Wolałabym raczej wybrać się z tobą na konną przejażdżkę o północy.

– Osobiście wolę znosić ścisk, deptanie po nogach i nudę dusznych sal balowych. Jest to o niebo spokojniejsze od przygód, na które wyciągałaś mnie po północy.

Victoria obrzuciła go gniewnym spojrzeniem.

– Ktoś mógłby pomyśleć, że zupełnie cię nie bawiły nasze nocne wyprawy. Ale zostawmy to. Czekałam cały dzień, aby porozmawiać z tobą o Edgeworcie.

– A cóż z nim? – zapytał, siadając naprzeciwko niej w powozie.

– Spotkałam dziś na Bond Street Isabel Rycott, która wyraźnie oświadczyła, że od dawna go nie widziała. Z tego, co mi powiedziały ciocia i Annabella, wynikało, że przestał bywać w towarzystwie.

– Może po prostu dużo przegrał – zasugerował Lucas oględnie.

– Lucasie, przecież sam mówiłeś, że mógł mieć coś wspólnego z tym wypadkiem z powozem i napaścią na ciebie. Czy zastanawiałeś się nad tym, że to on mógł mi wysłać tę ulotkę i list?

– Zastanawiałem się. – Lucas popatrzył przez okno powozu na ulicę. – Nie wątpię ani przez chwilę, że on nie miałby nic przeciw temu, aby przydarzył mi się jakiś nieszczęśliwy wypadek. Nie widzę jednak powodu, dla którego ciebie miałoby to spotkać. Mógłby najwyżej posłużyć się szantażem.

– Ale przecież nic takiego nie miało miejsca.

– Wiem. Jak już mówiłem, nie widzę powodu. W każdym razie jeszcze nie teraz. Tak czy inaczej, mam zamiar rozpocząć moje śledztwo od Egdewortha.

– Czy wynajmiemy detektywa? – zapytała Victoria, na samą myśl o tym czując podniecenie. – Ten, którego wynajęłam, by zebrał informacje o lordzie Bartonie, był doskonały.

Lucas spojrzał jej w oczy.

– Wolałbym nie zatrudniać detektywa.

– Dlaczego?

– Bo gdybym to zrobił, naraziłbym się na ryzyko krępujących pytań odnośnie śmierci twego ojczyma, a te z kolei mogłyby nasunąć pytania o ciebie.

– Och! – Victoria cofnęła się na oparcie. – Rozumiem. Jesteś niezwykle sprytny, Lucasie. Zawsze potrafisz wszystko przewidzieć.

– Staram się.

– Jak masz zamiar odnaleźć Edgewortha? – zapytała.

– Zacznę od klubów. Ktoś z pewnością będzie coś wiedział o człowieku, który tyle gra co on.

– Wyborny pomysł.

– Cieszę się, że go aprobujesz, bo oznacza to, że będziesz musiała wrócić dziś prosto do domu.

– Co takiego? – Oczy jej pociemniały. – Chyba nie mówisz tego poważnie?

– Obawiam się, że tak. Nie mogę cię przecież przemycić do klubów. A skoro nie chcę, byś biegała sama po nocy, nie pozostaje mi nic innego, jak dopilnować, byś znalazła się bezpiecznie w domu.

– Kiedy ty będziesz zbierał informacje? To nieuczciwe, Lucasie.

– To nie jest kwestia uczciwości. Tu chodzi o twoje bezpieczeństwo. Nie będę więcej ryzykował spotkania z pędzącymi powozami, rozbójnikami czy duchami, które zostawiają inicjał „W".

– Ależ Lucasie, przecież nie będę sama, będę w towarzystwie cioci Cleo lub Annabelli – upierała się Victoria.

– To za mało, Vicky. Trudno oczekiwać od twojej ciotki lub Annabelli, żeby strzegły cię przed pędzącymi powozami czy bandytami, zwłaszcza że nie wiedzą, na co powinny zwracać uwagę. Nie, chcę wiedzieć, że jesteś bezpieczna w domu, w tym czasie gdy ja będę w klubach.

Victoria wpadła w gniew, czując, że tym razem nic nie wskóra.

– Nie możesz mnie odsunąć od tego śledztwa. Nie pozwolę ci tego zrobić. Przecież zgodziliśmy się co do tego, że głównym powodem naszego przyjazdu do Londynu jest wyjaśnienie tej sprawy. A ona mnie dotyczy.

– Od niczego cię nie odsuwam. Chcę po prostu wiedzieć, gdzie jesteś, kiedy będę poza domem. Niebezpieczeństwo czyha tu, w Londynie, Vicky. Wszystkie te incydenty zdarzyły się tutaj. Dlatego chcę cię mieć na oku albo pod kluczem – oświadczył zdecydowanie Lucas.

– Muszę ci powiedzieć, Lucasie, że choć stałeś się pod niektórymi względami znośnym mężem, to nie podoba mi się, kiedy przybierasz postawę starszego rangą oficera i zaczynasz wydawać rozkazy. Nie jestem twoją podwładną. Jestem twoją partnerką, czyżbyś o tym zapomniał? Łączy nas wspólny interes.

– Przede wszystkim jesteś moją żoną i jako twój mąż odpowiadam za ciebie. Wybacz, jeśli cię obraziłem. Niestety, stare nawyki ciągle dają o sobie znać.

Obrzuciła go miażdżącym spojrzeniem.

– Nie zrzucaj winy na stare wojskowe przyzwyczajenia. To jedynie wymówka i dobrze o tym wiesz.

– No cóż, jeśli mam być szczery, Vicky, to zdarzają się chwile, kiedy nic innego nie skutkuje, jak tylko rozkaz. I dziś wieczorem nastąpi właśnie taka chwila. A teraz przestań patrzeć na mnie tak, jakbyś chciała mnie udusić i spróbuj wyglądać jak kochająca żona. Chyba dojeżdżamy już do Foxtonów.

– Lucasie, ostrzegam cię, że nie zniosę, by traktowano mnie jak nierozsądne dziecko.

– Nawet przez myśl mi to nie przeszło. – Wyjrzał przez okno, kiedy powóz się zatrzymał. – Wygląda na to, że pomogliśmy lady Foxton ściągnąć spory tłum gości. Będzie nam za to niewymownie wdzięczna. Jesteś gotowa, moja droga?

– Do diabła, Lucasie, nie pozwolę traktować się w ten sposób! – Spojrzała na niego wściekle, kiedy wyciągnął rękę, by pomóc jej wysiąść z powozu. – Nie myśl sobie, że skoro potrafisz zaciągnąć mnie do łoża, kiedy tylko przyjdzie ci na to ochota, to oznacza, że stałam się bezwolną, głupią kobietą, której można wydawać rozkazy, kiedy to uznasz za stosowne.

Zacisnął palce wokół jej dłoni, a w oczach błysnęło mu rozbawienie.

– Wydaje mi się, że się przesłyszałem. Czy zechciałabyś powtórzyć, co powiedziałaś?

– Świetnie mnie słyszałeś. Och, spójrz, Annabella i Bertie. – Przywołała na twarz promienny uśmiech. – Nie mogę się doczekać, by z nimi porozmawiać.

Pociągnęła Lucasa w stronę tłumu zebranego na frontowych schodach przed domem Foxtonów.

Poczucie czasu cechujące jego żonę wprost zbijało człowieka z nóg. Uśmiechnął się ponuro do siebie, wysiadając z powozu przed klubem. Jej oświadczenie, że potrafi ją zaciągnąć do łoża, kiedy tylko zechce, sprawiło, że zapragnął nagle wrócić do domu i kochać się z nią.

Musiał jednak stać przy jej boku na balu u Foxtonów i trwonić czas na opędzanie się od tłumu dawnych wielbicieli Victorii. Każdy z nich czuł konieczność zapewnienia jej o głębokiej rozpaczy na wieść, że przyjęła oświadczyny innego. Victoria bawiła się doskonale i flirtowała tak skandalicznie, że Lucas postanowił po powrocie wymierzyć jej karę. Jaką formę miała przybrać owa kara, jeszcze nie wiedział, ale zamierzał poważnie się nad tym zastanowić. Tymczasem inne sprawy wymagały jego uwagi.

Pierwszą osobą, na którą się natknął po wejściu do klubu, był Ferdie Merivale. Młodzieniec powitał go przyjaznym uśmiechem.

– Proszę przyjąć moje powinszowania z okazji niedawnego ożenku, lordzie Stonevale. Nie powiem, żebym był tym zaskoczony. Życzę wszystkiego najlepszego. Jesteś, panie, szczęściarzem. Pańska małżonka to urocza kobieta.

– Dziękuję, Merivale. – Lucas nalał sobie kieliszek claretu.

– Przyszedłeś, panie, zagrać parę partyjek? – zapytał Ferdie.

– Obawiam się, że te czasy mam już za sobą. Jestem teraz żonatym człowiekiem. Nie mogę spędzać całej nocy na grze w karty.

– Przypuszczam, że lady Stonevale miałaby tu coś do powiedzenia. – Ferdie zachichotał.

– Mojej żonie rzadko brakuje słów – przyznał Lucas. – A co tu słychać?

– Bardzo wiele. Ostatnie tygodnie spędziłeś na wsi, nieprawdaż? Zapewne zaciekawi cię, panie, fakt, że od twojej scysji z Edgeworthem rzadko się go widuje w klubach. Był nawet zmuszony zrezygnować z członkostwa tego klubu.

– Trudno mi sobie wyobrazić Edgewortha rezygnującego z gry w karty.

– Och, nie sądź, panie, że zrezygnował, jedynie przeniósł się do nieco mniej szacownych miejsc. Słyszałem, że widziano go w tej samej szulerni, z której niegdyś mnie wyciągnąłeś. Pod Zielonym Wieprzem. Paskudne miejsce. Chociaż jemu pasuje, nie sądzisz, panie?

– Jestem pewien, że czuje się tam jak w domu – przyznał Lucas.

Dwie godziny później wchodził do Zielonego Wieprza. Nic tu się nie zmieniło od czasu, kiedy przyprowadził tu Victorię. Było to takie samo duszne i hałaśliwe miejsce, które specjalnie wybrał, by dać nauczkę Victorii i odciągnąć ją na przyszłość od szulerni. Niestety, nie osiągnąłem zamierzonego celu, pomyślał, śmiejąc się w duchu. Victoria świetnie się wówczas bawiła.

Edgeworth siedział przy karcianym stoliku z grupą eleganckich młodych dandysów, najwyraźniej mocno już podchmielonych. Widocznie postanowili doświadczyć uroków ciemnej strony miejskiego życia. Lucas wziął kufel piwa od przechodzącego barmana i podszedł do grających.

– Panowie – powiedział spokojnie – czy bylibyście tak dobrzy i pozwolili panu Edgeworthowi i mnie na chwilę prywatnej rozmowy.

Jeden z młodych paniczyków spojrzał na niego gniewnie.

– Za pozwoleniem, właśnie jesteśmy w środku gry. Nie masz pan prawa nam przerywać.

Ale drugi młodzian poderwał się na nogi, rozpoznając Lucasa.

– Proszę wybaczyć, lordzie Stonevale. Oczywiście. Myślę, że możemy chwilę zaczekać. Może po przerwie zacznie nam dopisywać szczęście.

Lucas lekko się uśmiechnął.

– Jedynym sposobem na to jest zmiana stolika. Dopóki będziesz, panie, grał z Edgeworthem, czekają cię same przegrane.

– Jeśli chcesz, panie, wiedzieć, to przed niecałą godziną wygrałem kilkaset funtów – oświadczył pierwszy z młodzieńców.

– Czyżby? A ile już przegrałeś?

Mężczyzna obrzucił Lucasa niechętnym spojrzeniem.

– Nie pański interes.

– Zgadzam się. Zrobisz, jak zechcesz. Zresztą mało mnie obchodzą twoje przegrane, panie. A teraz wybaczcie.

– Chodź, Harry – mruknął drugi młodzieniec, odciągając przyjaciela od stolika. – Chyba nie będziesz wszczynał kłótni ze Stonevale'em. Posłuchaj mojej rady. Mój przyjaciel walczył pod jego komendą na Półwyspie i twierdzi, że on świetnie umie o siebie zadbać.

Edgeworth przyglądał się, jak jego partnerzy odchodzą, po czym zwrócił się w stronę Lucasa.

– Wystraszyłeś mi owieczki, zanim zdążyłem je obedrzeć ze skóry, Stonevale. To, że udało ci się ożenić z posagiem, nie oznacza, że inni nie muszą zarabiać na życie.

– Jestem pewien, że zdążysz jeszcze znaleźć sobie inne źródła dochodu. Zawsze byłeś biegły w oczyszczaniu nieostrożnych z tego, co przypadkiem mieli w kieszeniach. Powiedz mi, Edgeworth, co daje ci większą przyjemność: oszukiwanie naiwnych młodych ludzi, zamroczonych alkoholem, czy okradanie konających i martwych?

Edgeworth rozrzucił karty po stole.

– A więc widziałeś mnie owego dnia. Cały czas mnie to męczyło. Powinienem poderżnąć ci wówczas gardło i upewnić się, że nie żyjesz.

– Czemu więc tego nie zrobiłeś?

Wzruszył ramionami.

– Prawdę mówiąc, nie sądziłem, że dożyjesz zachodu słońca z tą dziurą w nodze. Najwidoczniej udało ci się. Masz zdumiewające szczęście.

– Niedawno ktoś usiłował przeszkodzić memu szczęściu. Postanowiłem zapytać cię, czy czasem nie wiesz, kto to może być.

Edgeworth uśmiechnął się, a oczy błysnęły mu spod wpółprzymkniętych powiek.

– Zapewne ktoś, kto przegrał do ciebie dużo pieniędzy lub ma z tobą jakieś dawne porachunki.

– W takim razie mógłbyś to być ty.

– Może i mógłbym.

Lucas milczał przez chwilę.

– Czy chcesz doprowadzić do tego, abym w końcu cię zabił, Edgeworth?

– Zapewniam cię, że nie mam zamiaru dać ci się wyzwać na pojedynek. Czyżby szczęście się od ciebie odwróciło? Ostatnio wiodło ci się chyba nie najgorzej?

– Zaszły jeden czy dwa drobne incydenty. Nie będę wdawać się w szczegóły. Jeśli naprawdę nic o nich nie wiesz, to im mniej zostanie powiedziane, tym lepiej. Jeśli jednak coś o nich wiesz, to być może zainteresuje cię, że więcej się nie powtórzą.

– Czemu miałoby mnie interesować, co ci się przydarzyło? Zaczynasz mnie nudzić, Stonevale.

– Przedstawmy to w ten sposób. Jeśli zdarzy się kolejny incydent, który uznam za, powiedzmy, kłopotliwy, odnajdę cię i wówczas poważniej o tym podyskutujemy. Może na Clery Field o świcie?

Palce Edgewortha znieruchomiały na kartach.

– To nieuczciwe, skoro nie jestem sprawcą tych incydentów.

– Tak, ale w życiu jest wiele nieuczciwości. Odkryłem to pewnego dnia, kiedy patrzyłem, jak chodzisz wśród zmarłych i rannych i okradasz ich kieszenie.

Lucas wstał od stołu i odszedł nie oglądając się za siebie.

Victoria stała w nocnej koszuli przy oknie, gdy usłyszała, że drzwi łączące obie sypialnie się otwierają. Odwróciła się i ujrzała Lucasa w szlafroku.

– Nareszcie jesteś. Dzięki Bogu!

Podbiegła do niego i rzuciła mu się w objęcia. Zachwiał się lekko, bo dla chorej nogi było to zbyt ostre natarcie, ale natychmiast odzyskał równowagę. Otoczył ją ciasno ramionami.

– Jeśli tak masz mnie witać za każdym razem, to muszę cię częściej niepokoić.

– Proszę, nie drwij ze mnie. – Uniosła głowę i zmarszczyła czoło. – Gdzie byłeś? Co robiłeś? Czy odkryłeś coś ciekawego?

Lucas przytrzymał ją za brodę.

– Nie wszystko naraz, moja słodka. Miałem ciężką noc.

– Ja również. I muszę ci powiedzieć, Lucasie, że następnym razem, kiedy będziesz się bawił w zbieranie informacji, ja nie zostanę w domu. Siedzenie tu i czekanie to zbyt wiele jak na moje nerwy. A teraz powiedz, czego dokonałeś? Znalazłeś Edgewortha?

Puścił ją i opadł na fotel.

– W końcu go znalazłem. Nie mam pewności, czy on coś wie, czy nie. Ale ma powód, by chcieć mnie wpędzić w kłopoty.

Kiwnęła głową i usiadła naprzeciw niego.

– Bo w pewnym sensie przyczyniłeś się do tego, że stał się nieproszonym gościem w klubach?

Lucas zaczął rozcierać udo.

– To ma związek z czymś, co wydarzyło się o wiele dawniej.

Popatrzyła na niego z uwagą.

– O czym ty mówisz, Lucasie?

– O dniu, w którym zostałem ranny w nogę. Edgeworth też tam był.

– To znaczy, że również brał udział w bitwie?

– Niezupełnie – odpowiedział. – Powiedzmy, że postanowił obserwować ją z bezpiecznej odległości.

– Chcesz powiedzieć, że się załamał i zdezerterował?

– To się zdarza. Nie on pierwszy i nie ostatni. Kto wie, może gdyby inni postąpili podobnie, miast stać i strzelać do siebie nawzajem, nie byłoby tylu wojen.

Victoria spojrzała na niego zaskoczona.

– Nie potępiasz go za tchórzostwo?

– Nie bardzo. Tchórzostwo na polu walki może nie jest godne pochwały...

– Bezwzględnie nie.

– ...ale jestem w stanie je zrozumieć. Strach to niełatwy przeciwnik, a wojna jest najgorszym ze sposobów na rozwiązywanie problemów. Jeśli czegokolwiek nauczyłem się w czasie mej służby w wojsku, to właśnie tego. Fakt, że ktoś decyduje się na ucieczkę z pola walki, nie jest w gruncie rzeczy czymś zaskakującym. Wydaje się nawet dość logiczny, jeśli się nad nim głębiej zastanowić.

Victoria zdążyła się już otrząsnąć z pierwszego szoku i spróbowała spojrzeć na problem oczami Lucasa.

– Może i masz rację. Ale nie zdradź się z tym przed kolegami w klubie.

Uśmiechnął się.

– Nie jestem kompletnym głupcem. Tylko tobie to mówię, Vicky. Jesteś jedyną znaną mi osobą, z którą mogę rozmawiać tak otwarcie.

Uśmiechnęła się do niego promiennie, czując, jak robi jej się ciepło na sercu.

– To najmilsza z rzeczy, jakie kiedykolwiek od ciebie usłyszałam. Cieszę się, że tak uważasz, Lucasie, bo ja również czuję to samo w stosunku do ciebie. Zwierzyłam ci się ze spraw, o których nawet ciocia Cleo nie wie.

– Miło mi to słyszeć – powiedział po prostu.

Victoria uśmiechnęła się ciepło.

– Ale bez względu na to, co sądzisz na temat tchórzostwa na wojnie, wiem, że nigdy nie zachowałbyś się jak tchórz. Edgeworth z pewnością też o tym wie. Czy z tego właśnie powodu żywi do ciebie urazę? Dlatego, że byłeś świadkiem jego dezercji?

– To tylko jedna z przyczyn. Drugą jest ta, że widziałem, co robił po bitwie. Chodził po polu i okradał zabitych.

Victoria spojrzała na niego z przerażeniem.

– Dobry Boże, wprost trudno uwierzyć. – Nagle uderzyła ją straszna myśl. – Czy on wiedział, że ty tam leżysz? Widział cię?

– Widział.

– I nie zrobił nic, by ci pomóc?

– Sądził, że długo nie pożyję. Poza tym był zajęty zbieraniem biżuterii, zegarków i innych cennych rzeczy.

Victoria poderwała się na nogi i zaczęła nerwowo przemierzać pokój. Trzęsła się z tłumionego gniewu.

– Przysięgam, że zastrzelę tego człowieka, kiedy tylko go zobaczę! Jak on śmiał stoczyć się tak nisko? Jak mógł tak podle postąpić? Zostawić cię bez pomocy! To wprost niewybaczalne!

– Zgadzam się z tobą, że stoczył się wówczas na samo dno. Później też nie zachowywał się jak człowiek honoru – powiedział Lucas ponuro.

– Z pewnością nie. Ciekawe, czy Isabel Rycott wie, że on oszukuje w kartach. Może dlatego go rzuciła. Ona lubi słabych mężczyzn, ale może nie do tego stopnia słabych.

– Być może.

– Sądzisz więc, że to Edgeworth kryje się za tymi wypadkami? Chce się na tobie zemścić, bo znasz prawdę o nim?

– To możliwe. Nie mogę oprzeć się wrażeniu, że wie więcej, niż chciał powiedzieć. Ostrzegłem go, że jeśli coś się zdarzy, w pierwszym rzędzie od niego zażądam wyjaśnień, ale…

– Ale nie masz stuprocentowej pewności, że to on ponosi winę za to, co nam się przydarzyło?

– Tu chodzi jeszcze o coś więcej.

– O to, że ja byłam celem jednego z ataków?

– Możliwe, że wybrał ciebie, bo wiedział, że mnie tym zdenerwuje.

Victoria usiadła na brzegu łoża.

– To okropne. Jesteśmy w tym samym miejscu, w którym byliśmy, zanim zacząłeś go szukać.

– To się jeszcze okaże. Jeśli nic się nie wydarzy, będę mógł uznać, że ostrzegłem właściwego człowieka.

– Masz rację. – Zmarszczyła czoło w zamyśleniu. – Ale jeśli coś się wydarzy, może to również oznaczać, że mój ojczym żyje.

– Bez względu na wynik tej sprawy, myślę, że osiągnąłem dziś jeszcze jeden wielki postęp – powiedział Lucas gładko.

Spojrzała na niego zaintrygowana.

– O jakim postępie mówisz?

– Mówię o twoim stwierdzeniu, że potrafię cię uwieść, kiedy tylko zechcę.

– Ach, o tym. – Poczuła, że oblewa się rumieńcem.

Wstał i podszedł do niej.

– Tak, o tym. Być może dla ciebie to mało znaczący fakt, ale dla mnie niebywale ważny. Bo daje mi nadzieję. Któregoś dnia posuniesz się jeszcze dalej i wyznasz, że mnie kochasz.

Wstała i odsunęła się od niego.

– Nie powinieneś zbyt wiele wyobrażać sobie po tym, co ci powiedziałam, Lucasie. Byłam bardzo na ciebie zagniewana i nie mówiłam tego, co myślałam.

Uśmiechnął się.

– Masz zamiar odwołać teraz te słowa? Nie możesz tego zrobić. Nie pozwolę ci na to.

Jęknęła i zrobiła następny krok w tył.

– Zbyt dużo sobie po nich obiecujesz. Traktujesz je zapewne jako formę kapitulacji.

– Czy kapitulacja byłaby czymś złym, Vicky?

– Wprost nieznośnym.

Zrobiła jeszcze jeden krok w tył i poczuła za sobą ścianę. Spoglądała szeroko otwartymi oczyma na zbliżającego się ku niej Lucasa.

Podszedł do niej i oparł się dłońmi o ścianę po obu stronach jej głowy. Jego usta znalazły się zaledwie o cal od jej warg.

– Nieznośnym, hmmm? Dlaczego więc nie mielibyśmy tego nazwać zawieszeniem broni zamiast kapitulacją?

Wstrzymała oddech.

– Do tego musielibyśmy oboje mieć równe szansę. Musiałbyś przyznać, że ja mam nad tobą taką samą władzę, jak ty nade mną.

– Przyznaję.

Dotknęła językiem kącika ust.

– Przyznajesz, że mogę cię uwieść, kiedy zechcę?

– Wystarczy, byś przeszła przez salon lub podała mi filiżankę herbaty, wystarczy, bym spojrzał na obrazek ze *Strelitzia reginae*, a już jestem w twojej mocy.

– Och! – Uśmiechnęła się. – Czyżby to był kolejny przykład twoich strategicznych umiejętności?

W odpowiedzi przywarł do jej warg w namiętnym pocałunku, który burzył krew i wprawiał w odurzenie zmysły. Otoczyła ramionami jego szyję i poddała się jego żarowi i sile.

Zsunął rękę w dół do biodra i uniósł cienki materiał koszuli aż do talii.

– Lucasie?

– Rozsuń nogi, najdroższa.

Jęknęła cicho i zadrżała z rozkoszy, ulegając namiętnej prośbie. Poczuła jego rękę między udami.

– Lucasie!

– Tak, najdroższa. Właśnie tego od ciebie oczekuję. Nazwij to jak chcesz, zawieszeniem broni lub kapitulacją. To i tak nie ma żadnego znaczenia.

Wsunął język w jej usta, jednocześnie zagłębiając palec w jej wilgotnym wnętrzu. Następnie począł nim przesuwać w przód i w tył. Victoria miała wrażenie, że za chwilę zemdleje.

Pozostało jej jeszcze tyle sił, by rozsunąć mu szlafrok. Jego członek był nabrzmiały i wyprężony. Objęła go łagodnie palcami.

– O Boże, Vicky!

Pociągnął ją w stronę łoża i począć całować piersi, jedwabisty brzuch i delikatną skórę ud. Nagle jego pocałunki stały się bardziej intymne. Victoria straciła oddech, najpierw zaskoczona, potem zdumiona, gdy dotknął wargami najintymniejszego zakątka jej ciała.

– Lucasie, to niedopuszczalne. Nie możesz…

Zanurzyła palce w jego ciemnych włosach, a całe ciało napięło się niewyobrażalnie.

– Lucasie!

Unoszona falą rozkoszy poczuła, że Lucas wsuwa się na nią i wnika głęboko w jej wnętrze. Zacisnęła zęby na jego nagim ramieniu. Kiedy zabrzmiał jej w uszach chrapliwy, triumfujący okrzyk zwiastujący spełnienie, przywarła do Lucasa tak, jakby nigdy już nie miała go puścić.

18

Muszę przyznać, że ty i Lucas świetnie daliście sobie radę z tym całym zamieszaniem. – Cleo uniosła w górę konewkę, by dosięgnąć fuksji stojącej na półce. – Osiągnęliście wielki sukces wczoraj u Foxtonów. Wygląda na to, że niepotrzebne wam wsparcie Jessiki Atherton. Towarzystwo zdecydowało, że jesteście ich ulubioną parą i miejmy nadzieję, że sezon zdąży się skończyć, zanim zrobisz coś, co zniszczy ten status.

– Miejmy nadzieję – powtórzyła Victoria z uśmiechem. – Lucas również żywi taką nadzieję. Ty i on powinniście się spotkać i wymienić uwagi na temat mojego zachowania.

– Bez wątpienia mielibyśmy o czym rozmawiać, nie sądzisz? – Cleo się uśmiechnęła. – Kiedyś mu powiedziałam, że przy tobie rzadko można się nudzić.

– Moim zdaniem to nie ja i Lucas zapobiegliśmy skandalowi. To ty tego dokonałaś. Oczywiście, z niewielką pomocą Jessiki Atherton – dodała niechętnie, patrząc krytycznym okiem na malowany właśnie kaktus. Kaktus był nieznośny do malowania. Taka ilość malutkich kolców mogła każdego wprawić w irytację.

Cleo podeszła do następnej doniczki i spojrzała z troską na Victorię.

– Początkowo bardzo się niepokoiłam, kiedy Lucas zabrał cię do Yorkshire. Mogłabym udusić Jessicę za tę wizytę w dniu waszego ślubu i wywołanie takiego zamieszania.

– Wiele o tym myślałam. Lucas także.

– Nie dziwię się. Wszak doskonale poradziłby sobie bez jej pomocy. Cała ta sprawa mogła się źle skończyć, ale powiedziałam sobie, że tylko jeden mężczyzna jest zdolny stawić jej czoło, a on jest z tobą. Kiedy otrzymałam twój pierwszy list z prośbą o rośliny do ogrodu, wiedziałam, że najgorsze minęło.

– To prawda, osiągnęliśmy pewien stopień porozumienia.

Cleo gwałtownie uniosła głowę. W jej oczach błysnął śmiech.

– Porozumienie? Tak to nazywasz? Powinnaś zobaczyć siebie, kiedy on jest w pobliżu, moja droga. Ty po prostu promieniejesz. Ufam, że już nie martwisz się o to, że spotka cię smutny los twej matki?

Victoria z uwagą mieszała żółtą farbę z błękitną dla uzyskania potrzebnego odcienia zieleni.

– Lucas to nie Samuel Whitlock.

– Wielkie nieba, oczywiście że nie. Tak jak ty nie jesteś swoją matką, drogą Karoliną, Panie świeć nad jej duszą. Ona prawdziwie kochała twego ojca. Gdyby żył, wszystko potoczyłoby się inaczej. Nigdy by nie uległa urokowi Whitlocka. Ale była tak spragniona miłości po śmierci twego ojca, że natychmiast uległa iluzji, którą Whitlock tak chętnie jej ofiarował.

– Miłość to niebezpieczna rzecz, prawie tak jak elektryczność. Myślę, że najlepsze dla kobiety jest solidne partnerstwo. Właśnie to staram się stworzyć w moim związku z Lucasem. Osiągnęliśmy nawet pewien postęp.

Cleo wzdrygnęła się.

– Co takiego? Chcesz uczynić z małżeństwa ze Stonevale'em spółkę handlową?

– To logiczne, zważywszy na okoliczności, w jakich się pobraliśmy. Nie da się zaprzeczyć, że Stonevale jest świetną inwestycją. To dobry grunt.

– Ach tak. – Cleo patrzyła na nią oszołomiona. – To fascynujące, co mówisz.

– Ten układ daje już pewne rezultaty, choć Lucas ma godny pożałowania zwyczaj wydawania rozkazów, kiedy zawodzą go rozsądek i logika.

– Vicky, kochanie, cóż ty opowiadasz? Czyżby Stonevale przystał na ten pomysł z partnerstwem?

– W zasadzie tak, ale w pewnych sprawach wykazuje opór.

Oczy Cleo zrobiły się okrągłe.

– Nietrudno mi to sobie wyobrazić. A w jakich to sprawach?

– Twierdzi, że go kocham i nie przepuszcza okazji, by na różne sposoby nakłonić mnie do wyznania.

Cleo odstawiła energicznie konewkę i spojrzała ze zdziwieniem na siostrzenicę.

– A nie kochasz go? Vicky, od początku czułam, że twoje serce dryfuje w tym kierunku. W przeciwnym razie nie nalegałabym…

– Oczywiście, że go kocham. W przeciwnym razie nigdy nie spotkałabym się z nim w tej gospodzie. Ale nie mam zamiaru mu tego mówić – oświadczyła Victoria z mocą.

– A czemuż to?

Uniosła wzrok znad obrazu.

– Bo, jeśli mam być szczera, on nie kocha mnie.

– Wielkie nieba, Vicky, czy jesteś tego pewna? Sprawia wrażenie, jakby cię bardzo lubił.

– Bo lubi. To jeden z powodów, dla którego nasze małżeństwo jeszcze trwa. Ale wie, że nie może sobie pozwolić na miłość, bo wykorzystałabym jego uczucie do znęcania się nad nim. On uważa, że jestem czymś w rodzaju jędzy. Zbyt niezależnej i zbyt upartej. Dać mi palec, a natychmiast wezmę całą rękę.

– Może on po prostu nie jest ciebie pewny i dlatego nie oświadcza się z miłością, bo nie wie, czy ty go kochasz – zasugerowała Cleo.

– Dlaczego miałby nie być mnie pewny? Przecież się ze mną ożenił.

– A jakie to ma znaczenie? Ile znanych ci kobiet kocha swoich mężów? Niejedna, jak wiesz, ucieka się do dyskretnego romansu. A kobiety pokroju Jessiki Atherton, które nigdy nie pozwolą sobie na romans, widzą w małżeństwie jedynie obowiązek, nie miłość. Myśl, że można wyjść za mąż, dlatego że tak nakazuje obowiązek, musi przyprawiać mężczyzn o dreszcz.

– Niby dlaczego? Lucas na pewno nie ma wyrzutów sumienia, że ożenił się ze mną z poczucia obowiązku. Jego celem było ratowanie Stonevale, a nie szukanie głębokiej i trwałej miłości.

Machnęła gwałtownie pędzlem po papierze i musiała natychmiast ścierać długą smugę zieleni.

– To, że mężczyzna zmuszony jest kierować się przy wyborze partnerki względami rodzinnymi i majątkowymi, wcale nie znaczy, że nie pragnie być kochany. W dniu waszego ślubu Lucas wyznał mi, że bardzo pragnął, aby wszystko potoczyło się inaczej. Wiedział, że z powodu tego wydarzenia w zajeździe nigdy nie będzie mógł zakończyć zalotów we właściwy sposób.

– Przecież je zakończył. Specjalnym pozwoleniem na ślub, jeśli sobie przypominasz. – Kolejna smuga zieleni pojawiła się na papierze.

– Według mnie on doskonale zdaje sobie sprawę z tego, że nie dana mu była szansa na pozyskanie twej miłości. Nie poślubiłaś go z własnej nieprzymuszonej woli i on o tym wie. Później, kiedy dowiedziałaś się, że zaczął zabiegać o twoje względy, bo byłaś dziedziczką, jego szanse jeszcze bardziej zmalały. Jak on może być ciebie pewny, skoro nie powiedziałaś mu, że go kochasz?

Victoria poczuła się przyparta do muru.

– Właściwie, po czyjej jesteś stronie, ciociu?

Cleo westchnęła.

– Nie jestem po niczyjej stronie, Vicky. Pragnę tylko, byś była szczęśliwa.

– Sądzisz, że byłabym szczęśliwa, gdybym skapitulowała przed moim mężem?

– Skapitulowała? Cóż to za dziwne wyrażenie?

– To jedno z tych, którymi on się posługuje – mruknęła Victoria. – Chyba że próbuje znaleźć eufemizm w rodzaju „zawieszenie broni".

– Doprawdy? Przypuszczam, że to dają o sobie znać lata spędzone w wojsku, a potem hazard. Wojskowi i hazardziści używają podobnego słownictwa. Zawsze myślą w kategoriach strategii, wygranej i przegranej. Nie uznają niczego pośredniego.

– Zdążyłam to zauważyć.

– Natomiast kobiety potrafią być bardziej wyważone – dodała Cleo.

– W kontaktach z mężczyznami jest to niewątpliwa słabość. W ten sposób folguje się ich konserwatyzmowi. Nie, poślubiłam człowieka, który myśli jak żołnierz, i albo go tego oduczę, albo będzie musiał zadowolić się związkiem partnerskim. Jedno jest pewne: nie poddam się tak łatwo.

Cleo przez chwilę przyglądała jej się z uwagą.

– A co masz do stracenia?

– Własną dumę.

– Czy jest aż tak ważna?

– Naturalnie, że tak.

– No cóż, to on jest twoim mężem, moja droga. Musisz postępować tak, jak uznasz za stosowne.

Zadowolona, że skończyły z tym tematem, Victoria pospiesznie przeszła do następnego.

– Może zechciałabyś wybrać się ze mną po sprawunki? Pragnęłabym nabyć kilka książek o ogrodnictwie.

– Z przyjemnością. Czy przeznaczysz je do waszej biblioteki?

– Niektóre z nich tak, ale część chciałabym ofiarować miejscowemu pastorowi i jego żonie. Byli nam bardzo pomocni. Pastor pisze książkę o ogrodnictwie. – Zawahała się, po czym dodała: – A ja mam wykonać do niej ryciny.

Cleo rozpromieniła się.

– Vicky, to cudownie. Wreszcie będziesz mogła opublikować swoje urocze rysunki. Tak się cieszę. Jak do tego doszło?

– Lucas to zainicjował – powiedziała Victoria miękko.

– Jak on to zrobił? – zapytała Cleo z ciekawością.

Victoria spłonęła rumieńcem.

– Pokazał jeden z moich obrazków pastorowi, który natychmiast poprosił o spotkanie z autorką, by móc zapytać, czy nie zechciałaby namalować rycin do jego książki. Lucas przysięga, że nie powiedział mu, kim jest owa malarka, dopóki wielebny nie zachwycił się obrazkiem. Pastor wydaje się szczerze uradowany, że to ja będę robić te ryciny. Przyznam, że jestem tym podekscytowana.

Cleo w zamyśleniu przyglądała się obrazkowi na sztalugach.

– Zaiste, Stonevale potrafił ofiarować swej dziedziczce prezent, którego ona nie byłaby w stanie sobie kupić.

Bursztynowożółta jedwabna suknia olśniewała prostotą. Victoria z zadowoleniem spojrzała na swoje odbicie w lustrze. Wąska, luźno puszczona spódnica do kostek, podwyższony stan zakończony małym, misternie udrapowanym stanikiem z głęboko wyciętym dekoltem, podkreślającym delikatne wzgórki piersi. Do tego pantofelki wyszywane złotem i długie rękawiczki.

Na śnieżnej szyi połyskiwał samotny w swej krasie bursztynowy medalion. Rzucając ostatnie spojrzenie w lustro, uznała, że jest gotowa, jeśli w ogóle mogła być gotowa na spotkanie z Jessicą Atherton. Wzięła do ręki pozłacany wachlarz.

– Wezmę czarną pelerynę, Nan, tę z kapturem ozdobionym złotą satyną.

– Jaśnie pani wygląda dziś wspaniale. – Nan westchnęła z nabożnym zachwytem, okrywając ramiona swej pani długą peleryną. – Jego lordowska mość będzie bardzo dumny. – Ułożyła kaptur tak, by złota satyna tworzyła wokół szyi piękny kołnierz.

– Dziękuję, Nan. Muszę już iść. Jaśnie pan zapewne czeka już w holu. Nie czekaj dziś na mnie. Obudzę cię, kiedy będziesz mi potrzebna.

– Tak, jaśnie pani.

Lucas spacerował niecierpliwie u stóp schodów, lecz gdy ujrzał Victorię spowitą w czarny aksamit i złoto, zatrzymał się gwałtownie. W oczach błysnęło mu pożądanie i zachwyt.

– Gotowa do walki, co? – mruknął, podając jej ramię.

– Powiedzmy, że nie chcę, aby Jessice było mnie żal.

Roześmiał się, kiedy Griggs otwierał przed nimi drzwi.

– Jeżeli już ma być jej kogoś żal, to raczej mnie.

– Och, doprawdy? A to dlaczego?

Przycisnął mocniej jej ramię do boku.

– Zauważy, że nie mogę się oprzeć mojej bursztynowej pani i że to ty przewodzisz w tym małżeństwie.

Victoria obrzuciła go powłóczystym spojrzeniem, kiedy pomagał jej wsiąść do powozu.

– Czy naprawdę nie możesz mi się oprzeć?

– A jak sądzisz? – zapytał, wsiadając za nią do powozu.

– Sądzę, że znowu sobie ze mnie żartujesz.

Ujął ją za rękę i pochylił się nad jej dłonią.

– Zapewniam cię, że nie sposób ci się oprzeć.

– Zachowam to w pamięci.

Ulice prowadzące do pałacu Athertonów były pełne powozów. Tłumy elegancko odzianych pań i panów tarasowały wejście. Ale Lucas i Victoria jako honorowi goście szybko znaleźli się w środku.

Kiedy Victoria zdjęła pelerynę w obszernym rozświetlonym holu, bursztynowożółta suknia zajaśniała pełnym blaskiem. Lucas obrzucił jednym spojrzeniem szyję, ramiona i głęboki dekolt i zacisnął zęby.

– Nic dziwnego, że owinęłaś się tą peleryną – warknął. – To nauczy mnie zwracania większej uwagi na twój ubiór.

– Zaufaj mi, Lucasie. Ta suknia to ostatni krzyk mody.

– Odsłania więcej niż suknia dziewki w gospodzie. Niemal z ciebie spada. Gdybym zobaczył ją przed wyjściem z domu, kazałbym ci iść na górę i się przebrać.

– Teraz już za późno – powiedziała wesoło. – Przestań się dąsać. Za chwilę nas zaanonsują i chyba byś nie chciał, aby lady Atherton i jej goście pomyśleli, że się kłócimy.

– Chwilowo wygrałaś, lecz możesz być pewna, że jeszcze o tym porozmawiamy.

Poprowadził ją w dół po schodach, ku rozświetlonej, gwarnej sali balowej.

Kiedy padło nazwisko hrabiego Stonevale'a i jego małżonki, wszyscy na sali zamilkli, a po chwili rozległy się okrzyki uznania i kieliszki poszły w górę. Bohaterowie sezonu podeszli do gospodarzy.

We wzroku lady Atherton mignął cień zadumy, kiedy witała uśmiechem Lucasa. Lord Atherton, mężczyzna o surowym wyglądzie, aktywny polityk, skłonił swą łysiejącą głowę nad ręką Victorii.

– To niezwykle uprzejme z państwa strony, że zechcieliście uhonorować nas tym balem. – Victoria starała się okazać serdeczność.

– Wyglądasz uroczo, moja droga – zwróciła się Jessica do Victorii. – Ta suknia jest wprost nadzwyczajna. I cóż za niezwykły krój jak na młodą małżonkę. Ale ty zawsze byłaś oryginalna, nieprawdaż?

– Robię, co mogę – zapewniła ją Victoria. – W końcu nie chciałabym znudzić mego męża.

Lucas rzucił jej ostrzegawcze spojrzenie, po czym uśmiechnął się znacząco.

– Niewiele nudy doświadczyłem od owego wieczoru, kiedy nas sobie przedstawiono, moja droga.

Lord Atherton uśmiechnął się lekko.

– O ile wiem, to doniosłe wydarzenie miało miejsce właśnie tu, w tej sali balowej, nieprawdaż?

– Lady Atherton była tak uprzejma, że nas sobie przedstawiła – odpowiedziała Victoria.

– Tak mi mówiono. – Lord Atherton podał jej ramię. – Czy zechcesz wyświadczyć mi ten honor, pani, i zatańczyć ze mną pierwszy taniec?

– Będzie to dla mnie przyjemność.

Idąc na parkiet, obejrzała się przez ramię i zobaczyła, że Lucasa otacza tłum ludzi. Pochwycił jej spojrzenie nad morzem głów i uśmiechnął się lekko. W tym uśmiechu kryła się duma, podziw i zmysłowa obietnica.

Czując rozlewające się we wnętrzu przyjemne ciepło, Victoria zwróciła się w stronę lorda Athertona, który już zaczynał mówić o polityce.

Lucas nie spuszczał wzroku ze swej bursztynowej pani, choć nie miał zbyt wiele okazji, by z nią porozmawiać. I dobrze się stało, pomyślał. Gdyby znalazł się blisko niej, prawdopodobnie nie mógłby się powstrzymać i powróciłby do tematu sukni. Skoro jednak i tak już nic nie można było zrobić, kontynuowanie tej dyskusji mijało się z celem.

Mąż musi wiedzieć, które bitwy są warte rozgrywki, lecz jako wytrawny strateg nie mógł nie przyznać Victorii słuszności, gdy pragnęła zabłysnąć przed Jessicą Atherton.

Tak czy inaczej, będzie jednak zwracać baczniejszą uwagę na jej wygląd, postanowił, patrząc, jak Victoria ponownie wraca na parkiet.

– Twoja żona robi dziś furorę wśród męskiej części moich gości – mruknęła Jessica Atherton, stając obok Lucasa. – Cieszę się, że dobrze się bawi.

– Zasługuje na to.

– Tak. Nie było jej łatwo tu dziś przyjść.

Lucas uniósł brew, słysząc tak trafną uwagę.

– Rzeczywiście, nie było.

– Wiem, że musiała czuć się trochę przybita tym całym zamieszaniem towarzyszącym jej małżeństwu. Ja również nie ułatwiłam jej sprawy, składając wizytę tego ranka tuż przed waszym wyjazdem do Yorkshire. Wybacz mi, Lucasie. Chciałam cię za to przeprosić. Ale kierował mną niepokój o to, czy będziesz szczęśliwy w tym małżeństwie – powiedziała Jessica z poczuciem winy.

– Zapomnij o tym, Jessico. To już przeszłość.

– Tak, masz rację. Ale wiem, że byłeś wówczas zły na mnie i chciałam wiedzieć, czy mi wybaczyłeś.

– Jak już powiedziałem, to przeszłość. Nie przejmuj się tym. Doszliśmy z Victorią do porozumienia i oboje jesteśmy zadowoleni z tego związku.

Jessica kiwnęła głową.

– Przypuszczałam, że tak się stanie. W końcu Victoria jest przecież inteligentną kobietą. Może zachowuje się czasami skandalicznie, ale jest honorową i uczciwą kobietą. W przeciwnym razie nie przedstawiłabym ci jej. Byłam pewna, że kiedy do czegoś dojdzie, to Victoria pogodzi się ze swym losem i wypełni swój obowiązek, tak jak ty to zrobiłeś.

Lucas poczuł, że ma ochotę zgrzytać zębami. Wziął do ręki kieliszek szampana i pociągnął potężny łyk.

– Powiedz mi, Jessico, czy jesteś zadowolona ze swego małżeństwa?

– Atherton jest znośnym mężem. To wszystko, co kobieta może osiągnąć w małżeństwie. Znajduję satysfakcję w tym, że jestem dla niego dobrą żoną. Człowiek robi to, co musi.

„Znośnym mężem". Victoria nazwała go tak raz czy dwa. Poczuł się nagle lekko zirytowany. Czy właśnie tym dla niej był? Znośnym mężem?

– Wybacz, Jessico. Zdaje się, że dostrzegam Potbury'ego. Chciałbym zamienić z nim parę słów.

– Naturalnie.

Lucas uciekł od pani domu, ale wiedział, że nie ucieknie od jej słów. Jessica Atherton działała człowiekowi na nerwy, lecz nie myliła się w ocenie ludzi. Miała rację twierdząc, że Victoria jest honorową i uczciwą kobietą. Ale stanowczo sprzeciwiał się twierdzeniu, że Victoria zgodziła się na to małżeństwo, bo tak nakazywał jej rozsądek. Nie chciał być jedynie znośnym mężem.

Nie mógł uwierzyć, że kiedy drżała w jego ramionach, robiła to jedynie z obowiązku. Przecież zależało jej na nim. Był przekonany, że znów nauczy się go kochać, kiedy tylko przestanie z takim uporem bronić swej dumy. To właśnie ta przeklęta duma nie pozwalała jej skapitulować.

Lord Potbury uśmiechnął się jowialnie, kiedy zobaczył zbliżającego się ku niemu Lucasa.

– Miło mi pana widzieć, Stonevale. Muszę przyznać, że pańska żona wygląda dziś wyjątkowo uroczo. Jak tam sprawy w Yorkshire?

– Świetnie, dziękuję. Tęsknię jednak do naszych cotygodniowych spotkań. Ciekaw jestem, jak tam przebiegają doświadczenia z elektrycznością. Czy zdarzyło się coś interesującego w tej dziedzinie?

Lord Potbury się rozjaśnił.

– Grimshaw miał mały wypadek w zeszłym tygodniu. Doznał strasznego wstrząsu. Było z nim bardzo źle, ale powraca już do zdrowia.

– Miło mi to słyszeć. A nad czym pracował?

– Wpadł na pomysł stworzenia mniejszego, bardziej zwartego urządzenia do gromadzenia energii elektrycznej. Miejmy nadzieję, że nie zabije siebie, póki nie skończy tego wynalazku.

– Czytałem niedawno o doświadczeniach nad ożywianiem zmarłych – powiedział Lucas ostrożnie.

– Tak, tak, ja również o tym czytałem. Interesujące, lecz jak dotąd nikt jeszcze nie widział takiego ożywieńca. – Potbury zachichotał.

– Czy sądzisz, panie, że te eksperymenty w końcu się powiodą?

– Któż to może wiedzieć? Ale osobiście mocno w to wątpię.

– Tak – powiedział Lucas. – Ja również. Oznacza to, że po odpowiedzi musimy się zwrócić do żywych.

– Nie rozumiem?

– Nic nie szkodzi. Po prostu głośno myślałem. Jeśli wybaczysz mi, panie, to spróbuję się przebić do mojej żony.

– Powodzenia. Niezły tu dziś tłok, prawda? A wkrótce będzie jeszcze większy. Wciąż przybywają nowi goście. Zapewne będzie to największy bal w tym sezonie. O, dostrzegam lady Nettleship. Wygląda dziś wyjątkowo uroczo, nie sądzisz, panie? Spróbuję utorować sobie do niej drogę.

Lucas ukłonił się uprzejmie i ruszył przez tłum. Przychodziło mu to z trudnością, bo wszyscy chcieli mu składać powinszowania.

Mniej więcej w połowie drogi zatrzymał go jeden z lokai i podał list na małej srebrnej tacy.

– Jakiś człowiek to przyniósł i prosił, aby to jaśnie panu doręczyć – wyjaśnił służący uprzejmie. – Przepraszam, że tak długo trwało, ale nie mogłem znaleźć jaśnie pana w tym tłumie.

Lucas zmarszczył czoło, wziął list i kiwnął szorstko głową na znak, że dziękuje za przekazanie wiadomości. Rzucił na tacę kilka monet i lokaj zniknął w tłumie gości.

Jestem w posiadaniu informacji, która powinna pana zainteresować, a która dotyczy pewnych incydentów. To bardzo pilne. Czekam na zewnątrz w czarnym powozie za rogiem.

Lucas zmiął list i spojrzał w stronę, gdzie stała Victoria, śmiejąc się i gawędząc w grupie osób. Ruszył ku niej, nie zatrzymując się już, kiedy zwracano się do niego z powinszowaniami.

– Pozwolą państwo, że porwę na chwilę moją żonę – powiedział przepychając się przez tłum otaczający Victorię.

Zabrzmiało to jak rozkaz, wszyscy więc natychmiast się usunęli.

Victoria spojrzała na niego ze zdziwieniem, po czym uśmiechnęła się znacząco do stojących obok kobiet.

– Mężczyźni przechodzą po ślubie przedziwną metamorfozę, nieprawdaż? – mruknęła tonem usprawiedliwienia. – Najpierw są uprzejmi i nadskakujący, a potem tak straszliwie apodyktyczni.

Lucas chwycił ją za ramię i odprowadził na bok, nie zwracając uwagi na towarzyszące temu docinki i chichoty.

– Zajmę ci jedynie minutę, a potem będziesz mogła powrócić do swych uwag na temat mężów.

– Lucas, na litość boską, ja przecież żartowałam. O co ci chodzi? Czy coś się stało?

– Nie wiem. Przed chwilą to dostałem.

Podał jej list.

Jej oczy zrobiły się okrągłe.

– Edgeworth?

– Najprawdopodobniej. Pewnie nie dostał zaproszenia i nie może wejść do środka. Wychodzę, by sprawdzić, czego chce. Przyszedłem tylko cię uprzedzić, że nie będzie mnie przez chwilę. Nie chciałem, abyś zwróciła uwagę wszystkich na moje zniknięcie. Nie wiem, ile czasu mi to zajmie.

Victoria uważnie rozejrzała się po sali.

– Myślę, że bez trudu stąd się wymkniesz. Albo wiesz co? Oboje się wymknijmy! Tłum jest tak gęsty, że nikt nie zauważy naszego zniknięcia. Ci, co będą nas szukać, pomyślą, że jesteśmy w drugim końcu sali lub na balkonie albo w pokoju gier lub też w ogrodzie.

– Victorio…

Oczy zabłysły jej z podniecenia.

– Tak, jestem pewna, że możemy się wymknąć. Ty pójdziesz pierwszy, a ja niepostrzeżenie wyjdę do ogrodu, przeskoczę przez mur i będę czekać na ciebie za rogiem.

– Czyś ty rozum postradała?! – wykrzyknął zaskoczony, choć przecież powinien się czegoś takiego spodziewać. – Nie zrobisz czegoś podobnego. Absolutnie ci zabraniam. Zostaniesz tutaj, Vicky. To rozkaz. Pod żadnym pozorem nie wolno ci opuszczać sali balowej. Nie wyjdziesz nawet do ogrodu. Zrozumiałaś?

– Doskonale, milordzie. Przedstawiłeś swoje stanowisko aż nazbyt jasno. Doprawdy, Lucasie, czasami objawiasz wysoce irytującą skłonność do przeciwstawiania się czemuś, co szczególnie mnie interesuje.

– Wybacz, moja droga, ale czasami objawiasz wysoce irytującą skłonność do występowania z najbardziej idiotycznymi pomysłami. A teraz idź do swoich przyjaciół. Wrócę najszybciej, jak będę mógł.

– Natychmiast po powrocie oczekuję pełnego raportu.

– Oczywiście.

Położyła mu rękę na ramieniu i spojrzała z powagą w oczy.

– Lucasie, obiecaj mi, że będziesz ostrożny.

– Jestem pewien, że nie ma w tym nic niebezpiecznego – powiedział uspokajająco. – Ale obiecuję ci. – Spojrzał chmurnie na dekolt jej sukni. – Raczej tobie grozi niebezpieczeństwo, bo możesz się nabawić poważnego zapalenia płuc.

Uśmiechnęła się.

– Postaram się rozgrzać w tańcu. Idź już, Lucasie, i wracaj prędko.

Zapragnął nagle ucałować te cudowne usta, ale wiedział, że to niemożliwe. Takie publiczne okazywanie uczuć byłoby zupełnie nie na miejscu. Absolutnie nie do pomyślenia. Jednak nie mógł przestać o tym myśleć.

– Vicky?

– Tak, Lucasie?

– Czy nadal uważasz, że jestem jedynie znośnym mężem?

– Całkiem znośnym mężem – odparła wesoło.

Odwrócił się i ruszył w stronę drzwi wychodzących na ogród. Nie spieszył się, nie chcąc zwracać na siebie uwagi. Kiedy będzie szedł spokojnie, nikt nie weźmie mu za złe, że wychodzi na zewnątrz dla zaczerpnięcia oddechu.

Mur Athertonów nie był trudniejszy do pokonania od muru lady Nettleship. Znalazł kilka ubytków w cegłach, chwycił się bluszczu i chwilę później stał już na górze, potem bezpiecznie zeskoczył na ulicę.

Znalazł się w wąskim ciemnym zaułku. W nozdrza uderzył go smród, charakterystyczny dla wszystkich londyńskich zaułków, lecz nie tak przenikliwy. Przeszedł wzdłuż muru i wyszedł przed front pałacu. Minął grupę nudzących się stangretów i stajennych, którzy grali w kości.

Zatrzymał się w pobliżu pary koni i zlustrował stojące pojazdy. Niedaleko rogu, trochę oddalony od innych, stał mały czarny powóz. Woźnica siedział na koźle, jakby na kogoś czekając.

Lucas minął dwa powozy, które oddzielały go od tego czarnego, i zaszedł go od tyłu.

– Czekasz może na kogoś?

Woźnica odwrócił się zaskoczony.

– Tak, panie.

– A może na mnie?

– Nie zauważyłem, panie, jak wychodziłeś z pałacu – powiedział woźnica z podziwem. – W środku mam pasażera, który chce z tobą mówić.

Lucas zajrzał ciekawie do środka i zobaczył siedzącego w rogu mężczyznę. Nagle przypomniał sobie, że opuszczając salę balową, nie zabrał ze sobą płaszcza, a ukrycie pistoletu w mocno dopasowanym fraku było niemożliwe. Szkoda.

– Dobry wieczór, Edgeworth. Przypuszczam, że to na mnie czekasz?

– Mam coś, co, jak sądzę, cię zainteresuje, Stonevale. Może wejdziesz na chwilę do środka?

Lucas zawahał się, doszedł jednak do wniosku, że wyjaśnienie tajemnicy jest ważniejsze od grożącego mu niebezpieczeństwa. Otworzył drzwi i wsiadł do powozu, starając się robić to niezdarnie, oszczędzając lewą nogę bardziej, niż było to konieczne.

Nie był zbyt zaskoczony, kiedy Edgeworth wyciągnął spod płaszcza pistolet.

– Myślę, że za każdym razem, kiedy doskwiera ci noga, staje ci przed oczami dzień, w którym powinieneś był umrzeć, prawda, Stonevale?

– Spodziewam się, że wyświadczysz mi tę łaskę i wyjaśnisz, o co chodzi, zanim pociągniesz za spust – powiedział Lucas, siadając na wprost Edgewortha i masując udo.

– Nie obawiaj się, Stonevale. Jeszcze przez jakiś czas nie pociągnę za spust. Mój wspólnik ma pewne plany, które chciałby wcielić w życie i dopiero wówczas będę mógł oddać się tej przyjemności.

– Czy nazwisko twego wspólnika nie brzmi przypadkiem Samuel Whitlock?

– Whitlock? Cóż za pomysł. – Edgeworth stuknął dwa razy w dach i powóz ruszył. Potem popatrzył na Lucasa i wybuchnął głośnym śmiechem. – Układać się z umarłym? To dopiero zabawny pomysł.

19

Victoria otrzymała list w chwili, gdy schodziła z parkietu z lordem Potbury.

– Zechciej mi, panie, wybaczyć – zwróciła się ze śmiechem do swego towarzysza i otworzyła list.

– Naturalnie. Spodziewam się, że to nic poważnego.

Przebiegła wzrokiem treść, mając nadzieję, że Potbury nie zauważy, jak drżą jej palce.

Proszę przyjść bez zwłoki, jeśli miłe ci życie i honor twego męża. Za rogiem czeka powóz z ubraniem, którego będziesz potrzebować. Woźnica udzieli ci dalszych instrukcji. Spiesz się, bo czas nagli.

– Nie – powiedziała Victoria, uśmiechając się promiennie do Potbury'ego. – To wiadomość od przyjaciółki, która wybiera się do ogrodu dla zaczerpnięcia świeżego powietrza i prosi, bym jej towarzyszyła. Przypuszczam, że łatwiej jej było przekazać wiadomość przez lokaja, niż przeciskać się przez ten tłum. Czy wybaczysz mi, panie?

– Naturalnie. – Potbury pochylił się z rewerencją nad dłonią Victorii. – Życzę miłego spaceru. Ogrody lady Atherton są niezwykle rozległe. Jeszcze raz proszę przyjąć serdeczne powinszowania z okazji ślubu. Dobry człowiek z tego Stonevale'a.

– To prawda.

Victoria dyskretnie odebrała pelerynę od jednego z lokai wyjaśniając, że wybiera się na przechadzkę po ogrodzie, a zrobiło się chłodno, i niepostrzeżenie wymknęła się z sali.

Chwilę później była już w odległej, nieoświetlonej części wypielęgnowanego ogrodu Jessiki. Kilka rzędów równo przyciętych i ozdobnie przystrzyżonych krzewów osłoniło ją przed wzrokiem gości. Ogród Jessiki był jak ona sama: piękny, doskonały i nietykalny.

Wspinaczka po murze zajęła jej trochę czasu. Musiała w tym celu podciągnąć suknię aż do ud. Ciekawe, co Lucas by powiedział, gdyby zobaczył ją tak eksponującą nogi. Łzy pociekły jej po twarzy. Będzie musiała ukarać Edgewortha, jak tylko go odnajdzie, jeśli Lucas już tego nie zrobił.

Zmarszczyła nos, czując smród zaułka, otuliła się peleryną, nasunęła kaptur na głowę i ruszyła w stronę rogu.

Czekała tam dorożka. Lekko podpity woźnica dotknął kapelusza z żartobliwym szacunkiem.

– Pewnie to pani jesteś ową damą, na którą czekam.

Victoria nie odezwała się słowem, przypuszczając, że woźnica bierze ją za damę, którą ma zawieźć na schadzkę z kochankiem. Otuliła się szczelniej peleryną i wsiadła pospiesznie do dorożki. Pojazd ruszył, zanim jeszcze zdążyła usiąść i o mało nie straciła równowagi. Kiedy usiłowała się czegoś przytrzymać, natrafiła ręką na worek. Domyśliła się, że zawiera on ubranie, które miała włożyć.

Kiedy przebierała się w bryczesy, koszulę i długie buty, straszliwa myśl błysnęła jej w głowie, wywołując skurcz żołądka. To nie mógł być zbieg okoliczności. Ten, kto przesłał jej wiadomość, musiał wiedzieć, że niejednokrotnie wdziewała już męski strój. Jeśli owa osoba znała ten sekret, znała również i inne.

O takich rzeczach wiedziałby duch, pomyślała, lub ktoś, kto tropił ją jak duch, podobnie jak ona Samuela Whitlocka. Zadrżała.

Nie powinna teraz o tym myśleć, przekonywała siebie, ściągając suknię. Nawet nie wolno jej o tym myśleć. Jedyna rzecz, która się w tej chwili liczyła, to Lucas.

Żołądek znowu dał o sobie znać, kiedy dorożka zatrzymała się przed Zielonym Wieprzem. Miejsce przeznaczenia również nie mogło być przypadkowe. Ktoś o wszystkim wiedział.

Trzęsącymi się rękami narzuciła pelerynę na męskie przebranie i naciągnęła kaptur na głowę. Następnie szybko zwinęła suknię i z resztą rzeczy wepchnęła ją do worka.

– Trzecie drzwi na piętrze – mruknął woźnica, kiedy wysiadła z dorożki. – Życzę dobrej zabawy. Państwo zwykle dobrze się bawią, nie tak, jak my, którzy musimy zarabiać na życie.

Nawet na nią nie spojrzał. Pociągnął kolejny łyk z butelki, strzelił lejcami i odjechał.

Victoria zaczekała, aż pojazd zniknie jej z oczu, po czym zdjęła pelerynę i włożyła wysoki kapelusz, który również znalazła w worku. Wzięła głęboki oddech, wyprostowała się i weszła śmiało do jaskini hazardu.

Tym razem wszystko tu wygląda inaczej, pomyślała z drżeniem serca. Wiedziała, że to z powodu nieobecności Lucasa przy jej boku.

Ogień płonący na kominku rzucał czerwonawy blask na tłum bywalców szulerni, upodabniając ich do demonów z piekieł. Ordynarny, pijacki rechot budził w sercu niepokój. Miała uczucie, że za chwilę wybuchnie jakaś bójka. Kiedy ruszyła w stronę schodów, zastąpiła jej drogę jedna z szynkarek.

– Chyba nie chcesz, panie, iść samotnie na górę. Potrzebna ci będzie towarzyszka, a tak się zdarzyło, że jestem w tej chwili wolna.

Victoria zaczęła gorączkowo myśleć.

– Dziękuję, ale ktoś już na mnie czeka.

– Ach, więc o to chodzi – mrugnęła znacząco dziewczyna. – Widziałam, jak pański przyjaciel szedł na górę, a ja nie jestem od tego, by kogoś osądzać. Poza tym, ten gość już zapłacił za pokój. Powodzenia. Jeśli stwierdzisz, że wolałbyś kobietę, wystarczy zawołać starą Betsy.

Victoria popatrzyła na nią skonfundowana.

– Tak, dziękuję, nie omieszkam tego zrobić.

Betsy wybuchnęła śmiechem.

– Od razu widać, że z ciebie wielki pan. Tacy nigdy nie zapominają o manierach, nawet w takim miejscu jak to.

Odeszła, ciągle chichocząc.

Victoria ruszyła po schodach, ściskając w ręku worek z sukienką i pelerynę. Znalazła się w ciemnym korytarzu. Minęła dwoje drzwi, zza których dochodził wulgarny chichot i jęki, i zatrzymała się przed trzecimi. Zawahała się, po czym ostrożnie zapukała. Drzwi natychmiast się otworzyły. Stanęła w nich Isabel Rycott przebrana w męski strój, w którym wyglądała jeszcze bardziej egzotycznie niż w sukni balowej.

– Lady Rycott, cóż za niespodzianka. – Victoria starała się mówić spokojnie, chłodno i obojętnie, podobnie jak czynił to Lucas w takich sytuacjach. Przynajmniej nie mam do czynienia z przywróconym do życia Samuelem Whitlockiem, pomyślała. – Gdzie jest mój mąż?

Isabel Rycott uśmiechnęła się z przerażającą satysfakcją i wyciągnęła pistolet.

– Zechce pani wejść, lady Stonevale? Czekałam na panią.

Kiedy minął pierwszy szok, Victoria postanowiła, że musi okazać zimną krew. Nie pomoże Lucasowi, jeśli wpadnie w panikę.

– Czy Edgeworth też tu jest? – zapytała, wchodząc do pokoju. – Trudno mi sobie wyobrazić, żebyś sama to wszystko zorganizowała. Przywykłaś przecież wykorzystywać swoich mężczyzn, prawda?

– Cóż za spostrzegawczość. – Isabel cofnęła się o krok. Jej oczy błyszczały niezdrowo. – Ale ty zawsze byłaś wyjątkowo spostrzegawcza. Zbyt spostrzegawcza. I teraz za to zapłacisz.

Ściskając w dłoni worek z ubraniem i pelerynę, Victoria podeszła do kominka i oparła się niedbale o gzyms. Płonący ogień rzucał ponury blask na mały, nędzny pokój.

– Chyba nie chcesz, pani, powiedzieć, że wszystko to tutaj jest wynikiem urazy, jaką żywisz do mnie? Cóż, na Boga, ci uczyniłam?

– Zabiłaś go! Oto, co uczyniłaś – syknęła Isabel. – Zabiłaś Samuela Whitlocka i wszystko zniszczyłaś.

Victoria zamarła.

– Może zechcesz mi wytłumaczyć, cóż ja takiego ci zniszczyłam?

– Wszystko zaplanowałam, ty głupia, mała suko. Whitlock miał się ze mną ożenić, kiedy zabił twoją matkę. Wiele miesięcy zajęło mi namówienie go, by zamordował Karolinę.

Victoria omal nie przewróciła się na gzyms kominka.

– Namówiłaś go, by zamordował moją matkę?

– Myślisz, że sam by tego dokonał? Nie zdobyłby się na to, gdybym mu w tym nie dopomogła. Nie uważał tego za konieczne. Wciąż powtarzał, że i tak korzysta z jej pieniędzy, więc nie przeszkadzało mu, że ona żyje. Ale ja nie mogłam z nich korzystać. Dałam mu więc jasno do zrozumienia, że nie będzie mnie miał, jeśli się jej nie pozbędzie. A on nie mógł beze mnie żyć, Victorio. W końcu zaplanował wypadek z koniem.

– Wiedziałam, że to było morderstwo, jeszcze zanim mi to wyznał.

– Tak, natychmiast się tego domyśliłaś, prawda? Niecałe dwa miesiące później zaczął się dziwnie zachowywać. Ciągle powtarzał, że widział ducha twojej matki. Przestraszyłam się, że stracił rozum, i że odeślą go do domu wariatów, zanim zdąży się ze mną ożenić. Postanowiłam więc, że sama sprawdzę, co się dzieje w jego domu.

Palce Victorii zacisnęły się na worku.

– Byłaś tam owej nocy, kiedy rzucił się na mnie z nożem?

– A kto, jak sądzisz, wcisnął mu go do ręki? Powiedziałam, że musi ponownie zabić Karolinę, ale tym razem na dobre. Był tak zamroczony alkoholem i opętany myślą, że ona wróciła, by go straszyć, że zrobił wszystko, co mu kazałam.

Serce Victorii zaczęło łomotać z gniewu i przerażenia.

– Gdzie jest mój mąż? Czy on ma z tym coś wspólnego?

– Wszystko w swoim czasie, Victorio. Wszystko w swoim czasie. Nie obawiaj się, wkrótce tu będzie. Edgeworth ma go tu przyprowadzić.

– A więc Edgeworth jest w to zamieszany.

Isabel zacisnęła palce na pistolecie i zaśmiała się cicho.

– O tak. To on to wszystko obmyślił. Ma swoje porachunki ze Stonevale'em. Przystałam na takie rozwiązanie pod warunkiem, że zobaczę cię martwą.

– Tak bardzo zależało ci na tym opoju, moim ojczymie, że teraz pragniesz się na mnie zemścić? Przeraża mnie twój gust, lady Rycott. Choć nie powinno mnie to dziwić. Przecież zaprzyjaźniłaś się z Edgeworthem, a on nie należy do mężczyzn, których można podziwiać, prawda? A może wolisz, pani, mężczyzn, którzy stoją niżej od ciebie?

– Powiedziałam ci kiedyś, że lubię takich, którymi można kierować. Słabeuszy, którzy łatwo poddają się czyjejś woli. To niezmiernie ułatwia życie. Whitlock był całkowicie pod moim wpływem. Edgeworth również.

– Jak to się stało, że wybrałaś Edgewortha na swojego wspólnika?

– Dowiedziałam się o konflikcie między nim a Stonevale'em. Kiedy Stonevale zaczął ciebie adorować, pomyślałam, że ktoś, kto tak go nienawidzi jak Edgeworth, może stać się użyteczny.

– Nic w ten sposób nie zyskasz – stwierdziła Victoria. – Teraz mój mąż przejął kontrolę nad majątkiem. W wypadku jego śmierci przechodzi on na moich krewnych, w tym na moją ciotkę. Nie dostaniesz ani centa.

Oczy Isabel zapłonęły gniewem.

– Sądzisz, że o tym nie wiem? Pozbawiłaś mnie szansy na zdobycie twojego majątku, kiedy ten biedny głupi Samuel spadł przez ciebie ze schodów. Zniweczyłaś wszystkie moje plany i teraz zapłacisz mi za to.

– Dlaczego tak długo z tym zwlekałaś? Czemu wyjechałaś na kontynent po śmierci Whitlocka?

– Bo obawiałam się, że mogłabyś się czegoś domyślić. Byłaś tak cholernie sprytna, że nie mogłam ryzykować. Nie miałam możliwości sprawdzenia, co wiesz lub ile wyznał ci Samuel owej nocy, kiedy próbował cię zabić. Uciekłam, bo obawiałam się, że możesz odkryć prawdę. Ale, jak widać, niepotrzebnie.

– Niepotrzebnie. Chociaż w ciągu ostatnich paru miesięcy nie opuszczało mnie dziwne uczucie, że coś pozostało niezakończone.

Nocne koszmary zaczęły się wkrótce po tym, jak poznałam Isabel Rycott, pomyślała z drżeniem.

– Nie podobało mi się życie na kontynencie – ciągnęła Isabel chłodno. – Początkowo bardzo mi odpowiadało, lecz sprawy się skomplikowały, kiedy związałam się z młodym włoskim hrabią. Jego matka, pojmujesz. Przestraszyła się, że jej ukochany syn mógłby się ze mną ożenić i że rodzinna fortuna dostanie się w moje ręce. Postarała się, by wykluczono mnie z towarzystwa, niszcząc tym samym wszystkie moje nadzieje. Wysoce nieprzyjemne.

– Tak więc zdecydowałaś się powrócić do Anglii.

– Tutaj mam większe szanse na zdobycie majątku. Zapamiętaj moje słowa: znajdę sobie drugiego Samuela Whitlocka i to wkrótce. Pieniądze mojego pierwszego męża skończyły się i potrzebuję następnych. I to szybko. Podczas pobytu na kontynencie stale śledziłam twoje losy. Po kilku miesiącach uznałam, że nic mi nie grozi, wróciłam więc do Londynu.

– I postanowiłaś zemścić się za to, że pokrzyżowałam ci plany?

– Właśnie. Chciałam usunąć cię z drogi, bo to doskonały sposób na zatarcie wszystkich śladów. Zawsze istniała szansa, że w końcu zaczniesz się czegoś domyślać. Skoro miałam pozostać w Anglii, nie mogłam ryzykować, że odkryjesz, że jestem zamieszana w śmierć twojej matki.

– A więc to ty, pani, zostawiłaś szalik i tabakierkę tak, bym je zauważyła? – zapytała Victoria.

Isabel spojrzała na jej bryczesy i długie buty i uśmiechnęła się dziwnie.

– Nie jesteś jedyną osobą, która odkryła korzyści płynące z męskiego stroju. À propos, jestem ci za to wdzięczna. Czy sądzisz, że nadejdą czasy, kiedy kobiety będą mogły nosić spodnie publicznie?

Victoria zignorowała to pytanie.

– Śledziłaś mnie tej nocy?

– O tak. Bardzo uważnie cię obserwowałam, poznając twoje zwyczaje i ścieżki, którymi chadzasz. Kiedy zaprzyjaźniłaś się ze Stonevale'em, wszystko stało się łatwiejsze. Narażałaś się na tyle niebezpieczeństw.

Lucas nawet nie przypuszczał, jak były one groźne, pomyślała.

– Kim była osoba, która omal mnie nie zabiła?

– To był Edgeworth. Kazałam mu tylko cię przestraszyć, ale ten głupiec chciał skorzystać z okazji i pozbyć się Stonevale'a. Byłam wściekła na niego.

– A ten bandyta, który napadł na mojego męża?

– Edgeworth go dla mnie wynajął. Miał cię przestraszyć, może lekko zranić nożem, ale to wszystko. Jednak coś poszło źle. Zmieniłaś tej nocy swoje zwyczaje. Stonevale przyszedł po ciebie do ogrodu, ale wrócił bez ciebie. Ten głupiec chciał mimo wszystko zarobić na swoją zapłatę i go zaatakował.

Victoria przypomniała sobie, że tej nocy ściągnęła Lucasa do ogrodu, by mu powiedzieć, że chce nawiązać z nim romans. Nie planowała żadnej przygody, dlatego nie poszła z nim do powozu.

– Po co to wszystko, Isabel? Po co te sztuczki z szalikiem, tabakierką i ulotką o ożywianiu zmarłych?

Oczy lady Rycott zalśniły.

– Wzięłam przykład z ciebie. Nie pojmujesz ironii? Pragnęłam przestraszyć cię do szaleństwa, tak byś nie mogła się z tym do nikogo zwrócić. Bo któżby uwierzył, że Samuel Whitlock wstał z grobu, by cię zabić? Chciałam doprowadzić do tego, byś myślała, że postradałaś zmysły. Wszystko byłoby o wiele prostsze, gdybyś znalazła się w domu wariatów. Wyobraź sobie siebie przykutą na resztę życia łańcuchami do ściany. Normalna kobieta uwięziona w świecie szaleńców. To byłoby wspaniałe zakończenie. I dla mnie najbezpieczniejsze.

Victoria kiwnęła głową.

– Nie musiałabyś uciekać się do morderstwa.

Isabel spojrzała na nią z uwagą.

– To prawda. Nie lubię plamić sobie rąk krwią. Jednak kiedy poślubiłaś Stonevale'a i tak nagle opuściłaś Londyn, wszystko się bardzo skomplikowało. Mogłaś przecież zwierzyć mu się ze wszystkiego, a wówczas on rozpocząłby śledztwo. Wtedy właśnie zgodziłam się z Edgeworthem, że oboje musicie umrzeć.

– Nadal nie odpowiedziałaś, pani, na moje pierwsze pytanie. Gdzie jest mój mąż?

– Edgeworth przyprowadzi go tu za chwilę. Oboje umrzecie w tym pokoju. Wszystko będzie wyglądało nad wyraz tragicznie i niezwykle romantycznie. Cierpliwości, już niedługo.

Victoria uśmiechnęła się chłodno.

– Obawiam się, że popełniasz błąd, wysyłając Edgewortha po mojego męża. Stonevale wkrótce tu będzie, nie mam co do tego żadnych wątpliwości, lecz przyjdzie sam, bez Edgewortha.

Isabel podeszła do okna i wyjrzała na obskurny zaułek.

– Obawiam się, że pokładasz zbyt wielką wiarę w możliwości swego męża, Victorio.

– Pokładam wielką wiarę w jego znajomość strategii, pani.

Siedząc w powozie zaparkowanym w zaułku nieopodal Zielonego Wieprza, Lucas widział, jak z dorożki wysiada Victoria i wchodzi do szulerni. Dłoń bezwiednie zacisnęła mu się w pięść.

– Właśnie przypieczętowałeś wyrok na siebie, Edgeworth. Nie powinieneś wciągać w to mojej żony – powiedział lodowatym tonem.

– Twoja żona była w to wciągnięta już dawno. – Edgeworth zachichotał szyderczo. – Jej śmierć jest dla Isabel równie ważna jak twoja dla mnie.

– Jaki jest wasz plan?

– Myślę, że już mogę ci go zdradzić. Słyniesz przecież ze swoich taktycznych i strategicznych umiejętności, Stonevale, toteż powinieneś docenić jego chytrość.

Lucas nie spuszczał wzroku z drzwi wejściowych do Zielonego Wieprza. Wyczuwał zdenerwowanie Edgewortha. Napięcie wprost z niego emanowało.

– Jesteś tchórzem i głupcem, Edgeworth, a to oznacza, że cokolwiek zaplanowałeś, spali na panewce.

Edgeworth uniósł lekko pistolet i rzucił chrapliwie:

– Przekonasz się, Stonevale. Tym razem szczęście cię opuści. Stracisz dziś nie tylko życie, lecz i swój cenny honor. Jutro rano cały Londyn się dowie, jak to hrabina Stonevale wymknęła się z balu u lady Atherton, by spotkać się z kochankiem w szulerni. Wszyscy będą rozprawiać o tym, jak poszedłeś za nią i zastałeś ją w łóżku z innym mężczyzną.

– A kim jest ów mężczyzna?

– Nikt się tego nie dowie, bo zniknie tajemniczo, kiedy ty będziesz zajęty zabijaniem żony.

– A moja śmierć? Jak ją wytłumaczysz?

– Bardzo prosto. Cóż innego może zrobić mężczyzna w twojej sytuacji, jeśli nie palnąć sobie w łeb?

– Powiedz mi, Edgeworth, czy to ty poinformowałeś lady Nettleship o miejscu pobytu Victorii?

Edgeworth uśmiechnął się zimno.

– Śledziłem ją tego wieczoru. Kiedy zorientowałem się, że zabierasz ją do tej gospody, by ją uwieść, pomyślałem, że nadarza mi się wyborna okazja. Byłem pewien, że kiedy złapią cię na gorącym uczynku, twoja reputacja legnie w gruzach. Spodziewałem się, że wykluczą cię z towarzystwa i wyrzucą z klubów. Lecz ty się pospieszyłeś i w ciągu kilku godzin poślubiłeś pannę. Kiedy zaś lady Nettleship i Jessica Atherton oficjalnie uznały wasze małżeństwo, nic nie można było już zrobić.

Pistolet zadrżał w ręku Edgewortha, zdradzając niepokój jego właściciela.

– Myślę, że daliśmy mojej wspólniczce dość czasu na rozmowę z twoją żoną. Isabel jest jak kotka. Lubi pobawić się ze swoją ofiarą, zanim zada jej śmiertelny cios.

Lucas zaczął wysiadać z powozu. Nagle potknął się, przytrzymał drzwi i jęknął z bólu.

– Niech cię diabli, Stonevale!

Edgeworth cofnął się gwałtownie i machnął ręką z pistoletem, starając się utrzymać równowagę.

– Przepraszam. To ta moja noga. Ma zwyczaj odzywać się w najmniej odpowiednich momentach.

– Zamknij się i wysiadaj! – rzucił nerwowo Edgeworth.

Lucas usłuchał, stawiając ostrożnie stopę na ziemi. Edgeworth wysiadł tuż za nim.

– Na tyłach domu są schody – powiedział Edgeworth. – Nie mam zamiaru dać ci okazji do ucieczki w szulerni. Zbyt dużo tam świadków, gdybym musiał cię zastrzelić.

– Cóż za przezorność.

Lucas powoli ruszył ciemnym zaułkiem. Panujące wokół ciemności zupełnie mu nie przeszkadzały. Wszystkie te nocne wycieczki z Victorią wreszcie się na coś przydały, pomyślał ponuro. Bez kłopotu mógł się teraz poruszać w ciemności.

Wolno podszedł do schodów. Następnie, posłuszny rozkazowi Edgewortha, zaczął wchodzić na górę.

– Szybciej! – rzucił tamten nerwowo.

– To musi być dla ciebie niezmiernie trudne, Edgeworth. Zawsze miałeś słabe nerwy, prawda? Wyobrażam sobie, ile cię to kosztuje.

– Niech cię diabli, Stonevale! Wkrótce za to zapłacisz, przysięgam. Szybciej!

Lucas zaczekał, aż dojdą do trzeciego stopnia, a wówczas potknął się i zachwiał, młócąc przy tym powietrze rękami.

– Cóż ty, u diabła...

Edgeworth usiłował usunąć się na bok, ale schody były zbyt wąskie, więc wyrzucił rękę w górę, starając się chwycić poręczy. W tym momencie Lucas runął na niego całym ciężarem. Egdeworth rozpaczliwie starał się ustawić pistolet na linii strzału, lecz za późno.

Teraz wszystko potoczyło się błyskawicznie. Obaj mężczyźni spadli ze schodów. Lucas nie spuszczał wzroku z ręki Edgewortha trzymającej pistolet.

Zobaczył, że przeciwnik zaciska już palec na spuście i musiał użyć obu rąk, by skierować jego ramię w drugą stronę.

Rozległ się huk. Edgeworth szarpnął się gwałtownie i krzyknął, kiedy kula trafiła go w pierś.

Lucas wyczuł, jak ciało mężczyzny najpierw tężeje, a potem opada bezwładnie. W uszach dzwoniło mu od huku wystrzału, ale nie zwracał na to uwagi. Poczuł ciepłą krew spływającą między palcami.

– Niech cię piekło pochłonie, Edgeworth.

Odsunął się od konającego mężczyzny.

– Już dawno się w nim znalazłem. Tego dnia, kiedy uciekłem z pola walki. – Powieki Edgewortha stawały się coraz cięższe. – Nigdy o tym nikomu nie powiedziałeś.

– Każdy ma swój honor.

– Ty i ten twój przeklęty honor – wydyszał Edgeworth słabnącym głosem.

– W którym pokoju jest moja żona, Edgeworth? Nie obciążaj dodatkowo swego sumienia morderstwem.

Konający odkaszlnął i z ust pociekła mu krew.

– Sam ją znajdź, Stonevale – wydusił i umilkł.

Lucas wstał widząc, że jego przeciwnik stracił przytomność, wytarł ręce o płaszcz Edgewortha i podniósł z ziemi pistolet. Właśnie ruszał w kierunku schodów, kiedy usłyszał słowa Egdewortha.

– Powinienem poderżnąć ci gardło tego dnia, kiedy zobaczyłem cię leżącego na tym przeklętym polu, Stonevale. Powinienem zabić cię, kiedy miałem szansę. Od tego czasu nie dawałeś mi spokoju. Prześladowałeś mnie jak jakiś przeklęty upiór. I wreszcie mnie dopadłeś.

Lucas nie odezwał się. Zresztą, nie było tu nic do powiedzenia. Wbiegł na schody tak szybko, jak mógł, i znalazł się na wąskim podeście. Na jednym końcu znajdowały się drzwi, które wychodziły na odrapany korytarz. Pomruki, jęki i śmiech dochodzące zza zamkniętych drzwi biegnących wzdłuż korytarza, powiedziały mu, gdzie się znajduje.

Mógł zacząć otwierać po kolei każde z nich, lecz to by zaalarmowało Isabel Rycott i dało jej czas na działanie. Niechętnie cofnął się na podest i przyjrzał się wąskiemu gzymsowi biegnącemu pod oknami. Całe szczęście, że nie mam lęku wysokości, pomyślał.

Victoria nadal opierała się o obramowanie kominka, kiedy dostrzegła ruch za oknem. Natychmiast domyśliła się, kto tam jest. Ulga spłynęła na nią wielką falą. To Lucas, wszystko więc będzie dobrze. Teraz musi tylko odciągnąć uwagę Isabel od okna.

– Powiedz mi, pani, czy trudno ci będzie zrezygnować z przebierania się w męski strój, teraz kiedy tak w nim zasmakowałaś? Jeśli o mnie chodzi, to niełatwo mi będzie zwalczyć pokusę. Wspaniała rzecz spodnie, nie sądzisz? Pomyśl, jak daleko lepszy byłby świat, gdyby wszystkie kobiety mogły je nosić.

Isabel gwałtownie potrząsnęła pistoletem.

– Zamknij się, Victorio! Wkrótce już nie będziesz musiała się o to martwić.

Victoria uśmiechnęła się i kopnęła mały kloc głębiej do ognia.

– Edgeworth cię zdradzi. Słabi mężczyźni mogą być użyteczni, lecz w trudnych sytuacjach zawodzą. Przyznaję, że silni mężczyźni sprawiają kłopoty, ale przynajmniej można na nich polegać. Czy kiedykolwiek spotkałaś mężczyznę, na którym mogłaś polegać, Isabel? Doszłam do wniosku, że to rzadki i cenny gatunek.

– Mówiłam, byś się zamknęła! Za chwilę będzie tu Edgeworth i wtedy przestaniesz być taka rozmowna – syknęła Isabel.

Victoria dostrzegła kątem oka obutą stopę przesuwającą się po gzymsie. Odłożyła worek z ubraniem i zaczęła bezmyślnie bawić się peleryną przewieszoną przez ramię.

– Rozmowa pomaga mi zabić czas w oczekiwaniu na Stonevale'a.

– Twój mąż cię nie uratuje, Victorio. Wybij to sobie z głowy.

– Nonsens. Lucas jest najbardziej zadziwiającym mężczyzną, jakiego znam.

Uśmiechnęła się promiennie i w tym momencie przy ogłuszającym huku pękającego szkła i drewna wpadł do pokoju Lucas.

– Nie! – krzyknęła Isabel i skierowała pistolet w jego stronę.

Victoria momentalnie zamachnęła się peleryną i zarzuciła ją na głowę Isabel. Ta krzyknęła i upuściła pistolet, który potoczył się po podłodze.

Lucas wyprostował się, otrzepał ubranie i spojrzał na Victorię.

– Nic ci nie jest? – zapytał spokojnie.

– Zadziwiającym! – powtórzyła Victoria i rzuciła mu się w ramiona. – Wiedziałam, że przyjdziesz. Gdzie jest Edgeworth?

– W zaułku. Nie żyje.

Poczuła ucisk w gardle.

– Jakoś mnie to nie dziwi. Co zrobimy z lady Rycott?

– Dobre pytanie. – Lucas puścił ją i podniósł z podłogi pistolet. Potem ściągnął pelerynę z głowy Isabel. Spojrzała na niego błyszczącymi jak diamenty oczyma. – Nie mamy zbyt wiele czasu. Musimy wrócić na bal, zanim spostrzegą naszą nieobecność. Myślę, że najprościej byłoby ją zabić. Właściciel Zielonego Wieprza znajdzie rano już jedno ciało, ale równie dobrze może znaleźć i dwa.

Victoria spojrzała na niego z przerażeniem.

– Lucasie, zaczekaj. Nie możesz jej tak po prostu zastrzelić.

– Mówiłem ci już, że nie mamy czasu na zastanawianie się. Musimy stąd szybko wyjść.

W oczach Isabel błysnął strach.

– Zastrzeliłbyś mnie z zimną krwią?

– Dlaczego nie? Właściciel dopilnuje, żeby usunięto stąd twoje ciało i Edgewortha, i wrzucono je do rzeki. Nikt o nic nie zapyta.

– Nie! – Isabel wydała zduszony okrzyk. – Nie możesz tego zrobić!

– Ona ma rację, Lucasie – powiedziała Victoria.

– Obchodzi cię, co się z nią stanie? – zapytał Lucas.

– Oczywiście, że nie. Ale nie mogę ci pozwolić, żebyś ją zastrzelił. Jest to niezgodne z twoim poczuciem honoru, a poza tym nie chcę, byś musiał znosić jeszcze jeden akt przemocy. I bez niego miałeś już dość zabijania w swoim życiu.

– Masz jak zwykle zbyt miękkie serce, moja droga. Zapewniam cię, że mój honor na tym nie ucierpi, jeśli zabiję kobietę, która chciała zabić ciebie, a jeszcze jedna śmierć na sumieniu nie zrobi mi różnicy.

– Za to mi zrobi – powiedziała Victoria cicho. – Nie pozwolę ci na to.

– Masz jakiś inny pomysł? – zapytał Lucas dziwnie obojętnie.

Oczy Isabel zrobiły się okrągłe ze strachu.

– No cóż – powiedziała Victoria, myśląc gorączkowo – nie widzę powodu, dla którego nie moglibyśmy zostawić jej tutaj i pozwolić, by sama odnalazła drogę do domu. Rano zaś rozpocznie przygotowania do wyjazdu na kontynent.

– Na kontynent?! – wykrzyknęła Isabel. – Ależ ja nie mogę tam wrócić. Nie mam tam z czego żyć. Będę głodować.

– Wątpię – mruknęła Victoria. – Lucasie, pozwólmy jej opuścić Anglię. Nie sądzę, aby był to gorszy pomysł od zabicia jej.

– Dobrze – powiedziała wolno Isabel, nie spuszczając wzroku z pistoletu wycelowanego w jej pierś. – Wrócę na kontynent. Daję wam moje słowo, że natychmiast opuszczę Anglię.

Lucas milczał przez chwilę.

– Myślę, że jest to jakieś wyjście.

– Tak – powiedziały jednocześnie Victoria i lady Rycott.

– Rozumiem, że opuścisz, pani, Londyn najszybciej, jak to możliwe – zastrzegł Lucas. – I prędko tu nie powrócisz. Myślę, że nigdy.

– Nie, nie, nigdy tu nie wrócę. Daję wam moje słowo.

– Bo gdybyś postanowiła wrócić, natychmiast zostałabyś oskarżona o morderstwo.

Isabel otworzyła usta ze zdziwienia.

– Ale ja nikogo nie zabiłam.

– Obawiam się, że się mylisz, lady Rycott. – Lucas się uśmiechnął. – Wiedziona zazdrością, poszłaś za Edgeworthem do tej szulerni, bo sądziłaś, że ma się tu spotkać z inną kobietą, i zastrzeliłaś go.

– Ależ ja nic takiego nie zrobiłam!

– Zostawiłaś, pani, list, w którym przyznałaś się do wszystkiego. Zostanie on podany do publicznej wiadomości, w wypadku gdybyś zdecydowała się powrócić do Anglii.

Victoria z podziwem spojrzała na Lucasa.

– Sprytnie pomyślane, Lucasie. Doskonały pomysł. Zatrzymamy to wyznanie i ogłosimy je, gdyby Isabel tu wróciła.

Wzrok lady Rycott przesunął się ze spokojnej, zdeterminowanej twarzy Lucasa do zadowolonej twarzy Victorii.

– Nie zostawiłam żadnego listu.

– Ale zrobisz to, jeśli chcesz opuścić ten pokój, lady Rycott – powiedział Lucas.

20

Pospiesz się ze ściąganiem tych przeklętych bryczesów. Nie mamy czasu do stracenia, jeśli chcemy ocalić naszą reputację.

Otworzył worek i wyciągnął z niego zmiętą bursztynowożółtą suknię balową. Siedzieli w dorożce, która jechała zatłoczonymi o tej porze ulicami Londynu.

– Robię, co mogę, Lucasie. Nie musisz na mnie warczeć. To nie moja wina, że męskie bryczesy trudno się zdejmuje.

– Jeśli uważasz, że warczę na ciebie, to jeszcze nie wiesz, co cię czeka po powrocie do domu.

Victoria zastygła na moment i spojrzała na niego skonsternowana. Zauważyła, że jest wściekły.

– Lucasie, co się stało?

– Masz jeszcze czelność pytać mnie o to? Po tym, co zaszło?

Ściągnął z niej kamizelkę i koszulę, nie zwracając uwagi na połyskujące w ciemności nagie piersi. Zbyt był zajęty wciąganiem na nią sukni.

– Uważaj, bo mi ją podrzesz. – Wepchnęła ręce w krótkie rękawy. – Nie życzę sobie, abyś na mnie krzyczał. Mam za sobą wyjątkowo ciężki wieczór.

– Nie był cięższy od mojego i zwracam ci uwagę, że nie krzyczę na ciebie. Zaczekam z tym do powrotu do domu. Wielki Boże, zapomnieliśmy o halce!

– Nie szkodzi. Nikt nie będzie wiedział, że nie mam jej na sobie.

– Ale ja będę wiedział. Nie pozwolę ci wrócić na bal bez halki.

– Tak, kochanie. – Wciągnęła ją posłusznie na siebie. – Lucasie, tak się o ciebie bałam.

– A jak sądzisz, co ja czułem, kiedy zobaczyłem, że wchodzisz do szulerni? Nie naraziłabyś się na niebezpieczeństwo, gdybyś usłuchała mego polecenia. Jesteśmy na miejscu. Włóż pelerynę.

Wsunęła stopy w pantofelki i naciągnęła kaptur na głowę. Lucas otworzył drzwi dorożki i pomógł jej wysiąść.

Kilka minut później prowadził ją ciemnym zaułkiem wzdłuż ogrodowego muru Athertonów.

– Wejdę pierwszy. – Znalazł występ w murze i wdrapał się na górę. Następnie pochylił się i wciągnął Victorię. – Bryczesy lepiej się nadają do wspinaczki po murach – mruknął, kiedy suknia uniosła się powyżej kolan.

Zeskoczyli na żwirowaną alejkę. Lucas zaczął masować nogę, rozglądając się uważnie po ciemnym, pustym ogrodzie.

– Najgorsze za nami – oznajmił. – Gdyby ktoś nas teraz zobaczył, powiedziałby, że hrabia Stonevale flirtuje ze swoją młodą żoną. Niezbyt to stosowne, ale nie skandaliczne. Wracajmy do pałacu.

Victoria przejechała ręką po lokach, wygładziła fałdy sukni i z gracją wsunęła rękę w rękawiczce pod zaoferowane jej ramię męża. Nie mogła przy tym opanować lekkiego uśmiechu.

– Nie ma w tym nic śmiesznego, Vicky – rzucił Lucas, prowadząc ją ku rozświetlonej, gwarnej sali balowej.

– Tak, milordzie.

– Powinienem ci sprawić lanie.

– Tak, milordzie.

– Twierdziłaś, że stałem się konserwatywnym nudziarzem, ale, na Boga, teraz dopiero się przekonasz, co to oznacza. Udowodnię ci, jakim mogę być naprawdę konserwatywnym nudziarzem.

– Tak, milordzie.

Zanim Lucas zdążył rzucić następne groźby, znajoma postać dostrzegła ich z tarasu.

– Och, tu jesteś, Vicky! – zawołała wesoło Annabella Lyndwood. – Widzę, że podziwiacie ogród. Chciałam przedstawić ci lorda Shiptona. Bertie mówi, że ma zamiar starać się o moją rękę, zatem bardzo bym chciała usłyszeć twoją opinię na jego temat.

– Moja żona nie będzie już wynajmować detektywów dla zbadania małżeńskich perspektyw jej przyjaciółek – powiedział Lucas. – Uznała, że nadszedł czas, by zacząć się zachowywać w bardziej dystyngowany, konwencjonalny sposób.

– Ojej – zdziwiła się Annabella. – Czyżbyś chciał, panie, zmienić ją w jeszcze jedną Jessicę Atherton lub w doskonałą pannę Pilkington? To przygnębiające.

– Właśnie, Lucasie, czy chciałbyś zrobić ze mnie kogoś na wzór lady Atherton czy panny Pilkington? – zapytała Victoria, spoglądając niewinnymi oczami na zachmurzonego Lucasa.

– Nie sądzę, byśmy musieli posuwać się aż do tego – mruknął. – Zechciejcie mi wybaczyć, ale dostrzegam Tottinghama rozmawiającego z lady Nettleship. Pragnąłbym go zapytać, czy nie czytał czegoś ostatnio o nawożeniu. Z pewnych względów ten temat bardzo mnie dziś interesuje.

Victoria przyglądała się, jak Lucas wchodzi do sali balowej, po czym zwróciła się z uśmiechem do Annabelli.

– Cudowne przyjęcie, prawda? – stwierdziła, zdejmując z ramion pelerynę i ruszając w stronę otwartych drzwi.

– Cudowne. – Annabella się uśmiechnęła. – Po lady Atherton trudno się zresztą spodziewać czegoś innego. Vicky, jeśli będziemy stać dość blisko siebie, to postaram się, aby fałdy mojej sukni ukryły smugi na twojej.

Trzy godziny później Victoria siedziała przy toaletce i patrzyła, jak jej mąż spaceruje tam i z powrotem po pokoju. Nigdy nie widziała go tak rozgniewanego.

W jego głosie brzmiały niebezpieczne tony, a nastrój nie wróżył nic dobrego. Było jasne, że zamierzał przeprowadzić to, co sobie zaplanował.

– Dlaczego, na Boga, nie usłuchałaś moich poleceń, Vicky? Powiedziałem ci, żebyś pod żadnym pozorem nie opuszczała sali balowej. Ale naturalnie, ty nie mogłaś zastosować się do kilku prostych zasad, które miały cię ochronić. Koniecznie musiałaś skorzystać ze sposobności, by się wałęsać po nocy.

Zmarszczyła brwi.

– A cóż według ciebie miałam zrobić, kiedy otrzymałam wiadomość, że grozi ci niebezpieczeństwo?

– Miałaś zrobić to, co ci polecono.

– Czy zostałbyś w sali balowej, gdybyś otrzymał taki list? – zapytała Victoria, próbując złagodzić w ten sposób jego gniew.

– To nie ma nic do rzeczy. Pod żadnym pozorem nie wolno ci było opuszczać pałacu.

– Wybacz, Lucasie, ale muszę uczciwie przyznać, że gdybym musiała to zrobić jeszcze raz, postąpiłabym tak samo.

– A, to już inna sprawa. Jesteś inteligentną kobietą, a nie potrafisz wyciągać wniosków ze swoich błędów. Kiedy kończy się jedna przygoda, już szukasz okazji do następnej. No cóż, mam dla ciebie nowinę, Vicky: był to twój ostatni mur ogrodowy, na który się wspięłaś.

– Nie czyń, proszę, pochopnych deklaracji w takim stanie nerwów. Najpierw powinieneś się uspokoić. Jestem pewna, że jutro dojdziesz do wniosku, że postąpiłam rozsądnie.

– Twoje pojmowanie rozsądku zdecydowanie odbiega od mojego.

– Nie wierzę w to, Lucasie. Wiem, że według ciebie jestem uparta i czasami postępuję nieroztropnie, ale...

– Czasami? – Odwrócił się i spojrzał na nią z niedowierzaniem. – Prawie zawsze.

– Czyżbym naprawdę była aż tak złą żoną, milordzie?

– Nie powiedziałem, że jesteś złą żoną. Jesteś nieposłuszną, samowolną, lekkomyślną żoną, która wkrótce zrobi ze mnie ruinę człowieka, jeśli nie nauczę jej szacunku dla biednego, udręczonego męża.

– Ależ ja cię szanuję, Lucasie – powiedziała z wielkim przekonaniem w głosie. – Zawsze cię szanowałam. Bywało, że nie zgadzałam się z twoim postępowaniem i czasami niezmiernie mnie irytowałeś, ale zapewniam cię, że zawsze miałam dla ciebie wielki szacunek.

– Tak, uważasz mnie za znośnego, czyż nie?

– Raczej tak.

– Miło mi to słyszeć – powiedział Lucas przez zaciśnięte zęby, chodząc nerwowo po pokoju. – Będę o tym pamiętał, kiedy następnym razem rozmyślnie mnie zlekceważysz.

– Nigdy cię rozmyślnie nie lekceważyłam.

– Czyżby? – Odwrócił się i podszedł do niej. – A co zrobiłaś dziś wieczorem? Czy to nie było lekceważenie mojej osoby i akt nieposłuszeństwa?

Victoria wyprostowała się na krześle.

– No cóż, przypuszczam, że można to tak tłumaczyć, gdyby ktoś niewłaściwie pojął moje zachowanie, ale ja nigdy nie…

– Miej odwagę w końcu przyznać, że zrobiłaś to, bo mnie kochasz.

W sypialni zaległa cisza.

Victoria spojrzała mu w oczy, po czym odchrząknęła i kiwnęła głową.

– Masz absolutną rację. Właśnie dlatego to zrobiłam.

– Mój Boże, nie wierzę własnym uszom! – Lucas patrzył na nią w oszołomieniu, po czym porwał ją w ramiona. – Powiedz to, Vicky. Po tym, co przeszedłem dziś w nocy, zasługuję chyba na te słowa.

Uśmiechnęła się nieśmiało.

– Kocham cię. Od początku cię kochałam. Myślę, że od chwili, kiedy zostaliśmy sobie przedstawieni.

– To właśnie był główny powód, dla którego pobiegłaś mi na ratunek, dla którego nie pozwoliłaś mi zabić lady Rycott, tak jak na to zasługiwała. Bo mnie kochasz. – Przycisnął ją mocno do piersi. – Moja najdroższa żono. Tak długo czekałem na te słowa. Myślałem, że rozum stracę od tego czekania.

– Czy myślisz, że nadejdzie czas, kiedy i ja będę mogła usłyszeć te słowa? – zapytała, kryjąc twarz na jego piersi.

– Dobry Boże, przecież ja cię kocham, Vicky. Myślę, że zdałem sobie z tego sprawę owej nocy, kiedy po raz pierwszy się z tobą kochałem. Wiedziałem, że nigdy nie będę pragnął żadnej kobiety tak jak ciebie. Ale wszystko się diabelnie skomplikowało, kiedy wszedłem do oranżerii i zorientowałem się, że Jessica Atherton wszystko ci wyznała. Kosztowało mnie to znacznie więcej, niż mogła nawet przypuszczać. Miałem ochotę bić wszystkich i wszystko. Wiedziałem, że po tym, co zaszło, nigdy nie uwierzysz, że cię kocham.

– Nie byłam wówczas w nastroju do wysłuchiwania miłosnych deklaracji. Ale później mogłeś mi to powiedzieć.

– Później raczyłaś mnie poinformować, że pragniesz stworzyć z naszego małżeństwa związek interesów. Z takim uporem starałaś się widzieć w nim jedynie partnerski układ, że ogarniała mnie coraz większa rozpacz. Jedynym pocieszeniem był fakt, że nigdy nie zdjęłaś bursztynowego medalionu.

Spojrzała na niego zaskoczona.

– Medalionu? Nie zdjęłam go, bo tylko on dawał mi nadzieję.

– Wszystkiemu winien twój upór – stwierdził Lucas.

Victoria dotknęła medalionu.

– Nie mogłeś oczekiwać, żebym ci wyznała, że cię kocham, po tym jak się dowiedziałam, że ożeniłeś się ze mną dla majątku. Poza tym, dałeś mi do zrozumienia, że nie ustąpisz ani na krok, bo wówczas wykorzystam twoje dobre serce, by tobą manipulować. Pragnąłeś mojej kapitulacji, Lucasie.

– Kocham cię do szaleństwa, najdroższa, ale jestem w stanie cię zrozumieć. Nie przepuszczałaś żadnej okazji, by zdobyć najmniejszą nawet przewagę w tej naszej małej wojnie i nie mogę cię za to winić. Szanuję cię jako mojego przeciwnika, ale wolałbym widzieć w tobie kochającą żonę, Vicky.

– Ładnie powiedziane, milordzie. – Przytuliła się do niego mocno. – Och Lucasie, jakże cię kocham.

Przywarł do jej ust gorącymi wargami.

– Skoro już o tym mówimy, to chciałbym wyjaśnić jeszcze jedną sprawę. Nie ożeniłem się z tobą dla twoich pieniędzy. Kiedy zacząłem o ciebie zabiegać, to przyznaję, istotnie tak było, lecz poślubiłem cię, bo nie wyobrażałem sobie, że mógłbym ożenić się z inną kobietą. Dobry Boże, ja musiałem cię kochać. Z jakiego innego powodu pragnąłbym związku z kobietą, która groziła, że zmieni moje życie w serię katastrof.

– Przypuśćmy, że to prawda. Nie zapominajmy jednak, że mogłeś wybierać. Zawsze przecież pozostawała ci doskonała panna Pilkington.

Potrząsnął nią lekko.

– Czyżbyś naśmiewała się ze mnie, czarownico?

– Nigdy. Nawet przez myśl mi nie przeszło, by się naśmiewać z mojego męża. Darzę go przecież najgłębszym szacunkiem. – Uniosła głowę i spojrzała na niego błyszczącymi oczami. – Czy to oznacza, że masz zamiar skończyć z obrzucaniem mnie wymówkami za to, co dziś zrobiłam?

– Nie bądź taka z siebie zadowolona. Jeszcze z tobą nie skończyłem.

– Doprawdy? To co teraz? Zaciągniesz mnie przed sąd wojenny? Zostanę wyrzucona z towarzystwa, pozbawiona przywilejów?

– Myślę – powiedział Lucas – że po prostu zaniosę cię do łoża i pozbawię nocnej koszuli. Potem będę cię kochał dopóty, dopóki w pełni nie uświadomisz sobie swoich błędów.

Wziął ją na ręce i zaniósł do łóżka. Uśmiechnęła się promiennie i otoczyła ramionami jego szyję.

– To brzmi cudownie.

Zaśmiał się chrapliwie i ułożył ją na łóżku.

– Jeśli chodzi o tę sferę małżeństwa, osiągnęliśmy pełną zgodność.

Zrzucił szlafrok i ułożył się przy niej gotowy do miłosnych zmagań. Szybko uporał się z jej koszulą, po czym przyciągnął Victorię do siebie. Bursztynowy medalion na jej szyi muskał owłosioną pierś Lucasa.

– Powiedz jeszcze raz, że mnie kochasz, Vicky.

– Kocham cię i zawsze będę kochać. – Objęła dłońmi jego twarz i ucałowała żarliwie. – Jesteś jedynym mężczyzną na ziemi, którego mogłam poślubić. Jakiż inny mężczyzna mógłby dyskutować ze mną o zaletach płynących z nawożenia, a nocą wspinać się po ogrodowym murze? Jesteś wyjątkowy, Lucasie. A teraz powiedz mi jeszcze raz, że nie ożeniłeś się ze mną dla pieniędzy.

Dłonie Lucasa zacisnęły się na jej karku, kiedy ponownie zbliżył usta do jej warg.

– Właściwie nie ma znaczenia, dlaczego się z tobą ożeniłem, moja bursztynowa pani. Tak mnie usidliłaś, że nigdy nie będę wolny. Kocham cię, Vicky. Mogę w nieskończoność wspinać się po ogrodowych murach, przechodzić po gzymsach, czy uczestniczyć w nocnych przygodach, jeśli obiecasz, że będziesz mnie kochać do końca życia.

– Przyrzekam ci to solennie, milordzie.

W jego oczach nie ma już upiorów, pomyślała Victoria, poddając się pieszczocie warg, jedynie światło księżyca, miłość i namiętność, które trwać będą do końca życia.

Lucas obudził się w nocy, czując znajomy ból w nodze. Miał zamiar wstać, by nalać sobie kieliszek porto, ale zanim zdążył to uczynić, Victoria położyła rękę na jego udzie i zaczęła je łagodnie masować. Zamknął oczy i po chwili spał już głęboko.

Wiosną następnego roku Lucas chodził po pałacu w poszukiwaniu żony. Znalazł ją w oranżerii, gdzie malowała właśnie dziwną małą lilię, którą niedawno przysłano jej z Ameryki.

Wróciła do malowania miesiąc po urodzeniu dziecka. Natchnęła ją do tego, jak sama stwierdziła, wiadomość, że książka wielebnego Wortha *O skutecznych metodach upraw pięknych kwiatów w ogrodzie* rozeszła się błyskawicznie, a obecnie przygotowywano jej drugie wydanie.

Pastor twierdził, że do oszałamiającego sukcesu książki przyczyniły się ryciny lady Victorii Stonevale. Pracował teraz nad drugą częścią, tym razem poświęconą egzotycznym roślinom w ogrodach.

Wesołe dziecięce gruchanie powitało Lucasa, kiedy szedł alejką wśród bujnie rozkwitłych egzotycznych roślin. Zatrzymał się przy kołysce stojącej w pobliżu sztalug i uśmiechnął się do swego syna. Dziecko było dla niego symbolem rodzącego się wokół życia.

Ogród widoczny przez okna oranżerii zadziwiał bogactwem kwiatów, a zielone pola otaczające posiadłość zapowiadały wspaniałe zbiory. To będzie dobry rok dla Stonevale, pierwszy z wielu, przyrzekł sobie Lucas.

Pochylił się i pocałował żonę, która mieszała właśnie pędzlem farby, i spostrzegł pomarańczową plamę na jej nosie.

– Co tam masz, Lucasie? – zapytała, patrząc na oprawiony w skórę tom w jego ręku.

– Mały prezent dla ciebie. Egzemplarz twojej książki z dedykacją od autora.

Zarumieniła się z radości.

– Właściwie to nie jest moja książka, lecz wielebnego Wortha.

– Zdradzę ci mały sekret, moja droga. Ciotka Cleo twierdzi, że ludzie kupują tę książkę nie tylko z powodu zawartych w niej mądrości, lecz również dla pięknych rycin.

Victoria przyglądała się książce, przesuwając palcami po skórzanej oprawie.

– Och, wątpię.

– Ależ to prawda.

– Dziękuję, Lucasie. – Spojrzała na niego z miłością w oczach. – Ciocia Cleo co do jednego miała rację. Potrafisz ofiarować mi coś, czego nigdy nie mogłabym kupić sobie sama.

Uśmiechnął się.

– A ty, najmilsza, ofiarowałaś mi o wiele więcej, niż mogłem oczekiwać, kiedy zacząłem polować na dziedziczkę.

– Wiesz – mruknęła, bezwiednie dotykając medalionu na szyi – myślę, że nadszedł czas, aby bursztynowy rycerz i jego pani ponownie pojawili się o północy na ziemiach Stonevale.

Jęknął.

– Dopiero przed miesiącem wstałaś z połogu. Zapomnij o tym, kochanie. – Spojrzał znacząco na swego syna. – Poza tym masz teraz co innego do robienia o północy.

– No, może nie tej nocy i nie następnej, ale już wkrótce. – Zaśmiała się, a oczy jej rozbłysły. – Przecież tak lubisz spełniać moje kaprysy, Lucasie.

– Nie pojmuję, dlaczego wciąż zadaję sobie pytanie, kto przed kim skapitulował? – stwierdził, całując ją delikatnie i czule.

Odpowiedź Victorii utonęła w pocałunku niosącym ze sobą obietnicę życia wypełnionego czarownymi nocami.

WYDAWNICTWO AMBER Sp. z o.o.
00-060 Warszawa, ul. Królewska 27, tel. 620 40 13, 620 81 62
Warszawa 2005. Wydanie I
Druk: Finidr, s.r.o., Český Těšín